# DE DONKERE RIVIER

JOHN TWELVE HAWKS

# DE DONKERE RIVIER

the house of books

*Oorspronkelijke titel*
The Dark River
*Uitgave*
Doubleday, New York


*Vertaling*
Annemarie Lodewijk
*Omslagontwerp*
Studio Jan de Boer BNO, Amsterdam
*Opmaak binnenwerk*
ZetSpiegel, Best



ISBN 978 90 443 2141 8
D/2008/8899/82
NUR 332

*voor mijn kinderen*

# Noot van de schrijver

*De donkere rivier* is een fictief verhaal geïnspireerd op de echte wereld.

Een avontuurlijke lezer kan de zonnewijzer aanraken die verborgen is onder de straten van Rome, naar Ethiopië reizen en voor het heiligdom in Aksum staan, of door Grand Central Terminal in New York lopen en omhoogkijken naar het mysterie op het plafond van de stationshal.

De aspecten van de Grote Machine zoals ze in deze roman worden beschreven, zijn eveneens echt of in ontwikkeling. In de nabije toekomst zullen totale informatiesystemen, zowel particulier als van de overheid, elk aspect van ons leven controleren. Een centrale computer zal precies bijhouden waar we naartoe gaan en wat we kopen, wat voor e-mails we schrijven en welke boeken we lezen.

Elke inbreuk op onze privacy wordt gerechtvaardigd door de allesoverheersende cultuur van angst die ons lijkt te omringen en elke dag sterker lijkt te worden. De ultieme consequenties van die angst worden tot uitdrukking gebracht in mijn beeld van het Eerste Rijk. Die duisternis zal eeuwig bestaan en zal – eeuwig – worden bestreden door mededogen, moed en liefde.

– John Twelve Hawks

# DRAMATIS PERSONAE

In *De Reiziger* liet John Twelve Hawks lezers kennismaken met een oud conflict dat zich afspeelt onder de oppervlakte van onze wereld van alledag. In dit conflict spelen drie groepen mensen een rol: de Broeders, de Reizigers, en de Harlekijns.

*Kennard Nash* is de leider van de Broeders, een groep machtige individuen die zich verzet tegen elke verandering in de bestaande sociale structuur. *Nathan Boone* is het hoofd beveiliging van de geheime organisatie. De Broeders worden door hun vijanden de 'Tabula' genoemd omdat zij zowel de mensheid als het menselijk bewustzijn beschouwen als een tabula rasa – een schone lei waarop zij hun eigen boodschap van intolerantie en angst kunnen schrijven. In de achttiende eeuw ontwierp de Britse filosoof Jeremy Bentham het Panopticon: een modelgevangenis waar één waarnemer ongezien honderden gevangenen in de gaten kon houden. Zowel Nash als Boone geloven dat het gecomputeriseerde bewakingssysteem dat in de industriële wereld wordt gecreëerd hen in staat zal stellen een Virtueel Panopticon te vestigen.

Eeuwenlang hebben de Broeders geprobeerd de Reizigers uit

te roeien: mannen en vrouwen die de macht bezitten om hun energie naar één van zes rijken te sturen. De rijken zijn parallelle realiteiten die door zieners van elk geloof zijn beschreven. Reizigers keren naar deze wereld terug met nieuwe inzichten en onthullingen die de gevestigde orde in twijfel trekken en de Broeders geloven dat zij de belangrijkste bron van sociale instabiliteit zijn. Een van de laatste overlevende Reizigers was *Matthew Corrigan*, maar hij verdween toen huurlingen van de Broeders hem thuis overvielen. Zijn twee overlevende zonen, *Michael en Gabriel Corrigan*, leefden buiten het Netwerk tot zij erachter kwamen dat ook zij over de macht beschikten om Reizigers te worden.

De Reizigers hadden al vele jaren geleden uitgeroeid kunnen zijn, ware het niet dat zij altijd zijn beschermd door een kleine groep toegewijde strijders, Harlekijns genaamd. Matthew Corrigan werd ooit beschermd door een in Duitsland geboren Harlekijn, *Thorn* genaamd, die in Praag werd vermoord door Nathan Boone. Thorns dochter, *Maya*, is naar Amerika gestuurd om de twee broers Corrigan te zoeken. Maya wordt geholpen door een Franse Harlekijn, *Linden*, en denkt vaak aan de legendarische Harlekijn *Moeder Blessing*, die verdwenen is. Tijdens een bezoek aan Los Angeles vond Maya twee bondgenoten: een vechtsportleraar, *Hollis Wilson*, en een jonge vrouw met de naam *Vicki Fraser*.

Wanneer het verhaal verder gaat is Michael Corrigan overgelopen naar de Broeders, terwijl zijn jongere broer, Gabriel, zich samen met Maya, Hollis en Vicki verborgen houdt. In New Harmony, de door Matthew Corrigan opgezette leefgemeenschap in Arizona, pakken donkere wolken zich samen aan de hemel en begint het te sneeuwen...

# Inleiding

Sneeuwvlokken begonnen omlaag te dwarrelen uit de donkere lucht toen de leden van New Harmony naar huis gingen om te eten. De volwassenen die vlak bij het gemeenschapscentrum aan een steunmuur werkten bliezen in hun handen en hadden het over stormfronten, terwijl de kinderen hun hoofd in hun nek legden, hun mond openhielden en rondjes draaiden om te proberen de ijskristallen op hun tong te vangen.

Alice Chen was een klein, serieus meisje in een spijkerbroek, werklaarzen en een blauw nylon jack. Ze was net elf geworden, maar haar hartsvriendinnen, Helen en Melissa, waren al twaalf en zelfs bijna dertien. De laatste tijd hadden de twee oudere meisjes lange gesprekken over kinderachtig gedrag en welke jongens in New Harmony stom en onvolwassen waren.

Hoewel Alice dolgraag de sneeuwvlokken wilde proeven, leek het haar niet erg volwassen om met uitgestoken tong rond te gaan staan draaien, net als die basisschool-ukken. Ze trok haar gebreide muts over haar oren en volgde haar twee vriendinnen over een van de paden die door de kloof kronkelden. Het viel niet mee om volwassen te zijn. Ze was blij toen Melissa Helen een por gaf, 'Jij bent 'm!' riep en wegrende.

De drie vriendinnen renden elkaar lachend achterna door de kloof. De avondlucht was koud en rook naar dennennaalden en natte aarde en de vage lucht van brandend hout in de buurt van de broeikas. Toen zij een open plek passeerden, hielden de sneeuwvlokken even op met vallen en draaiden rond in een cirkel – alsof een familie spoken zich hier verzamelde om tussen de bomen te spelen.

In de verte klonk een mechanisch geluid dat steeds luider werd en de meisjes bleven staan. Even later vloog er met bulderend geraas een helikopter met het logo van de Arizona Forest Service over hun hoofd. Ze hadden wel eerder zulke helikopters gezien, maar altijd in de zomer. Het was vreemd om er een in februari te zien.

'Ze zullen wel naar iemand op zoek zijn,' zei Melissa. 'Het zal wel een toerist zijn die op zoek is gegaan naar indiaanse ruïnes en is verdwaald.'

'En nu wordt het donker,' zei Alice. Het moest verschrikkelijk zijn om hier helemaal alleen rond te dwalen, dacht ze – en om steeds vermoeider en banger door de sneeuw te ploeteren.

Helen boog zich naar voren en gaf Alice een tik op haar schouder. 'En nu ben jíj 'm!' zei ze. En ze begonnen te rennen.

Aan de onderkant van de helikopter waren een nachtzichtkijker en een thermische camera bevestigd. De nachtkijker verzamelde zowel zichtbaar licht als het zwakste gedeelte van het infraroodspectrum, terwijl de temperatuursensor de warmte waarnam die verschillende objecten afgaven. De twee zonden hun gegevens naar een computer die alles samenvoegde in een enkel videobeeld.

Een kilometer of dertig van New Harmony zat Nathan Boone achter in een bakkersbestelwagen die was omgebouwd tot surveillancewagen. Hij dronk wat van zijn koffie – zwart, geen suiker – en keek toe hoe er een zwart-witbeeld van New Harmony op een monitor verscheen.

Het hoofd beveiliging van de Broeders was een keurig geklede man met kort grijs haar en een bril met een stalen montuur. Hij had iets strengs, bijna afkeurends, over zich. Politiemensen en grenswachters zeiden 'Ja, meneer' wanneer ze hem voor het eerst zagen, en burgers sloegen doorgaans hun ogen neer wanneer hij hun iets vroeg.

Toen Boone nog in het leger zat had hij ook wel nachtkijkers gebruikt, maar de nieuwe tweevoudige camera was een aanmerkelijke verbetering. Nu kon hij tegelijkertijd een doelwit binnen en buiten volgen: één persoon die tussen de bomen liep en een zo ander die in de keuken stond af te wassen. Nog handiger was dat de computer in staat was elke lichtbron te evalueren en zo een goede inschatting kon maken of het voorwerp een menselijk wezen was of een hete frituurpan. Boone beschouwde de nieuwe camera als een bewijs dat hij wetenschap en technologie – sterker nog, de toekomst zelf – aan zijn kant had.

George Cossette, de tweede inzittende van de bestelwagen, was een bewakingsexpert die was overgevlogen vanuit Genève. Hij was een bleke jongeman met een groot aantal voedselallergieën. Gedurende de acht dagen surveillance had hij de internetverbinding van de computer een paar keer gebruikt om een bod uit te brengen op plastic figuurtjes van striphelden.

'Tel eens even hoeveel het er nu zijn,' zei Boone, die naar de livebeelden vanuit de helikopter zat te kijken.

Met zijn blik strak op de monitor gevestigd begon Cossette commando's te typen. 'Alle warmtebronnen of alleen mensen?'

'Alleen mensen graag.'

*Klik. Klik.* Vingers die over een toetsenbord gleden. Enkele seconden later verschenen de achtenzestig mensen die in New Harmony woonden op het scherm.

'Hoe betrouwbaar is dat?'

'Achtennegentig tot negenennegentig procent. Het kan zijn dat we er één of twee gemist hebben die zich aan de grens van de scanzone bevonden.'

Boone zette zijn bril af, poetste de glazen schoon met een

flanellen doekje, en bekeek de video nog een keer. In de loop der jaren hadden Reizigers en hun leermeesters de Padvinders vaak gesproken over het zogenaamde Licht dat in ieder mens school. Maar echt licht – niet van het spirituele soort – was een nieuwe detectiemethode geworden. Verbergen was onmogelijk, zelfs in het donker.

Met sneeuwvlokken in haar haren kwam Alice de keuken binnen, maar ze smolten al voordat ze haar jack had uitgetrokken. Het huis van haar familie was gebouwd in de stijl van het zuidwesten, met een plat dak, kleine ramen en weinig versiering aan de buitenkant. Net als alle andere gebouwen in de canyon was het huis gemaakt van strobalen die waren opgestapeld tot muren, versterkt met stalen stangen en ten slotte bedekt met waterdicht pleisterwerk. De begane grond bestond uit een grote ruimte met een keuken, woonkamer en een open trap die naar een slaapverdieping leidde. Een deur leidde naar Alice's slaapkamer, een kantoortje en een badkamer. Vanwege de dikke muren was elk raam verzonken in een nis en die in de keuken stond vol met een mandje rijpende avocado's en een paar oude botten die ze in de woestijn hadden gevonden.

Een pan die op het elektrische fornuis stond te koken gaf zoveel stoom af dat het vensterglas beslagen was. Op een koude avond als deze voelde Alice zich alsof ze in een ruimtecapsule leefde die op de bodem van een tropische lagune lag. Als ze het vocht van het raam veegde, zou ze waarschijnlijk vissen langs wit koraal zien zwemmen.

Zoals gewoonlijk had haar moeder een puinhoop in de keuken achtergelaten – vuile kommen en lepels, leeggeplukte basilicumsteeltjes en een openstaande voorraadpot met meel die gewoon op de muizen stond te wachten. Alice's zwarte vlecht zwaaide heen en weer terwijl zij door de keuken liep, eten wegzette en kruimels opveegde. Ze waste de mengkommen en lepels af en legde ze vervolgens, als scalpels op de tafel van een chirurg, op een schone theedoek. Toen ze het meel wegzette kwam haar moeder net van de slaapetage naar beneden met een stapel medische tijdschriften onder haar arm.

Dokter Joan Chen was een tengere vrouw met kort zwart haar. Zij was een arts die, nadat haar man om het leven was gekomen bij een auto-ongeluk, met haar dochter in New Harmony was komen wonen. Elke avond kleedde Joan zich voor het eten om en verruilde ze haar jeans en flanellen overhemd voor een lange rok en een zijden blouse.

'Bedankt, lieverd, maar je had echt niet hoeven opruimen. Dat had ik zelf ook wel kunnen doen...' Joan ging in een met houtsnijwerk versierde stoel bij de open haard zitten en legde de tijdschriften op haar schoot.

'Wie komt er eten?' vroeg Alice. De mensen in New Harmony aten altijd bij elkaar.

'Martin en Antonio. De budgetcommissie moet ergens een beslissing over nemen.'

'Heb je brood gehaald?'

'Natuurlijk,' zei Joan. Toen wapperde ze met haar rechterhand alsof ze in haar geheugen zocht. 'Dat wil zeggen, waarschijnlijk wel. Ik geloof van wel.'

Alice doorzocht de keuken en vond uiteindelijk een brood dat zo te zien al een dag of drie oud was. Ze zette de oven aan, sneed het brood overlangs in tweeën, wreef beide kanten in met vers knoflook en druppelde er wat olijfolie over. Terwijl het brood op een bakplaat warm lag te worden, dekte zij de tafel en pakte de pastaschaal. Toen ze eindelijk klaar was wilde ze eigenlijk zwijgend langs haar moeder lopen, bij wijze van protest tegen alles wat ze nog had moeten doen. Maar toen ze langs de stoel liep, stak Joan haar hand uit en pakte even die van haar dochter vast.

'Dank je, lieverd. Ik bof maar met zo'n geweldige dochter.'

Langs de rand van New Harmony hadden zich verkenners opgesteld en de rest van de huurlingen had zojuist een motel in

San Lucas verlaten. Boone e-mailde een bericht naar Kennard Nash, het huidige hoofd van de Broeders. Enkele minuten later ontving hij een antwoord: *De door ons besproken actie is hierbij bevestigd.*

Boone belde de chauffeur van de SUV van het eerste team. 'Rij naar Point Delta. Werknemers moeten nu hun PTS-medicijnen innemen.'

Elke huurling had een plastic zakje bij zich met twee pretraumatische-stresspillen. Boone's werknemers noemden ze 'pitpillen' en ze innemen voor een actie heette: 'je pitjes slikken'. De medicijnen maakten iedereen die zich in een gewelddadige situatie ging begeven tijdelijk immuun voor sterke gevoelens van schuld of berouw.

Het oorspronkelijke onderzoek naar PTS was uitgevoerd aan de Harvard Universiteit, waar neurologen erachter waren gekomen dat slachtoffers van ongelukken die het medicijn voor hun hart slikten minder last hadden van fysiologisch trauma. Wetenschappers in dienst van de researchgroep van de Broeders, de Evergreen Foundation, realiseerden zich wat deze ontdekking betekende. Ze kregen subsidie van het Amerikaanse ministerie van Defensie om het medicijn te bestuderen wanneer het werd gebruikt door soldaten in een gevechtssituatie. Het PTS-medicijn beperkte de hormonale reacties van het brein op shock, weerzin en angst. Dit verminderde de vorming van traumatische herinneringen.

Nathan Boone had zelf nog nooit een PTS-pil of welke andere soort traumamedicatie dan ook genomen. Als je geloofde in wat je deed, als je wist dat je het bij het rechte eind had, dan bestond zoiets als schuldgevoel niet.

Alice bleef in haar slaapkamer tot de rest van de budgetcommissie arriveerde voor het eten. Martin Greenwald was de eerste. Hij klopte zachtjes op de keukendeur en wachtte tot Joan hem kwam verwelkomen. Martin was een oudere man met korte benen en dikke brillenglazen. Hij was een succesvol zakenman in Houston geweest tot op een middag zijn auto het op de snelweg begaf en een man met de naam Matthew Corrigan was gestopt om hem te helpen. Matthew bleek een Reiziger te zijn, een spirituele leermeester die het vermogen bezat om zijn lichaam te verlaten en naar andere werkelijkheden te reizen. Hij had een aantal weken met de familie Greenwald en hun vrienden doorgebracht, had hen tijdens een laatste bijeenkomst allen omhelsd en was vertrokken. New Harmony was een afspiegeling van de ideeën van de Reiziger – een poging om een nieuwe manier van leven te creëren die losstond van de Grote Machine.

Alice had van andere kinderen over Reizigers gehoord, maar wist niet precies hoe het allemaal werkte. Ze wist dat er zes verschillende werelden, rijken genaamd, bestonden. Deze wereld – met zijn verse brood en vuile borden – was het Vierde Rijk. Het Derde Rijk was een woud met vriendelijke dieren, en dat klonk geweldig. Maar er was ook een rijk met hongerige geesten en nog een plek waar mensen altijd met elkaar vochten.

Matthews zoon, Gabriel, was een jongeman van in de twintig en ook een Reiziger. In oktober had hij een nacht in New Harmony doorgebracht in gezelschap van een Harlekijn-lijfwacht, Maya genaamd. Nu was het begin februari en hadden de volwassenen het nog steeds over Gabriel, terwijl de kinderen kibbelden over de Harlekijn. Volgens Ricky Cutler had Maya waarschijnlijk al tientallen mensen vermoord en kende zij iets wat de Tijgerklauw Variant heette: één klap op het hart en de ander was dood. Alice was tot de conclusie gekomen dat die Tijgerklauw Variant gewoon nep was en was uitgevonden op het internet. Maya was een jonge vrouw van vlees en bloed met dik zwart haar en griezelig blauwe ogen die haar zwaard in een foedraal om haar schouder met zich meedroeg.

Een paar minuten nadat Martin was binnengekomen, klopte Antonio Cardenas op de deur en kwam zonder iets te vragen binnen. Antonio was een zwierige, atletisch gebouwde man die vroeger aannemer was geweest in Houston. Toen de eerste groep naar de canyon verhuisde, had hij de drie windmolens op het rotsplateau gebouwd die de gemeenschap van elektriciteit voorzagen. Iedereen in New Harmony mocht Antonio, en een aantal van de jongere jongens droeg hun gereedschapsgordels zelfs net zo nonchalant laag op de heupen als hij.

De twee mannen glimlachten naar Alice en informeerden naar haar cellolessen. Iedereen ging aan de eikenhouten tafel zitten die, zoals bijna alle meubels in het huis, in Mexico was gemaakt. De pasta werd opgediend en de volwassenen begonnen de kwestie van de budgetcommissie te bespreken. New Harmony had inmiddels voldoende geld gespaard om een modern accusysteem aan te schaffen om elektriciteit in op te slaan. Met het huidige systeem kon elk gezin er een fornuis, een koelkast en twee kachels op na houden. Meer accu's betekende meer huishoudelijke apparaten, maar misschien was dat helemaal niet zo'n goed idee.

'Het lijkt mij veel efficiënter om de wasmachines in het gemeenschapscentrum te laten staan,' zei Martin. 'En dingen als espressoapparaten en magnetrons hebben we volgens mij niet nodig.'

'Daar ben ik het niet mee eens,' zei Joan. 'Magnetrons gebruiken minder stroom.'

Antonio knikte. 'En ik lust 's ochtends wel een cappuccino.'

Terwijl Alice de tafel afruimde wierp ze een blik op de wandklok boven het aanrecht. In Arizona was het nu woensdagavond, hetgeen betekende dat het in Australië donderdagmiddag was. Ze had ongeveer tien minuten om zich klaar te maken voor haar muziekles. De volwassenen letten niet op haar terwijl zij snel haar lange winterjas aantrok, haar cellokoffer pakte en naar buiten ging.

Het sneeuwde nog steeds. De rubberzolen van haar werklaarzen maakten een knerpend geluid toen ze van de voordeur naar het hek liep. Het huis en de moestuin werden omgeven door een één meter tachtig hoge lemen muur, die 's zomers de herten op afstand hield. Vorig jaar had Antonio er een groot hek in gezet waarin hij taferelen uit het paradijs had verwerkt. Als je dicht genoeg bij het donkere eikenhout stond, kon je Adam en Eva zien, een bloeiende boom en een slang.

Alice duwde het hek open en liep onder de boog door. Het pad door de canyon naar het gemeenschapscentrum was bedekt met sneeuw, maar dat vond ze niet erg. De petroleumlantaarn die ze bij zich had zwaaide heen en weer terwijl het intussen bleef sneeuwen. De sneeuw bedekte de dennenbomen en de bergmahonie en veranderde een stapel brandhout in een soort bult die eruitzag als een slapende beer.

Het gemeenschapscentrum bestond uit vier grote gebouwen rond een binnenplaats. Een van de gebouwen was de middelbare school voor oudere leerlingen, acht lokalen die waren ingericht voor online studeren. Een router in de opslagruimte was verbonden met een kabel die naar een satellietschotel op het rotsplateau boven hen leidde. Er waren geen telefoonverbindingen in New Harmony en mobiele telefoons werkten niet in de canyon. Mensen gebruikten dus het internet of de satelliettelefoon in het gemeenschapscentrum.

Alice zette de computer aan, haalde haar cello uit zijn draagkoffer en schoof een stoel met een rechte rugleuning voor de webcam. Ze maakte contact met het internet en even later verscheen haar cellolerares op het grote scherm. Miss Harwick was een al wat oudere dame die vroeger voor de Opera van Sydney had gespeeld.

'Heb je gestudeerd, Alice?'

'Ja, ma'am.'

'Laten we vandaag maar eens beginnen met *Greensleeves*.'

Alice streek de strijkstok naar achteren en voelde de diepe trilling van de eerste noot door haar lichaam trekken. Wanneer ze cello speelde voelde ze zich groter en sterker, en dat gevoel kon ze altijd nog tot een paar uur na het spelen vasthouden.

'Heel goed,' zei mevrouw Harwick. 'Laat me nu dat tweede stuk nog eens horen. Let dit keer op de toonhoogte van de derde maat en – '

Het beeldscherm werd zwart. Eerst dacht Alice nog dat er iets mis was met de generator. Maar de elektrische verlichting werkte nog en ze hoorde ook het zachte gezoem van de ventilator.

Terwijl ze alle kabels controleerde, ging er piepend een deur open en kwam Brian Bates het lokaal binnenlopen. Brian was vijftien en had donkerbruine ogen en blond haar tot op zijn schouders. Helen en Melissa vonden hem een lekker ding, maar Alice praatte liever niet over zulke dingen. Zij en Brian waren muziekvrienden; hij speelde trompet en werkte met leraren in Londen en New Orleans.

'Hé, Celloissima. Ik wist niet dat jij vanavond oefende.'

'Ik hoor nu les te hebben, maar de computer is ermee opgehouden.'

'Heb je iets veranderd?'

'Natuurlijk niet. Ik ben gewoon online gegaan en heb contact gemaakt met Miss Harwick. Tot een paar tellen geleden was alles nog normaal.'

'Geen paniek. Ik repareer het wel. Ik heb over veertig minuten een les met een nieuwe leraar in Londen. Hij speelt voor de Jazz Tribe.'

Brian legde zijn trompetkoffer neer en trok zijn parka uit. 'Hoe gaat het met je lessen, Celloissima? Ik hoorde je donderdag spelen. Klonk niet slecht.'

'Ik moet toch echt eens een bijnaam voor jou verzinnen,' zei Alice. 'Wat dacht je van Brianissima?'

Lachend ging Brian achter de computer zitten. 'Issima is een vrouwelijke uitgang. Je zult iets anders moeten verzinnen.'

Alice trok haar jas aan en besloot haar cello in het gemeenschapscentrum te laten staan en naar huis te gaan. Een deur van het muzieklokaal leidde naar een voorraadkast. Ze liep om een pottenbakkerswiel heen en zette haar cello in een hoekje tegen de muur, beschermd door twee plastic zakken keramische klei. Op dat moment hoorde ze vanuit het muzieklokaal een mannenstem komen.

Alice draaide zich om naar de half openstaande deur, gluurde door een kier en voelde haar adem stokken. Een grote man met een baard richtte een geweer op Brian. De vreemdeling droeg bruin-met-groene camouflagekleding, net als de hertenjagers die Alice op de grote weg naar San Lucas had gezien. Zijn wangen waren ingesmeerd met donkergroen camouflagevet en hij droeg een speciaal soort veiligheidsbril met een rubberbandje. Hij had de bril op zijn voorhoofd geschoven en daar vormden de twee oogstukken een enkele lens die haar aan de hoorn van een monster deed denken.

'Hoe heet je?' vroeg de man aan Brian. Zijn stem klonk effen en neutraal.

Brian gaf geen antwoord. Hij schoof zijn stoel naar achteren en stond langzaam op.

'Ik vroeg je iets, jochie.'

'Ik ben Brian Bates.'

'Is er verder nog iemand in dit gebouw?'

'Nee. Alleen ik.'

'En wat zit jij hier te doen?'

'Ik probeer online te komen.'

De bebaarde man lachte zachtjes. 'Doe maar geen moeite. Wij hebben zojuist de kabel naar het rotsplateau doorgesneden.'

'En wie ben jij?'

'Daar zou ik me maar geen zorgen om maken, jochie. Als je graag volwassen wilt worden, met meisjes naar bed wilt en auto wilt rijden, van die dingen – dan kun je maar beter antwoord geven op mijn vragen. Waar is de Reiziger?'

'Welke reiziger? Sinds de eerste sneeuw is hier niemand meer geweest.'

De man maakte een beweging met zijn geweer. 'Niet zo bijdehand. Je weet heel goed waar ik het over heb. Er heeft hier een Reiziger gelogeerd, samen met een Harlekijn die Maya heet. Waar zijn ze naartoe gegaan?'

Brian maakte een bijna onzichtbare beweging, alsof hij zich schrap zette om naar de deur te rennen.

'Ik wacht op antwoord, jochie.'

'Bekijk 't maar...'

Brian sprong naar voren en de bebaarde man schoot. De schoten klonken zo hard dat Alice terugdeinsde van de deur. Terwijl het schot nog door haar lichaam trilde, bleef ze een volle minuut in de schaduw staan en liep toen terug naar het licht. De man met het geweer was verdwenen, maar Brian lag op zijn zij, alsof hij in slaap was gevallen op de vloer, half opgekruld rond een plas helder bloed.

Haar lichaam was nog precies hetzelfde, maar haar Alicezelf – het meisje dat had gelachen met haar vriendinnen en op haar cello had gespeeld – was opeens veel kleiner. Het voelde alsof ze in een hol standbeeld zat en uitkeek over de wereld.

Stemmen. Alice stapte achteruit in de schaduwen toen Brians moordenaar terugkwam met zes andere mannen. Ze droegen allemaal camouflagekleding en koptelefoons met kleine microfoontjes die zich langs hun wangen naar hun mond bogen. Elke man droeg een ander soort geweer, maar bij alle wapens zat er laserrichtapparatuur op de loop bevestigd. De leider – een oudere man met kort haar en een bril met een stalen montuur – praatte zachtjes in zijn koptelefoon. Hij knikte en zette de zender die aan zijn riem zat geklemd uit.

'Oké, Summerfield en Gleason staan in positie met de thermische camera's. Zij houden iedereen tegen die probeert te ontsnappen, maar zover wil ik het niet laten komen.'

Enkele mannen knikten. Een van hen testte zijn lasergeweer en een klein rood stipje danste over de witte muur.

'Denk eraan – de wapens die jullie hebben gekregen zijn geregistreerd op de namen van mensen die hier wonen. Als jullie om welke reden dan ook een ongeregistreerd wapen moeten gebruiken, onthoud dan locatie, doelwit en aantal afgevuurde schoten.' De leider wachtte tot zijn mannen knikten. 'Oké. Jullie weten wat je te doen staat. Laten we gaan.'

De zes mannen trokken hun beschermende brillen over hun ogen en verlieten het lokaal, maar de leider bleef achter. Heen en weer lopend zei hij af en toe iets in zijn microfoon. *Ja. Klopt. Volgende doelwit.* De leider schonk geen aandacht aan Brians dode lichaam – bijna alsof het hem nog niet was opgevallen – maar toen er een dun straaltje bloed over de vloer stroomde, stapte hij er met een sierlijk gebaar overheen en liep gewoon verder.

Alice ging in een hoekje van de voorraadkast zitten, trok haar knieën op tegen haar borst en sloot haar ogen. Ze moest iets doen – haar moeder vinden, de anderen waarschuwen – maar haar lichaam wilde niet meewerken. Alice's hersenen bleven gedachten produceren en ze bekeek ze even passief als vage beelden op een televisiescherm. Opeens hoorde ze mensen roepen en hard praten – en toen herkende ze een bekende stem.

'Waar zijn mijn kinderen? Ik wil mijn kinderen zien...'

Alice sloop zachtjes terug naar de deur en zag dat de leider Janet Wilkins had binnengebracht. De familie Wilkins kwam uit Engeland; ze waren pas een paar maanden geleden in New Harmony komen wonen. Mevrouw Wilkins was een mollige, nerveuze vrouw die voor alles bang leek te zijn – ratelslangen, aardverschuivingen en onweer.

De leider hield mevrouw Wilkins stevig bij haar arm. Hij leidde haar door het lokaal en dwong haar plaats te nemen op de stoel met de rechte rugleuning. 'Ziezo, Janet. Ga nu eerst maar eens lekker zitten. Zal ik een glas water voor je pakken?'

'Nee. Dat hoeft niet.' Mevrouw Wilkins zag het dode lichaam en draaide haar hoofd om. 'Ik – ik wil mijn kinderen zien.'

'Wees maar niet bang, Janet. Die zijn veilig. Ik zal je over een paar minuten naar hen toe brengen, maar eerst moet je nog één ding voor me doen.' De leider stak zijn hand in zijn zak, haalde er een velletje papier uit en gaf dat aan mevrouw Wilkins. 'Hier. Lees dit maar voor.'

In het lokaal was een videocamera op een statief neergezet. De leider zette de camera zo'n anderhalve meter voor mevrouw Wilkins en zorgde ervoor dat zij zich binnen het bereik van de zoeker bevond. 'Oké,' zei hij tegen haar, 'ga je gang.'

Mevrouw Wilkins' handen trilden toen zij begon te lezen: '"Gedurende de afgelopen paar weken hebben leden van New Harmony boodschappen van God ontvangen. Wij kunnen niet aan deze boodschappen twijfelen. Wij weten dat ze waar zijn..."'

Ze hield op met lezen en schudde haar hoofd. *Nee. Ik kan dit niet.* Achter de videocamera trok de leider een handwapen uit zijn schouderholster.

'"Maar er zijn ongelovigen onder ons,"' vervolgde mevrouw Wilkins. '"Mensen die de leer van de Boze hebben gevolgd. Het is belangrijk dat wij een zuiverende daad verrichten zodat wij allen het Koninkrijk Gods kunnen binnengaan."'

De leider liet zijn wapen zakken en zette de camera uit. 'Bedankt, Janet. Dat was een hele goede eerste stap, maar het is nog niet genoeg. Je weet waarom wij hier zijn en waarnaar wij op zoek zijn. Ik wil informatie over de Reiziger.'

Mevrouw Wilkins begon te huilen, haar gezicht verwrongen tot een masker van verdriet en angst. 'Ik weet niets. Ik zweer het...'

'Iedereen weet iets.'

'Die jongeman is hier niet meer. Hij is weg. Maar mijn man zei wel dat Martin Greenwald een paar weken terug een brief van een Reiziger heeft ontvangen.'

'En waar is die brief?'

'Waarschijnlijk bij Martin thuis. Hij heeft daar een kantoortje.'

De leider zei iets in het microfoontje van zijn koptelefoon.

'Ga naar het huis van Greenwald in sector vijf. Doorzoek het kantoor naar een brief van de Reiziger. Dit heeft absolute voorrang.' Toen zette hij zijn radio af en deed een stap in de richting van mevrouw Wilkins. 'Wat kun je me nog meer vertellen?'

'Ik ben geen aanhanger van de Reizigers of de Harlekijns. Ik sta aan niemands kant. Het enige wat ik wil zijn mijn kinderen.'

'Natuurlijk. Dat begrijp ik.' De stem van de leider klonk weer zacht en geruststellend. 'Dan moet je maar naar ze toe gaan.'

Hij hief zijn pistool en schoot haar neer. Het lichaam van mevrouw Wilkins viel met een plof achterover op de grond. De leider keek op de dode vrouw neer alsof ze een stuk vuilnis was dat op de grond was achtergebleven. Daarna stak hij zijn wapen weer in zijn holster en verliet de kamer.

Alice had het gevoel dat de tijd stil was blijven staan en nu hortend en stotend weer op gang begon te komen. Het leek heel lang te duren voordat zij de kastdeur had opengeduwd en het muzieklokaal was doorgelopen. Toen ze de gang bereikte ging de tijd opeens zo snel dat ze zich maar van een paar dingen bewust was: de betonnen muren, de lokkende uitgang en de man met de stalen bril aan de andere kant van de gang die zijn pistool op haar richtte en haar iets toeschreeuwde.

Alice ging de andere kant op, duwde de deur open en rende de nacht in. Het sneeuwde nog steeds en het was heel erg koud, maar de duisternis omhulde haar als een betoverde mantel. Haar gezicht en blote handen leken in brand te staan toen zij tussen de jeneverbesstruiken vandaan kwam en naar het huis liep. Alle lichten brandden nog; dat moest een goed teken zijn. Toen ze onder de poort door liep raakte ze even de bloeiende boom aan die Antonio in het houten hek had uitgesneden.

De voordeur was niet op slot. Alice ging het huis binnen en zag dat de vuile borden nog op tafel stonden. 'Hallo,' zei ze zacht. Er kwam geen antwoord. Zo geruisloos mogelijk liep ze naar de keuken, en vervolgens naar de woonkamer. Waar moest ze naartoe? Waar hielden de volwassenen zich verborgen?

Alice bleef staan en luisterde of ze soms stemmen hoorde, of iets anders waardoor ze zou weten wat ze moest doen. De wind blies sneeuwvlokken tegen de ramen en de kachel snorde zachtjes. Toen ze een stap naar voren deed hoorde ze opeens een zacht druppelend geluid, alsof er water uit een leiding lekte. Daar was het weer – iets luider nu. Ze liep om de bank heen en zag een plas bloed. Een bloeddruppel viel van de vliering en spetterde op de vloer.

Haar lichaam kwam weer in beweging en langzaam beklom ze de trap naar de vliering. Het waren maar veertien treden, maar het voelde als de langste reis van haar leven. 'Mammie, alsjeblieft,' fluisterde ze, alsof ze om een speciale gunst smeekte. 'Alsjeblieft...' En toen stond ze op de vliering, naast het lichaam van haar moeder.

De voordeur werd opengesmeten. Alice kroop weg in de schaduwen, een paar centimeter van het bed verwijderd. Er was een man het huis binnengekomen. Hij praatte luidkeels in zijn microfoontje.

'Ja, sir. Ik ben weer terug in sector negen...'

Er klonk een klotsend geluid en Alice gluurde over de rand van de vliering. Een man in camouflagekleding stond een heldere vloeistof over de meubels te gieten. De scherpe lucht van benzine drong in haar neusgaten.

'Er zijn hier geen kinderen – alleen de doelwitten van mijn sector. Raymond heeft twee mensen betrapt die naar het bos probeerden te rennen, maar dat waren volwassenen. Jazeker. We hebben de lichamen naar binnen gebracht.'

De man gooide de lege jerrycan op de grond, liep weer terug naar de deur en stak een lucifer aan. Hij hield hem heel even voor zijn gezicht en Alice zag geen wreedheid of haat, maar simpele gehoorzaamheid. De man gooide de lucifer op de grond en de benzine vatte onmiddellijk vlam. Tevreden liep de man naar buiten en trok de deur achter zich dicht.

Zwarte rook vulde de kamer terwijl Alice de trap af stommelde. Aan de noordzijde van het huis bevond zich één enkel raam, bijna twee meter boven de vloer. Ze duwde haar moeders bureau tegen de muur, maakte het raam open en klom naar buiten, waar ze in de sneeuw viel.

Het enige wat ze wilde was zich verstoppen, als een klein dier dat zich oprolt in een holletje. Hoestend en met tranende ogen van de rook liep ze voor de allerlaatste keer door de poort. De lucht was zwanger van een chemische stank; het rook naar brandend afval op de vuilstortplaats. Alice volgde de lemen muur naar een plek waar berengras groeide en begon de rotsachtige helling op te klauteren die naar de bergkam boven de canyon voerde. Naarmate ze hoger klom, zag ze dat alle huizen inmiddels brandden. De vlammen stroomden als een lichtgevende rivier. De rotswand werd steeds steiler en ze moest zich aan takken en graspollen vastgrijpen om zichzelf verder naar boven te hijsen.

Toen ze bijna bij de bergkam was hoorde ze een knetterend geluid en sloeg er vlak voor haar een kogel in de met sneeuw bedekte aarde. Ze gooide zichzelf zijwaarts en rolde de heuvel weer af, haar gezicht met haar handen bedekkend. Haar lichaam gleed een meter of zes omlaag en bleef toen hangen in een doornstruik. Op het moment dat ze overeind wilde krabbelen, herinnerde ze zich wat de leider in het gemeenschapscentrum had gezegd. *Summerfield en Gleason zijn in positie. Thermische camera's.* En wat betekende het woord *thermische*? Hitte. De schutter kon haar zien omdat haar lichaam warm was.

Op haar rug liggend begon Alice met haar blote handen sneeuw te scheppen. Ze bedekte eerst haar benen met sneeuw en schoof toen sneeuw over haar buik en haar borst. Ten slotte begroef ze haar linkerarm en gebruikte de rechter om haar hals en gezicht te bedekken, waarbij ze een kleine opening overliet voor haar mond. Haar blote huid begon te tintelen en te gloeien, maar ze bleef naast de doornstruik liggen en deed haar best om zich niet te bewegen. Toen de kou haar lichaam binnendrong, flakkerde het laatste stukje van haar Alice-zelf nog even op, waarna het langzaam doofde en stierf.

# I

Michael Corrigan zat in een raamloze kamer in het researchcentrum van de Evergreen Foundation, ten noorden van New York City. Hij zat naar een jonge Française te kijken die in Parijs door het warenhuis Printemps dwaalde. De beveiligingscamera's in de winkel reduceerden alles tot zwart en wit en alle tinten grijs, maar hij kon zien dat zij een brunette was, vrij lang en behoorlijk aantrekkelijk. Hij keek goedkeurend naar haar korte rokje, haar zwartleren jasje en haar schoenen – hoge hakken met dunne enkelbandjes.

De scannerruimte leek een beetje op een privébioscoopzaal. Er hing een groot plat videoscherm en de speakers waren in de muren gebouwd. Er was echter maar één zitplaats – een notenhouten leren fauteuil met een computermonitor en een toetsenbord op een bewegende stalen arm. Iedereen die de kamer gebruikte kon aanwijzingen in het systeem intoetsen of een koptelefoon opzetten en met de staf in het nieuwe computercentrum in Berlijn praten. De eerste keer dat Michael in de stoel zat, moest hem het gebruik van de scanprogramma's en de geheime toegangskanalen tot beveiligingssystemen worden uitgelegd. Nu kon hij zelfstandig eenvoudige opsporingsoperaties uitvoeren.

De jonge brunette liep over de cosmetica-afdeling. Michael had de winkel een paar dagen geleden ontdekt en hoopte dat zijn doelwit de roltrap naar boven zou nemen, naar de afdeling Printemps de la Mode. Hoewel er in de pashokjes geen camera's waren toegestaan, bevond zich wel een geheime camera aan het eind van het looppad. Zo nu en dan kwamen er Françaises in lingerie hun pashokje uit om zichzelf in de grote spiegel te bekijken.

Michaels aanwezigheid in de scannerkamer was een van de bewijzen van zijn groeiende invloed onder de Broeders. Hij was een Reiziger, net als zijn vader, Matthew, en zijn jongere broer, Gabriel. In het verleden werden Reizigers als profeten of mystici, krankzinnigen of bevrijders beschouwd. Zij bezaten de macht om zich los te maken van hun lichaam en hun bewuste energie – hun 'Licht' – naar andere realiteiten te sturen. Wanneer zij terugkwamen, hadden zij visioenen en inzichten die de wereld veranderden.

Reizigers waren altijd op verzet van de autoriteiten gestuit, maar in de moderne tijd begon een groep mannen die zich de Broeders noemden, Reizigers te identificeren en hen te doden voordat ze een bedreiging konden vormen voor de gevestigde orde. Geïnspireerd door de ideeën van Jeremy Bentham, een achttiende-eeuwse Engelse filosoof, wilden de Broeders een Virtueel Panopticon creëren, een onzichtbare gevangenis voor iedereen in de industriële wereld. De Broeders geloofden dat zolang de bevolking er maar van overtuigd was dat zij in de gaten werd gehouden, zij zich automatisch aan de regels zou houden.

Het werkelijke symbool van het tijdperk was de bewakingscamera. Gecomputeriseerde informatiesystemen hadden een Grote Machine gevormd die beelden en informatie kon verbinden teneinde grote bevolkingsgroepen in de gaten te houden. Duizenden jaren lang hadden machthebbers geprobeerd het voortbestaan van hun eigen systeem zeker te stellen. Ten slotte was deze droom van sociale controle een echte mogelijkheid geworden.

De Broeders waren in Michaels en Gabriels leven gekomen toen ze opgroeiden op een boerderij in South Dakota. Een team huurlingen dat op zoek was naar hun vader had hun huis overvallen en de gebouwen in brand gestoken. De broertjes Corrigan hadden het overleefd, maar hun vader was verdwenen. Jaren later, nadat zij door hun moeder buiten het Netwerk waren grootgebracht, waren de Corrigans in Los Angeles beland. Nathan Boone en zijn mannen hadden eerst Michael gevangengenomen en daarna Gabriel. Ze hadden beide broers naar het researchcentrum van de Evergreen Foundation gebracht.

De wetenschappers die voor de Broeders werkten hadden een krachtige kwantumcomputer gebouwd, en de subatomaire deeltjes in het hart van die machine hadden communicatie mogelijk gemaakt met de andere rijken, die tot dan toe alleen door Reizigers konden worden bezocht. De nieuwe kwantumcomputer moest in staat zijn de tocht van een Reiziger over de vier grenzen naar andere werelden te volgen, maar een jonge Harlekijn, Maya genaamd, had hem vernietigd toen zij Gabriel kwam redden.

Telkens wanneer Michael nadacht over zijn nieuwe verandering in status, moest hij toegeven dat Maya's aanval op het onderzoekscentrum de cruciale stap was geweest in zijn persoonlijke transformatie. Hij had zijn loyaliteit getoond – niet aan zijn broer – maar aan de Broeders. Zodra de puinhopen waren opgeruimd en er een nieuwe beveiligde omgeving was gecreëerd, was Michael naar het centrum teruggekeerd. Hij was nog steeds een gevangene, maar uiteindelijk zou iedereen in de wereld deel gaan uitmaken van een reusachtige gevangenis. Het enige echte onderscheid was de mate waarin je je ervan bewust was. Er zou een nieuwe machtsverdeling ontstaan in de wereld en hij was vast van plan aan de winnende kant te staan.

Er waren maar een paar sessies in de kamer nodig geweest om Michael te laten bezwijken voor de verleiding van de macht van de Grote Machine. Het zitten in de stoel gaf je het gevoel dat je God was die neerkeek vanuit de hemel. Op dit moment stond de jonge vrouw met het leren jasje bij een make-uptoonbank en babbelde ze met een verkoopster. Michael zette zijn koptelefoon op en drukte op een knopje. Meteen was hij verbonden met het nieuwe computercentrum van de Broeders in Berlijn.

'Met Michael. Kan ik Lars even spreken?'

'Ogenblikje, alstublieft,' zei een vrouw met een Duits accent. Een paar tellen later kwam Lars aan de lijn. Hij was altijd heel behulpzaam en stelde nooit impertinente vragen.

'Oké. Ik ben in Printemps in Parijs,' zei Michael. 'Het doelwit staat bij de make-up. Hoe kom ik aan haar persoonlijke gegevens?'

'Ik zal eens even kijken,' zei Lars.

In de rechter onderhoek van het scherm ging een rood lichtje branden. Dat betekende dat Lars nu hetzelfde beeld voor zich had. Vaak zaten verschillende technici hetzelfde beveiligingssysteem te bekijken en kon je meekijken met een verveelde beveiligingsman die ergens voor een monitor zat. De bewakers – die de eerste verdedigingslinie moesten vormen tegen terroristen en criminelen – brachten een groot deel van hun tijd door met het stalken van vrouwen door winkelcentra en vervolgens naar het parkeerterrein. Als je de audio aanzette, kon je hen met elkaar horen kletsen en lachen wanneer een vrouw in een strak rokje in een sportwagen stapte.

'We kunnen haar gezicht terugbrengen tot een algoritme en het vergelijken met de foto's in de Franse databank voor paspoorten,' legde Lars uit. 'Maar het is veel gemakkelijker als we gewoon haar creditcardnummer oppikken. Kijk op je persoonlijke monitor en klik de specifieke telecommunicatie aan. Toets zoveel mogelijk informatie in: locatie van de telefoon, datum, tijd – nu op dit moment, natuurlijk. Het Carnivoorprogramma geeft haar nummer zodra dat doorkomt.'

De verkoopster haalde de creditcard van de jonge vrouw door een scanner en onmiddellijk verschenen er cijfers op het scherm. 'En daar is het al,' zei Lars, alsof hij een goochelaar was die zijn leerling een nieuw trucje had geleerd. 'Nu dubbelklikken...'

'Ik weet wat ik moet doen.' Michael bracht de cursor naar de referentieknop en vrijwel onmiddellijk begon er aanvullende informatie te verschijnen. De naam van de vrouw was Clarisse Marie du Portail. Drieëntwintig jaar. Geen kredietproblemen. Dit is haar telefoonnummer. Dit is haar huisadres. Het programma vertaalde een lijst met aankopen die ze de afgelopen drie maanden met haar creditcard had gedaan van het Frans in het Engels.

'Let op,' zei Lars. Een vakje in de rechter bovenhoek van het scherm toonde een grofkorrelig beeld van een bewakingscamera in een straat. 'Zie je dat gebouw? Daar woont ze. Derde verdieping.'

'Bedankt, Lars. De rest kan ik zelf wel.'

'Als je door de creditcardrekening scrollt, zie je dat ze een kliniek voor vrouwen heeft bezocht. Wil je zien of ze daar de pil heeft gehaald of een abortus heeft ondergaan?'

'Dank je, dat is niet nodig,' zei Michael.

Het rode lichtje verdween van het scherm en hij was weer alleen met Clarisse. Met een klein plastic tasje met de make-up in haar hand liep de jonge vrouw verder de winkel door en stapte op de roltrap. Michael tikte een paar instructies in en wisselde van camera. Een lok bruin haar lag op Clarisses voorhoofd en viel bijna in haar ogen. Ze streek hem met één hand weg en keek over haar schouder toen ze weer iets nieuws zag. Michael vroeg zich af of ze misschien op zoek was naar een japon voor een speciale gelegenheid. Met nog een klein beetje hulp van Lars kon hij in haar e-mail komen.

De elektronische deur gleed open en Kennard Nash kwam de kamer binnen. Nash was een voormalige legergeneraal en nationale veiligheidsadviseur die nu aan het hoofd stond van de raad van bestuur van de Broeders. Iets in zijn stevige lichaamsbouw en zijn bruuske manier van doen deed Michael aan een rugbycoach denken.

Michael schakelde over op een andere bewakingscamera – dag Clarisse – maar de generaal had de jonge vrouw al gezien. Hij glimlachte als een oom die er zojuist achter is gekomen dat zijn neefje in een mannenblad zit te snuffelen.

'Locatie?' vroeg hij.

'Parijs.'

'Een leuk ding?'

'Zeker weten.'

Terwijl Nash naar Michael toe liep, werd zijn toon serieuzer. 'Ik heb nieuws dat je waarschijnlijk wel interesseert. Mr. Boone en zijn mensen hebben zojuist met succes een verkenning van de New Harmony-gemeenschap in Arizona afgesloten. Kennelijk zijn je broer en de Harlekijn daar een paar maanden geleden geweest.'

'En waar zijn ze nu?'

'Dat weten we niet precies, maar we komen steeds dichterbij. Een analyse van e-mailberichten op een laptop geeft aan dat Gabriel zich waarschijnlijk hier vlakbij bevindt – in New York. We zijn nog steeds niet in staat de hele wereld af te zoeken, maar nu kunnen we ons op deze specifieke locatie richten.'

Het feit dat hij een Reiziger was geworden had Michael bepaalde talenten gegeven die hem hielpen overleven. Als hij zich op een bepaalde manier ontspande – niet nadacht, alleen observeerde – kon hij zijn waarnemingsvermogen zodanig vertragen dat hij minuscule veranderingen in iemands gelaatsuitdrukking kon waarnemen. Michael kon zien wanneer iemand loog en kon de gedachten en emoties waarnemen die mensen in hun dagelijks leven verborgen hielden.

'Hoe lang gaat het duren om mijn broer te vinden?' vroeg hij.

'Dat zou ik niet kunnen zeggen. Maar dit is een stap in de goede richting. Tot nu toe hebben we hen in Canada en Mexico gezocht. Ik had nooit verwacht dat ze naar New York zouden gaan.' Nash grinnikte zachtjes. 'Die jonge Harlekijn is stapelgek.'

En nu begon de wereld in Michaels hoofd te vertragen. Hij zag een aarzeling in Nash' glimlach. Een snelle blik naar links. En toen, in een onderdeel van een seconde, een spottend trekje op zijn lippen. Misschien loog de generaal niet, maar hij hield wel degelijk informatie achter die hem het gevoel gaf superieur te zijn.

'Laat iemand anders het werk in Arizona maar afmaken,' zei Michael. 'Ik vind dat Boone onmiddellijk naar New York moet vliegen.'

Opnieuw glimlachte Nash alsof hij bij een spelletje poker de beste kaarten in zijn hand hield. 'Mr. Boone blijft daar nog een dag om nog wat aanvullende informatie te evalueren. Tijdens het doorzoeken van het complex heeft zijn team een brief gevonden.' Generaal Nash zweeg enkele ogenblikken en liet deze verklaring nog even in de lucht hangen.

Michael hield Nash' oogopslag in de gaten. 'En waarom is dat zo belangrijk?'

'De brief is afkomstig van jouw vader. Hij houdt zich al heel lang voor ons verborgen, maar het schijnt dat hij nog in leven is.'

'Wat? Weet je dat zeker?' Michael sprong uit zijn stoel en rende bijna de kamer door. Vertelde Nash hem de waarheid, of werd hier voor de zoveelste keer zijn loyaliteit op de proef gesteld? Hij bestudeerde het gezicht van de generaal en de bewegingen van zijn ogen. Nash keek superieur en trots – alsof hij erg genoot van deze demonstratie van zijn autoriteit.

'Waar is hij dan? Hoe kunnen we hem vinden?'

'Dat kan ik je vooralsnog niet vertellen. We weten niet wanneer de brief is geschreven. Boone kon geen envelop met poststempel of afzender vinden.'

'Maar wat stond er dan in die brief?'

'Jouw vader is de inspiratie geweest voor het ontstaan van New Harmony. Hij wilde zijn vrienden een hart onder de riem steken en hen waarschuwen voor de Broeders.' Nash keek hoe Michael door de kamer ijsbeerde. 'Je lijkt niet zo blij te zijn met dit nieuws.'

'Nadat jouw mannen ons huis hadden platgebrand, hielden Gabe en ik ons vast aan een fantasie. Terwijl we het hele land door reden overtuigden wij elkaar ervan dat onze vader nog leefde en naar ons op zoek was. Naarmate ik ouder werd, realiseerde ik me dat mijn vader me helemaal niet zou helpen. Ik stond er alleen voor.'

'En toen besloot je dat hij dood was?'

'Waar mijn vader ook naartoe was gegaan, hij zou in elk geval nooit meer terugkomen. Hij had net zo goed dood kunnen zijn.'

'Wie weet? Misschien kunnen we een familiereünie organiseren.'

Michael had zin om Nash tegen de muur te gooien en die grijns van zijn gezicht te slaan. Maar hij wendde zich van de oudere man af en wist zich te beheersen. Hij was nog steeds een gevangene, maar er waren wel manieren om dat te omzeilen. Hij moest zich staande zien te houden en de Broeders in een bepaalde richting loodsen.

'Jullie hebben iedereen in New Harmony vermoord. Waar of niet?'

Nash leek zich te ergeren aan Michaels botte taalgebruik. 'Het team van Boone heeft zijn doel bereikt.'

'Weet de politie wat er is gebeurd? Is het in het nieuws?'

'Waarom zou jou dat iets kunnen schelen?'

'Ik probeer je te vertellen hoe je Gabriel kunt vinden. Als de media nog niet op de hoogte zijn, kan Boone er maar beter voor zorgen dat ze het zo snel mogelijk te weten komen.'

Nash knikte. 'Dat zijn we inderdaad van plan.'

'Ik weet dat mijn broer Gabriel New Harmony heeft bezocht en de mensen die daar woonden heeft leren kennen. Deze gebeurtenis zal hem ongetwijfeld diep raken. Hij zal iets moeten doen, handelen in een opwelling. We moeten zorgen dat we er klaar voor zijn.'

# 2

Gabriel en zijn vrienden woonden in New York City. Een dominee van Vicki's kerk, Oscar Hernandez, had voor hen geregeld dat ze in een leegstaande fabrieksruimte in Chinatown konden wonen. In de kruidenierszaak op de begane grond kon je sportweddenschappen afsluiten, en daarom beschikte de winkel over vijf telefoonlijnen – allemaal geregistreerd op verschillende namen – plus een faxapparaat, een scanner en een snelle internetverbinding. Tegen een kleine vergoeding liet de winkelier hen van al deze elektronische hulpmiddelen gebruikmaken, zodat ze zichzelf van nieuwe identiteiten konden voorzien. Chinatown was een uitstekende plek voor deze transacties, want alle winkeliers verkozen contant geld boven de creditcards en pinbetalingen die door de Grote Machine in de gaten werden gehouden.

De rest van het gebouw werd gebruikt door verschillende bedrijfjes die immigranten zonder papieren in loondienst hadden. Op de eerste verdieping zat een naaiatelier waar mensen de hele dag achter een naaimachine zaten te zwoegen en de man op de tweede verdieping maakte illegaal gekopieerde dvd's. Overdag was het een komen en gaan van vreemden, maar 's avonds ging iedereen naar huis.

De zolderetage op de vierde verdieping was een lange, smalle ruimte met een glimmende houten vloer en aan beide zijden ramen. De ruimte was ooit gebruikt als een fabriekje voor namaak-designerhandtassen, en vlak bij het toilet stond nog steeds een industriële naaimachine, met grote bouten aan de vloer bevestigd. Ze zaten er net een paar dagen toen Vicki stukken zeil aan waslijnen had gehangen om een mannenslaapkamer te creëren voor Gabriel en Hollis, en een vrouwenslaapkamer voor haar en Maya.

Bij de aanval op het Evergreen Research Centrum was Maya gewond geraakt, en haar herstel was een opeenvolging van kleine overwinningen. Gabriel herinnerde zich nog de eerste avond dat ze in een stoel aan tafel had kunnen zitten voor het eten en de eerste ochtend dat ze zonder Vicki's hulp had kunnen douchen. Twee maanden nadat ze hier waren gearriveerd, was Maya in staat samen met de anderen het gebouw te verlaten en Mosco Street uit te strompelen naar de Hongkong Cake Company. Ze had voor het kraampje staan wachten – wankel, maar vastbesloten om op haar eigen benen te blijven staan – terwijl een oude Chinese vrouw op een zwart metalen bakplaat koekjes bakte die nog het meest op pannenkoekjes leken.

Geld was geen probleem; ze hadden al twee leveringen van honderddollarbiljetten ontvangen van Linden, een Harlekijn die in Parijs woonde. Op aanwijzingen van Maya fabriceerden zij valse identiteiten, inclusief geboorteaktes, paspoorten, rijbewijzen en creditcards. Hollis en Vicki vonden een reserveappartement in Brooklyn en huurden postadressen en postbussen. Zodra iedereen in de groep de benodigde documenten voor twee identiteiten bezat, zouden ze New York verlaten en naar een veilig adres in Canada of Europa verhuizen.

Hollis moest er wel eens om lachen en noemde hun groepje 'de vier vluchtelingen', en Gabriel had het gevoel dat ze echte vrienden waren geworden. Soms bereidden de vier bewoners van de zolderetage 's avonds ieder één gang voor een uitgebreide maaltijd en zaten ze de hele avond aan tafel te kaarten en elkaar te plagen met wie er moest afwassen. Zelfs Maya lachte wel eens en begon bij de groep te horen. Op zulke momenten kon Gabriel even vergeten dat hij een Reiziger was en Maya een Harlekijn – en dat zijn oude, gewone leventje voorgoed voorbij was.

Op een woensdagavond veranderde alles. De groep had twee uur in een jazzclub in de West Village doorgebracht. Terwijl ze op hun gemak naar Chinatown terugwandelden, gooide een vrachtwagenchauffeur stijf bijeengebonden stapels kranten op de stoep. Toen Gabriel een terloopse blik op de koppen wierp, bleef hij opeens stokstijf staan.

ZE HEBBEN HUN KINDEREN VERMOORD!
*67 doden bij sektarische zelfmoord in Arizona*

De voorpagina werd in beslag genomen door een artikel over New Harmony, waar Gabriel nog maar een paar maanden eerder naartoe was gegaan om een bezoek te brengen aan de Padvinder Sophia Briggs.

Ze kochten drie verschillende kranten en haastten zich terug naar de zolderetage. Volgens de politie van Arizona was de moordpartij ingegeven door godsdienstwaanzin. Verslaggevers hadden de voormalige buren van de dode gezinnen al geïnterviewd. Iedereen was het erover eens – de mensen van New Harmony moesten krankzinnig zijn geweest. Ze hadden hun goede banen en mooie woningen verlaten om ergens in de woestijn te gaan wonen.

Hollis las het artikel in de *New York Times* door. 'Hier staat dat de wapens op naam stonden van de mensen die daar woonden.'

'Dat zegt nog niets,' zei Maya.

'De politie heeft een video-opname gevonden die is gemaakt

door een Engelse vrouw,' zei Hollis. 'Het schijnt dat ze er een soort toespraak op houdt over de vernietiging van het kwaad.'

'Martin Greenwald heeft me een paar weken geleden nog een e-mail gestuurd,' zei Maya. 'Daarin stond niets over problemen.'

'Ik wist niet dat je iets van Martin had gehoord,' zei Gabriel verwonderd en hij zag hoe Maya's gezichtsuitdrukking veranderde. Hij wist meteen dat ze iets belangrijks voor hem verzweeg.

'Ja, nou, dat is zo.' In een poging Gabriels blikken te ontwijken liep ze naar de keuken.

'Wat heeft hij je verteld, Maya?'

Gabriel stond op en zette een stap in haar richting. 'Wat heeft hij gezegd?'

Maya stond vlak bij de deur die naar de trap leidde. Gabriel vroeg zich af of ze liever weg zou lopen dan antwoord te geven op zijn vraag.

'Martin had een brief van je vader gekregen,' zei Maya, 'waarin hij vroeg hoe het met de mensen van New Harmony ging.'

Een paar tellen lang had Gabriel het gevoel alsof de hele loft, het gebouw, de stad zelf waren verdwenen; hij was een jongetje en stond in de sneeuw naar een uil te kijken die boven de smeulende ruïne van zijn ouderlijk huis cirkelde. Zijn vader was weg, voorgoed verdwenen.

Toen knipperde hij met zijn ogen en keerde terug naar het heden. Hollis was woedend, Vicki keek gekwetst, en Maya leek met een uitdagende blik op haar gezicht vierkant achter haar beslissing te staan.

'Leeft mijn vader dan nog?'

'Ja.'

'Wat is er gebeurd? Waar is hij?'

'Dat weet ik niet,' zei Maya. 'Martin was wel zo zorgvuldig om die informatie niet op het internet te zetten.'

'Maar waarom heb je het me niet verteld...'

Maya viel hem in de rede en ze struikelde bijna over haar woorden. 'Omdat ik wist dat je dan terug zou willen naar New Harmony en dat was gevaarlijk. Zodra we uit New York weg waren en jij op een veilige plek zat, wilde ik zelf teruggaan naar Arizona.'

'Ik dacht dat we dit samen deden,' zei Hollis. 'Zonder geheimen. Eén hecht team.'

Zoals gewoonlijk stapte Vicki naar voren in haar rol van vredestichter. 'Ik weet zeker dat Maya zich best realiseert dat ze een vergissing heeft gemaakt.'

'Denk je soms dat Maya haar verontschuldigingen zal aanbieden?' vroeg Hollis. 'Wij zijn geen Harlekijns en dat betekent – in haar optiek – dat wij niet van hetzelfde niveau zijn als zij. Ze behandelt ons als een stel kleine kinderen.'

'Het was géén vergissing!' zei Maya. 'Al die mensen in New Harmony zijn dood. Als Gabriel daar was geweest, was hij nu ook dood geweest.'

'Ik vind dat ik het recht heb om mijn eigen beslissingen te nemen,' zei Gabriel. 'Nu is Martin er niet meer en hebben we helemaal geen informatie.'

'Jij leeft nog, Gabriel. Hoe je het ook bekijkt, ik heb je wel beschermd. Dat is mijn plicht als Harlekijn. Mijn enige verantwoordelijkheid.'

Maya draaide zich om, draaide het slot open, stormde het appartement uit en sloeg de deur keihard achter zich dicht.

# 3

Het woord *zombie* bleef als een fluistering in Nathan Boone's hoofd hangen. Het leek slecht op zijn plaats in de ontvangstruimte van het particuliere vliegveldje in de buurt van Phoenix, Arizona. De ruimte was ingericht met pastelkleurig meubilair en ingelijste foto's van Hopi-dansers. Een opgewekte jonge vrouw die naar de naam Cheryl luisterde, had zojuist chocoladekoekjes gebakken en zette nu verse koffie voor het kleine gezelschap passagiers dat voornamelijk uit zakenlieden bestond.

Boone ging aan een werkplek zitten en zette zijn laptop aan. Buiten was het een bewolkte, stormachtige dag en de windzak op de landingsbaan klapperde fel heen en weer. Zijn mannen hadden de verzegelde kisten met wapens en kogelvrije vesten al aan boord van de gecharterde straaljager gebracht. Zodra het lokale grondpersoneel het toestel van brandstof had voorzien, zouden Boone en zijn team naar het oosten vliegen.

Het was niet moeilijk geweest om de perceptie van politie en media van wat er in New Harmony was gebeurd te manipuleren. Technici die voor de Broeders werkten hadden zich al toegang verschaft tot overheidscomputers en een hele lijst vuurwapens ingevoerd op naam van Martin Greenwald en andere leden van de gemeenschap. De ballistische bewijzen en Janet Wilkins' videoverklaring over boodschappen van God, hadden de autoriteiten ervan overtuigd dat New Harmony een religieuze sekte was die zichzelf had vernietigd. De tragedie was op maat gemaakt voor het avondjournaal, en geen van de verslaggevers voelde zich geroepen om dieper te graven. Het was gebeurd.

Er was een verslag van een van de huurlingen over een kind dat hij buiten de grenzen van het omsingelde terrein had zien rennen en Boone vroeg zich af of dat hetzelfde Aziatische meisje was dat hij bij het gemeenschapscentrum had gezien. Dit had een probleem kunnen vormen, maar de politie had geen overlevenden aangetroffen. Als het meisje de aanval had overleefd, was ze óf bezweken aan de kou in de woestijn, óf ze had zich in een van de huizen verstopt die tot de grond toe waren afgebrand.

Hij activeerde een coderingssysteem, ging het internet op en begon zijn e-mail te checken. Er was veelbelovend nieuws over de zoektocht naar Gabriel Corrigan in New York, en Boone beantwoordde het bericht onmiddellijk. Toen hij de andere boodschappen doorliep vond hij ook drie e-mails van Michael met vragen over de zoektocht naar zijn vader. *Houd me op de hoogte van de vorderingen,* schreef Michael. *De Broeders willen graag zo snel mogelijk actie ondernemen in deze zaak.*

'Drammer,' mompelde Boone, en keek toen over zijn schouder om te zien of iemand hem had gehoord. Het hoofd beveiliging van de Broeders vond het geen prettig idee dat een Reiziger hem vertelde wat hij moest doen. Michael stond nu aan hun kant, maar wat Boone betreft was hij nog steeds de vijand.

De enige biometrische gegevens die beschikbaar waren van de vader, waren een foto van een rijbewijs van zesentwintig jaar geleden en een enkele duimafdruk naast een handtekening op een notariële akte. Dat betekende dat het tijdverspilling was om de gebruikelijke databanken van de overheid te bekijken. De zoekprogramma's van de Broeders moesten dus e-mailverkeer en telefoongesprekken in de gaten houden en controleren of er iets over Matthew Corrigan of over Reizigers werd gezegd.

In de afgelopen paar maanden was het nieuwe computercentrum van de Broeders in Berlijn gereedgekomen, maar Boone mocht het niet gebruiken voor zijn geheime operaties. Generaal Nash had heel geheimzinnig gedaan over de plannen die het bestuur met het Berlijnse centrum had, maar het was wel duidelijk dat het een grote doorbraak was in de plannen van de Broeders. Het scheen dat ze iets aan het testen waren wat het Schaduwprogramma werd genoemd en wat de eerste stap moest worden in de realisatie van het Virtuele Panopticon. Toen Boone zijn beklag had gedaan over zijn gebrekkige hulpmiddelen, had de staf in Berlijn een tijdelijke oplossing voorgesteld: in plaats van het computercentrum te gebruiken, zouden zij zombies inzetten voor de zoektocht.

Een zombie was de bijnaam voor elke computer die besmet was met een virus of paard van Troje dat ervoor zorgde dat hij in het geheim werd gecontroleerd door een buitenstaander. Zombiemeesters controleerden computers over de hele wereld en gebruikten ze om spam te versturen of geld af te persen van kwetsbare websites. Als de eigenaars van de sites weigerden te betalen, werden hun servers overspoeld door duizenden en duizenden verzoeken die allemaal op hetzelfde moment werden verzonden.

Netwerken van zombies, oftewel 'bot-nets', konden op de zwarte markt van het internet worden gekocht, gestolen of verhandeld. Het afgelopen jaar had de technische staf van de Broeders van verschillende criminele groepen bot-nets weten te bemachtigen en nieuwe software ontwikkeld die de 'gegijzelde' computers dwong veel uitgebreidere taken te verrichten.

Hoewel dit systeem niet machtig genoeg was om alle computers ter wereld te controleren, kon het wel degelijk de zoektocht naar een specifiek doelwit aan.

Boone begon een commando in te typen voor het computercentrum in Berlijn. *Indien het supplementaire systeem operationeel is, begin dan met zoeken naar Matthew Corrigan.*

'Neemt u mij niet kwalijk, meneer Boone...'

Verschrikt keek hij op van zijn werk. De charterpiloot – een frisse, kortgeknipte jongeman in een marineblauw uniform – stond nog geen meter van zijn werkplek vandaan.

'Wat is het probleem?'

'Geen probleem. We hebben een volle tank en we zijn klaar voor vertrek.'

'Ik heb zojuist wat nieuwe informatie ontvangen,' zei Boone. 'Verander onze bestemming maar in Westchester County Airport en neem contact op met de vervoersbalie. Vertel hun dat ik voldoende voertuigen wil om mijn hele staf naar New York City te brengen.'

'Uitstekend, sir. Ik zal hen meteen bellen.'

Boone wachtte tot de piloot wegliep en ging toen verder met typen. *Laat de computers die geest maar opsporen,* dacht hij. *Dan zorg ik dat ik binnen twee dagen Gabriel heb gevonden.*

Een minuut later was hij klaar met zijn boodschap en hij verzond hem naar Berlijn. Tegen de tijd dat hij naar de startbaan liep ontwaakten in gegijzelde computers over de gehele wereld verborgen softwareprogramma's. Stukjes computerbewustzijn begonnen zich als een leger van zombies samen te voegen. Ze wachtten zonder te protesteren, zonder enig bewustzijn van tijd, totdat een commando hun de opdracht gaf met zoeken te beginnen.

In een buitenwijk van Madrid speelde een veertienjarige jongen een online-fantasygame. In Toronto tikte een gepensioneerde bouwinspecteur op een hockeyforum wat opmerkingen over zijn favoriete team. Enkele seconden later werkten allebei hun computers een fractie trager, maar ze merkten er geen van beiden iets van. Voor het blote oog leek alles nog hetzelfde, alleen gehoorzaamden de elektronische dienaren nu een nieuwe meester met een nieuw bevel.

Zoek de Reiziger.

# 4

Gabriel drukte op een toets op zijn mobieltje en keek hoe laat het was. Het was één uur 's ochtends, maar er klonk nog steeds herrie vanaf de straat. Hij hoorde een auto claxonneren en in de verte klonk een politiesirene. Er reed een voertuig met een schetterende stereo-installatie langs en de dreunende bas van een rapnummer klonk als het gedempte bonken van een hart.

De Reiziger ritste de bovenste helft van zijn slaapzak open en ging zitten. Door de dichtgeschilderde ramen scheen straatverlichting naar binnen en hij zag Hollis Wilson nog geen anderhalve meter bij hem vandaan op een stretcher liggen. De voormalige leraar in oosterse vechtkunsten ademde regelmatig en Gabriel begreep dat hij sliep.

Het was nu vierentwintig uur geleden dat hij had gehoord dat de mensen van New Harmony dood waren en dat zijn vader nog leefde. Gabriel vroeg zich af hoe hij in vredesnaam iemand moest vinden die vijftien jaar geleden uit zijn leven was verdwenen. Bevond zijn vader zich in deze wereld of was hij overgestoken naar een ander rijk? Gabriel ging weer liggen en stak zijn linkerhand omhoog. 's Nachts voelde hij zich heel ontvankelijk voor de aantrekkingskracht – en de gevaren – van zijn nieuwe vermogen.

Een paar minuten lang focuste hij zich op het Licht in zijn lichaam. Toen kwam het moeilijke moment: zich nog steeds op het Licht concentrerend, probeerde hij zijn hand te bewegen zonder er bewust bij na te denken. Soms leek dit een onmogelijke opgave; hoe kon je de keus maken je lichaam te laten bewegen en die keuze vervolgens negeren? Gabriel ademde diep in en de vingers van zijn hand kwamen naar voren. Kleine puntjes Licht – als de sterren van een melkwegstelsel – dreven in de schaduw van de duisternis terwijl zijn fysieke hand slap en levenloos was.

Toen bewoog hij zijn arm en werd het Licht weer geabsorbeerd door zijn lichaam. Gabriel beefde en hijgde. Hij ging weer zitten, trok zijn benen uit de slaapzak en zette zijn blote voeten op de koude houten vloer. *Je stelt je aan als een idioot,* zei hij tegen zichzelf. *Dit is geen goocheltrucje. Het is 't één of 't ander, óf je maakt de oversteek, óf je blijft in deze wereld.*

Gekleed in een T-shirt en een katoenen joggingbroek glipte Gabriel door een opening in de stukken zeil en betrad het gezamenlijke gedeelte van de zolderetage. Hij ging naar het toilet en liep toen naar de keuken om wat water te drinken. Op de bank vóór de slaapplek van de vrouwen zat Maya. Toen de Harlekijn herstellende was van haar schotwond, had ze het grootste deel van haar tijd slapend doorgebracht. Nu Maya echter weer rond kon lopen, zat ze vol rusteloze energie.

'Alles in orde?' fluisterde ze.

'Ja hoor. Ik had alleen dorst.'

Hij draaide de koudwaterkraan open en dronk direct uit de kraan. Een van de fijne dingen van de stad New York vond hij het water. Toen hij nog met Michael in Los Angeles woonde, had het water altijd een vaag chemisch bijsmaakje.

Gabriel liep naar Maya toe en ging naast haar zitten. Zelfs na de onenigheid over zijn vader vond hij het nog prettig om naar haar te kijken. Maya had het zwarte haar van haar moeder, die een sikh was geweest, en de krachtige gelaatstrekken van haar Duitse vader. Haar ogen waren opvallend lichtblauw, als twee stipjes waterverf tegen een witte achtergrond. Buiten op straat verborg ze haar ogen achter een zonnebril en bedekte ze haar hoofd met een pruik. Maar de bewegingen van haar lichaam kon de Harlekijn niet verhullen. Ze liep door een supermarkt en stond in een metrowagon met de uitgebalanceerde houding van een vechter die klaarstaat om de eerste klap in ontvangst te nemen en niet van plan is om tegen de vlakte te gaan.

Toen zij elkaar voor het eerst ontmoetten in Los Angeles, had hij Maya de meest ongewone persoon gevonden die hij ooit was tegengekomen. De Harlekijn was in vele opzichten een moderne jonge vrouw – een expert op alle gebieden van beveiligingstechnologie. Maar ze torste tevens de last van een honderden jaren oude traditie op haar schouders. Harlekijns waren *Vervloekt door het vlees en gered door het bloed,* had Maya's vader, Thorn, zijn dochtertje geleerd. Maya leek te geloven dat zij schuldig was aan de een of andere fundamentele fout die alleen kon worden rechtgezet door haar leven te riskeren.

Maya had een heel duidelijk wereldbeeld – alle onzin en overbodige ballast in haar waarnemingen waren al jaren geleden vernietigd. Gabriel wist dat zij de regels nimmer zou overtreden door verliefd te worden op een Reiziger. En op dit moment was zijn eigen toekomst zo onduidelijk dat het hem domweg onverantwoord leek hun relatie te veranderen.

Hij en Maya hadden hun vastomlijnde rol als Reiziger en Harlekijn, en toch voelde hij zich lichamelijk tot haar aangetrokken. Toen zij herstelde van haar schotwond had hij haar opgetild om haar van het veldbed naar de bank te dragen en had hij haar lichaam in zijn armen gevoeld en haar huid en haar geroken. Soms was het gordijn niet helemaal dicht en zag hij haar tijdens het aankleden met Vicki praten. Er was helemaal niets tussen hen – maar tegelijkertijd was het alles. Zelfs naast haar op de bank zitten voelde tegelijkertijd prettig en ongemakkelijk.

'Je kunt beter wat gaan slapen,' zei hij vriendelijk.

'Ik kan mijn ogen niet dichthouden.' Wanneer Maya moe was, werd haar Engelse accent geprononceerder. 'Mijn hoofd blijft maar malen.'

'Dat kan ik wel begrijpen. Zelf heb ik soms het gevoel dat ik te veel gedachten heb en te weinig plek om ze op te bergen.'

Er viel weer een stilte en hij luisterde naar haar ademhaling. Gabriel herinnerde zichzelf eraan dat Maya had gelogen over zijn vader. Waren er nog meer geheimen? Wat moest hij nog meer weten? De Harlekijn schoof een eindje bij Gabriel vandaan zodat ze niet meer zo dicht bij elkaar zaten. Maya's lichaam spande zich en hij hoorde haar diep inademen, alsof ze op het punt stond iets gevaarlijks te doen.

'En ik heb aan die ruzie van gisteravond zitten denken.'

'Je had me dat van mijn vader moeten vertellen,' zei Gabriel.

'Ik probeerde je te beschermen. Geloof je dat niet?'

'Ik ben nog niet tevreden.' Gabriel leunde naar haar toe. 'Goed – mijn vader heeft dus een brief gestuurd naar de mensen in New Harmony. Weet je zeker dat je niet weet waar die brief vandaan kwam?'

'Ik heb je verteld van Carnivoor. De overheid houdt alle e-mail voortdurend in de gaten. Martin zou nooit belangrijke informatie via het internet hebben gestuurd.'

'Hoe weet ik dat je de waarheid vertelt?'

'Jij bent een Reiziger, Gabriel. Als je naar mijn gezicht kijkt, kan je zien dat ik niet lieg.'

'Ik had niet gedacht dat dat nodig zou zijn. Niet bij jou.' Gabriel stond op van de bank en liep terug naar zijn veldbed. Hij ging weer liggen, maar het viel niet mee om de slaap te vatten. Gabriel wist dat Maya om hem gaf, maar ze leek niet te begrijpen hoe graag hij zijn vader wilde vinden. Zijn vader was de enige die hem kon vertellen wat hij moest doen nu hij een Reiziger was. Hij wist dat hij veranderde, een heel ander mens aan het worden was, maar hij wist niet waarom.

Hij deed zijn ogen dicht en droomde van zijn vader die in

New York door een donkere straat liep. Gabriel riep hem en rende hem achterna, maar zijn vader was te ver weg om hem te kunnen horen. Matthew Corrigan sloeg een hoek om en toen Gabriel die ook had bereikt, was zijn vader al verdwenen.

In de droom stond Gabriel onder een lantaarnpaal op een trottoir dat donker was en glinsterde van de regen. Hij keek om zich heen en zag een bewakingscamera op het dak van een gebouw staan. Aan de lantaarnpaal hing ook een camera en op verschillende plekken in de verlaten straat zag hij er nog een stuk of zes. Toen wist hij dat Michael ook op zoek was, maar zijn broer beschikte over de camera's en de scanners en alle andere elektronische hulpmiddelen van de Grote Machine. Het was net een wedstrijd – een afschuwelijke competitie tussen hen tweeën – en hij kon onmogelijk winnen.

# 5

Hoewel Harlekijns zichzelf soms beschouwden als de allerlaatste verdedigers van de geschiedenis, was hun historische kennis eerder gebaseerd op traditie dan op feiten uit de geschiedenisboeken. Tijdens haar jeugd in Londen had Maya alle plekken van de her en der door de stad verspreide traditionele executieplaatsen uit haar hoofd geleerd. Gedurende hun dagelijkse lessen over wapens en straatvechten had haar vader haar al die plekken laten zien. Tyburn was voor misdadigers, de Tower van Londen voor de verraders, en de verschrompelde lijken van dode piraten hingen jaren achtereen aan het Execution Dock in Wapping. Op verschillende momenten in de geschiedenis hadden de autoriteiten Joden, katholieken en een lange lijst van afvalligen die een andere god aanbaden of een afwijkend wereldbeeld verkondigden, vermoord. Een bepaalde plek in West Smithfield werd gebruikt voor de executie van ketters, heksen en vrouwen die hun man hadden vermoord – en ook de anonieme Harlekijns die hun leven hadden gegeven om Reizigers te beschermen.

Diezelfde sfeer van opeengehoopte ellende voelde Maya op het moment dat zij het gerechtsgebouw in het zuidelijke deel van Manhattan binnenliep. Ze liep door de hoofdingang naar binnen, bleef staan en staarde omhoog naar de klok die aan het hoge plafond hing. De wit marmeren muren van het gebouw, de art-decolampen en de rijkelijk versierde trapleuning ademden iets van de grootsheid van een eerder tijdperk. Toen liet zij haar blik weer zakken en bekeek de wereld die haar omringde: de politie en de criminelen, de gerechtsdienaren en de advocaten, de slachtoffers en getuigen – allemaal schuifelden ze over de vuile vloer naar de poort met metaaldetector die op hen stond te wachten.

Dimitri Aronov was een gezette oudere man met drie pieken vettig zwart haar dwars over zijn kale schedel geplakt. Met een gehavende leren attachékoffer naderde de Russische emigrant de metaaldetector. Toen hij het poortje betrad, bleef hij even staan en keek over zijn schouder naar Maya.

'Wat is het probleem?' vroeg de bewaker. 'Doorlopen...'

'Natuurlijk, agent. Natuurlijk.'

Aronov liep door het poortje, zuchtte toen en rolde met zijn ogen, alsof hij zich zojuist herinnerde dat hij een belangrijk dossier in de auto had laten liggen. Hij liep weer terug door de controlepost en volgde Maya via de draaideur naar buiten. Even bleven ze boven aan de brede trappen staan en keken naar de skyline van zuidelijk Manhattan. Het was een uur of vier 's middags. Er hingen dikke grijze wolken boven de stad en de zon was een vage lichtvlek aan de westelijke horizon.

'En, wat vindt u ervan, Miss Strand?'

'Ik vind nog helemaal niets.'

'U hebt het zelf gezien. Geen alarm. Geen arrestatie.'

'Laten we uw product eens wat beter bekijken.'

Samen liepen ze de trap af, zigzagden door het trage verkeer dat Centre Street verstopte en liepen een parkje in het midden van het plein in. Het Collect Pond Park was in de begintijd van New York een enorme plas ongezuiverd afvalwater geweest. Het was nog steeds een duistere plek, overschaduwd door de hoge gebouwen die het lapje grond omringden. Hoewel verschillende bordjes de New Yorkers waarschuwden geen duiven te voeren, fladderde er een hele horde van de vogels heen en weer om in het zand te pikken.

Ze namen plaats op een houten bankje dat net buiten het bereik van de twee bewakingscamera's van het park stond. Aronov zette zijn attachékoffertje op het bankje en maakte een uitnodigend gebaar met zijn vingers. 'Bekijkt u de koopwaar maar.'

Maya knipte het koffertje open. Toen ze erin keek zag ze een handwapen dat veel weg had van een 9mm automatisch pistool. Het wapen had een dubbele loop en een geruwde greep. Toen ze het oppakte voelde ze dat het heel licht was – het leek wel een kinderspeeltje.

Aronov verviel meteen in het ritme van een verkoper. 'De kast, de greep en de trekker zijn van high-density plastic. De lopen, de sledes en de slagpin zijn van superhard keramisch materiaal – zo sterk als staal. Zoals u net zelf hebt kunnen zien, blijft het wapen in elke standaard-metaaldetector onopgemerkt. Luchthavens zijn minder gemakkelijk. De meeste beschikken over scanners waarbij gebruik wordt gemaakt van *millimeter wave*-technologie. Maar je kunt het wapen in twee of drie stukken verdelen en die in een laptopcomputer verstoppen.'

'Wat voor munitie gebruik je ervoor?'

'De kogels waren altijd het grote probleem. De CIA heeft hetzelfde soort wapen ontwikkeld, maar dan met een hulsloos systeem. Grappig, nietwaar? Zij worden geacht terrorisme te bestrijden, dus hebben ze het volmaakte terroristenwapen gemaakt. Maar mijn vrienden in Moskou hebben voor een eenvoudigere oplossing gekozen. Mag ik even?'

Aronov stak zijn hand in de koffer, schoof de slede open en liet haar iets zien wat nog het meeste leek op een dikke bruine sigaret met een zwarte punt. 'Dit is een papieren patroon met een keramische kogel. Zie het maar als het moderne equivalent van het systeem dat door een achttiende-eeuws musket werd gebruikt. Het voortstuwingsmiddel komt in twee fases tot ontsteking en drukt de kogel uit de loop. Herladen gaat niet zo snel, dus...' Aronov nam het pistool in zijn linkerhand en klikte de tweede loop op zijn plek. 'Je kunt twee keer snel achter elkaar vuren, maar meer heb je ook niet nodig. De kogel gaat door je doelwit heen, als een granaatscherf.'

Maya wendde zich af van het koffertje en keek om zich heen om te zien of er iemand meekeek. De grijze gevel van het gerechtsgebouw torende hoog boven hen uit. Politieauto's en de wit-met-blauwe bussen die werden gebruikt voor het transporteren van gedetineerden stonden dubbelgeparkeerd op straat. Ze hoorde het verkeer om het parkje heen rijden en ze rook Aronovs bloemige eau de toilette, vermengd met de gronderige geur van natte bladeren.

'Indrukwekkend, nietwaar? Dat moet u toch toegeven.'

'Hoeveel?'

'Twaalfduizend dollar. Contant.'

'Voor een handwapen? Dat slaat nergens op.'

'Mijn beste Miss Strand...' De Rus glimlachte en schudde zijn hoofd. 'Het zou erg moeilijk, zo niet onmogelijk zijn om iemand anders te vinden die dit wapen verkoopt. Bovendien hebben wij al eerder zaken gedaan. U weet dat mijn koopwaar van de allerhoogste kwaliteit is.'

'Ik weet niet eens of je ermee kunt schieten.'

Aronov klapte het koffertje dicht en zette het aan zijn voeten. 'Als u wilt kunnen we naar een garage rijden die eigendom is van een vriend van mij in New Jersey. Geen buren. Dikke muren. De kogels zijn kostbaar, maar u mag er van mij twee afvuren voordat u mij het geld overhandigt.'

'Ik moet erover nadenken.'

'Om zeven uur vanavond rijd ik langs de straatingang van het Lincoln Center. Als u er bent, krijgt u van mij een eenmalige speciale korting – tienduizend dollar en zes kogels.'

'Een speciale korting vind ik achtduizend dollar.'

'Negen.'

Maya knikte. 'Als alles het doet zoals u zegt krijgt u uw geld.'

Terwijl ze het park verliet en Centre Street overstak, gebruikte Maya haar mobieltje om Hollis te bellen. Hij nam onmiddellijk op, maar zei niets.

'Waar ben je?' vroeg zij.

'Columbus Park.'

'Dan zie ik je daar over vijf minuten.' Ze gooide de telefoon in haar schoudertas en pakte haar generator van aselecte getallen – een elektronisch apparaatje ongeveer zo groot als een lucifersdoosje dat aan een koordje om haar nek hing.

Maya en de andere Harlekijns noemden hun vijanden de Tabula, omdat deze groep het menselijk bewustzijn zag als een tabula rasa – een onbeschreven blad dat kon worden volgeschreven met allerlei kreten van haat en angst. Terwijl de Tabula geloofde dat alles gecontroleerd kon worden, cultiveerden de Harlekijns een filosofie van willekeur. Soms maakten zij hun keuzes met behulp van een dobbelsteen of een getallengenerator.

*Een oneven getal betekent linksaf,* dacht Maya. *Even betekent rechts.* Ze drukte op een knopje en toen het getal 365 op de display verscheen, sloeg ze linksaf Hogan Place op.

Het kostte haar ongeveer tien minuten om naar Columbus Park te lopen. Het park was een rechthoekig stuk asfalt met triest uitziende bomen, een paar blokken ten oosten van Chinatown. Gabriel kwam er graag 's middags, wanneer het er vol zat met bejaarde Chinese mannen en vrouwen. De oude mensen vormden ingewikkelde clubjes, erop gebaseerd wie uit dezelfde provincie of hetzelfde dorp kwam. Ze roddelden en knabbelden op hapjes die ze meenamen in plastic bakjes en speelden mahjong en af en toe een partijtje schaak.

Hollis Wilson zat op een parkbankje met het .45 automatische pistool dat hij van Dimitri Aronov had gekocht verborgen onder zijn zwart leren jack. Toen Maya Hollis voor het eerst ontmoette, in Los Angeles, had hij schouderlange dreadlocks gehad en modieuze kleding gedragen. In New York had Vicki zijn haar gekortwiekt en had hij geleerd welke regel de Harlekijns hanteerden om hun identiteit geheim te houden: zorg ervoor dat je altijd iets draagt of bij je hebt wat op een andere identiteit duidt. Die middag had hij twee buttons op zijn jasje gespeld met de tekst: AFVALLEN? PROBEER HET MET KRUIDEN! Zodra New Yorkers deze reversbuttons zagen, wendden zij hun blikken af.

Terwijl Hollis Gabriel zat te bewaken, bestudeerde hij een losbladig exemplaar van *De Weg van het Zwaard*, een bespiegeling over het gewapende gevecht, geschreven door Sparrow, de legendarische Japanse Harlekijn. Maya was met het boek opgegroeid en haar vader had voortdurend gehamerd op Sparrows beroemde uitspraak dat Harlekijns 'willekeur dienden te cultiveren'. Het irriteerde haar dat Hollis zich dit cruciale onderdeel van haar training trachtte eigen te maken.

'Hoe lang zit je hier al?' vroeg zij.

'Een uurtje of twee.'

Ze keken naar de andere kant van het park, waar Gabriel aan een parktafeltje zat te schaken met een bejaarde Chinees. Ook de Reiziger had gedurende hun verblijf in New York zijn uiterlijk veranderd. Vicki had zijn haar heel erg kort geknipt en meestal droeg hij een gebreide muts en een zonnebril. Toen zij elkaar in Los Angeles leerden kennen, droeg Gabriel lang, bruin haar en had hij de nonchalante manier van doen van een jongeman die 's winters zijn tijd doorbrengt met skiën en 's zomers met surfen. Hij was de afgelopen paar maanden afgevallen en zag er nu uit als iemand die nog maar pas is hersteld van een langdurige ziekte.

Hollis had een goede verdedigingspositie uitgekozen, met een prima uitzicht op bijna elke plek in het park. Maya stond zichzelf toe een ogenblik te ontspannen en van het feit te genieten dat ze allemaal nog leefden. Als klein meisje had ze dit soort momenten haar 'juwelen' genoemd. De juwelen waren die zeldzame keren dat zij zich veilig genoeg voelde om van iets leuks of moois te genieten – een hemel waaraan de zon onderging in een roze gloed of de avonden waarop haar moeder iets bijzonders kookte, zoals lamsvlees *rogan josh*.

'Is er vanmiddag nog iets gebeurd?' vroeg zij.

'Gabe heeft op bed een boek liggen lezen en daarna hebben we een tijdje over zijn vader zitten praten.'

'Wat zei hij?'

'Hij wil hem nog steeds graag vinden,' zei Hollis. 'Ik begrijp wel hoe hij zich moet voelen.'

Maya keek oplettend toe toen drie bejaarde vrouwen op Gabriel af liepen. De vrouwen waren waarzegsters die aan de rand van het park zaten en aanboden om voor tien dollar je toekomst te voorspellen. Altijd wanneer Gabriel hen passeerde, staken ze hun hand een eindje uit – palmen naar boven en de rechterhand onder de linker – als bedelaars die om een aalmoes vragen. Vanmiddag betoonden zij hem echter alleen maar hun respect. Een van hen zette een kartonnen bekertje thee op het klaptafeltje dat voor het schaken werd gebruikt.

'Maak je geen zorgen,' zei Hollis. 'Dat doen ze wel vaker.'

'Straks gaan mensen erover praten.'

'Nou en? Niemand weet wie hij is. Die waarzegsters voelen gewoon dat hij een soort macht bezit.'

De Reiziger bedankte de vrouwen voor de thee. Zij bogen voor hem en liepen toen terug naar hun plekje bij het hek. Gabriel richtte zijn aandacht weer op het schaakbord.

'Is Aronov nog komen opdagen voor die afspraak?' vroeg Hollis. 'Ik heb begrepen dat hij iets nieuws in de aanbieding had.'

'Hij probeerde me een keramisch handwapen te verkopen, waarmee we onopgemerkt door metaaldetectors kunnen komen. Waarschijnlijk vervaardigd door de Russische veiligheidsdienst.'

'Wat heb je hem verteld?'

'Ik heb nog niet besloten. Ik heb vanavond om zeven uur met hem afgesproken. Dan rijden we naar New Jersey, zodat ik er een paar keer mee kan schieten.'

'Zo'n wapen zou wel goed van pas komen. Hoeveel wil hij ervoor hebben?'

'Negenduizend dollar.'

Hollis begon te lachen. 'Ik neem aan dat we geen "trouweklanten"-korting krijgen.'

'Wat vind jij?'

'Negenduizend in contanten is een hoop geld. Ik zou het maar met Vicki bespreken. Zij weet precies hoeveel we hebben en hoeveel we uitgeven.'

'Is ze in het appartement?'

'Ja. Ze is met het avondeten bezig. Wanneer Gabriel klaar is met schaken gaan we terug.'

Maya stond op van het bankje en liep over het dorre gras heen naar de plek waar Gabriel zat te schaken. Wanneer ze even niet op haar eigen emoties lette, betrapte ze zichzelf er telkens op dat ze bij hem wilde zijn. Zij waren geen vrienden – dat was onmogelijk. Maar ze had een gevoel alsof hij regelrecht in haar hart kon kijken en haar duidelijk zag.

Gabriel keek naar haar op en glimlachte. Het was maar een heel kort moment tussen hen, maar het maakte haar tegelijkertijd blij en boos. *Doe niet zo idioot,* hield Maya zichzelf voor. *Denk eraan: jij bent er om hem te beschermen, niet om iets voor hem te voelen.*

Ze stak Chatham Square over en liep East Broadway op. Het trottoir was bevolkt met toeristen en Chinezen die boodschappen deden voor het eten. Gebraden eenden en kippen hingen aan haken voor de beslagen etalageruiten en ze botste bijna tegen een jonge man aan met een in plastic verpakt speenvarken onder zijn arm. Toen er even niemand keek, opende Maya snel de deur en ging het gebouw aan Catherine Street binnen. Nog meer sleutels. Nog meer sloten. En toen was ze in het appartement.

'Vicki?'

'Ik ben hier.'

Maya trok een van de stukken zeildoek opzij en zag Victory From Sin Fraser op een veldbed zitten, waar ze geld uit verschillende landen zat te tellen. In Los Angeles was Vicki een onopvallend gekleed lid van de Goddelijke Kerk van Isaac T. Jones geweest. Nu droeg ze wat ze zelf haar artiestenkostuum noemde – geborduurde spijkerbroek, een zwart T-shirt en een Balinese ketting. Haar haar was ingevlochten en aan het eind van elke streng haar zat een kraal.

Vicki keek op van de stapeltjes geld en glimlachte. 'Er is weer een nieuwe zending binnengekomen in het appartement in Brooklyn. Ik wilde even controleren hoeveel we nu in totaal hebben.'

De kleren van de vrouwen zaten in kartonnen dozen of hingen aan een kledingrek dat Hollis op Seventh Avenue had gekocht. Maya trok haar jas uit en hing hem op een plastic hangertje.

'Hoe is je afspraak met die Rus gegaan? Hollis zei dat hij je waarschijnlijk weer een vuurwapen wilde verkopen.'

'Hij heeft me een heel bijzonder wapen aangeboden, maar het is erg duur.' Maya ging op haar inklapbare veldbed zitten en gaf een korte beschrijving van het keramische wapen.

'*Van zaad tot boompje*,' zei Vicki, terwijl ze een elastiekje om een stapeltje biljetten van honderd dollar deed.

Maya was inmiddels gewend aan de grote hoeveelheid zinsneden uit de verzamelde brieven van Isaac Jones, de stichter van Vicki's kerk. *Van zaad tot boompje, van boompje tot boom* betekende dat je altijd rekening moest houden met de mogelijke consequenties van je daden.

'We hebben het geld wel, maar het is een gevaarlijk wapen,' vervolgde Vicki. Als criminelen het in handen krijgen, zouden ze het kunnen gebruiken om onschuldige mensen kwaad te doen.'

'Dat geldt voor elk wapen.'

'Beloof je dat je het zal vernietigen wanneer we eindelijk op een veilige plek zijn?'

*Harlekine versprechen nichts,* dacht Maya. *Harlekijns beloven niets.* Het was alsof ze de stem van haar vader hoorde. 'Ik zal erover nadenken,' zei ze tegen Vicki. 'Meer kan ik je niet beloven.'

Terwijl Vicki verderging met geld tellen, kleedde Maya zich om. Als ze Aronov zou ontmoeten in de buurt van de concertzalen in het Lincoln Center, dan moest ze eruitzien alsof ze een avondje uitging. Dat betekende enkellaarsjes, zwarte geklede pantalon, een blauwe trui en een wollen jas. Omdat ze geld bij zich zou hebben, besloot ze een wapen mee te nemen: een .357 Magnum-revolver met een korte loop en een aluminium kast. De broekspijpen waren wijd genoeg om een enkelholster te verbergen.

Maya's werpmes werd met een elastieken band om haar rechterarm bevestigd en aan haar linkerarm, vlak bij haar pols, droeg ze een pushknife. Dit mes had een scherp driehoekig lemmet en een T-vormig heft. Met het heft in je vuist geklemd, moest je er zo hard mogelijk mee naar je tegenstander stoten.

Vicki was opgehouden met tellen. Ze keek verlegen en zelfs een beetje gegeneerd. 'Ik zit met een probleem, Maya. Ik dacht – misschien – dat we erover konden praten.'

'Ga verder...'

'Hollis en ik groeien steeds dichter naar elkaar toe. En ik weet niet wat ik daarmee moet. Hij heeft heel veel vriendinnetjes gehad en ik ben niet zo ervaren.' Ze schudde haar hoofd. 'Sterker nog, ik heb helemaal geen ervaring.'

Maya had de groeiende aantrekkingskracht tussen Hollis en Vicki wel gezien. Het was voor het allereerst dat ze had gemerkt hoe twee mensen verliefd op elkaar begonnen te worden. Eerst volgden hun ogen de ander wanneer die opstond van tafel. Vervolgens leunden ze een beetje naar de ander toe wanneer die iets zei. Wanneer ze niet bij elkaar waren, spraken ze op een zweverige, malle manier over de ander. De hele ervaring deed Maya beseffen dat haar vader en moeder nooit verliefd op elkaar waren geweest. Ze respecteerden elkaar en voelden door hun huwelijk een sterke verbondenheid met elkaar. Maar dat was geen liefde. Harlekijns waren niet geïnteresseerd in die emotie.

Maya stak de revolver in haar enkelholster. Ze zorgde ervoor dat de klittenbandsluiting goed vastzat en trok vervolgens haar broekspijp zodanig omlaag dat de zoom de bovenkant van haar enkellaarsje raakte. 'Je bent aan het verkeerde adres,' zei ze tegen Vicki. 'Ik kan je geen goede raad geven.'

De Harlekijn pakte negenduizend dollar van het veldbed en liep naar de deur. Ze voelde zich heel sterk op dat moment – klaar om de strijd aan te gaan – maar de vertrouwde omgeving herinnerde haar aan Vicki's hulp gedurende haar herstel. Vicki had Maya geholpen met eten, haar verband verschoond en bij haar op de bank gezeten wanneer ze veel pijn had. Zij was een vriendin.

*Wat moet ik met vriendinnen*, dacht Maya. Harlekijns hielden zich wel aan verplichtingen jegens elkaar, maar vriendschap met burgers werd gezien als zonde van je tijd. Tijdens haar korte poging om een normaal leven te leiden in Londen, had Maya afspraakjes gehad met mannen en was ze vriendschappelijk omgegaan met de vrouwen die haar collega's waren bij een ontwerpstudio. Maar geen van die mensen kon ze haar vrienden noemen. Ze zouden nooit de bijzondere manier begrijpen waarop zij de wereld zag; dat er altijd jacht op haar werd gemaakt – dat ze altijd klaar moest zijn voor de aanval.

Haar hand lag op de deurknop, maar ze maakte de deur niet open. *Kijk naar de feiten*, zei ze tegen zichzelf. *Snijd je hart open en analyseer je gevoelens. Je bent jaloers op Vicki. Dat is het gewoon. Jaloers op het geluk van een ander.*

Ze keerde weer terug naar het slaapgedeelte. 'Dat had ik niet moeten zeggen, Vicki. Ik heb op dit moment ook zoveel andere dingen aan mijn hoofd.'

'Dat weet ik. Ik had er niet over moeten beginnen.'

'Ik respecteer jou en Hollis. Ik wil dat jullie gelukkig zijn. Laten we erover praten wanneer ik vanavond thuiskom.'

'Oké.' Vicki ontspande zich en glimlachte. 'Dat kunnen we wel doen.'

Toen Maya uiteindelijk het gebouw verliet, voelde ze zich een stuk beter. Haar favoriete moment van de dag kwam eraan: de overgang van dag naar nacht. Voordat de straatverlichting aanging, leek de lucht vol zwarte spikkeltjes duisternis. Schaduwen verloren hun scherpe randen en grenzen vervaagden. Als het lemmet van een mes, vlijmscherp en glad, baande ze zich een weg door de openingen in de menigte en gleed ze door de stad.

# 6

Maya liep in noordelijke richting door de smalle straten van Chinatown naar de brede avenues van Midtown Manhattan. Dit was de zichtbare stad, waar de Grote Machine alles controleerde. Maar Maya wist dat er zich onder het plaveisel een gecompliceerde wereld bevond, een doolhof van metrolijnen, treinsporen, vergeten doorgangen en tunnels vol elektriciteitskabels. Half New York was aan het zicht onttrokken, diep ingegraven in het bodemgesteente dat niet alleen de basis vormde voor de appartementengebouwen in Spanish Harlem maar ook voor de glazen torens aan Park Avenue. Er ging daar ook een parallelle menselijke wereld verborgen, verschillende groepen afvalligen en ware gelovigen, illegale immigranten met valse papieren en respectabele burgers die er een geheim leven op na hielden.

Een uur later stond ze op de marmeren trappen die naar het Lincoln Center voor Uitvoerende Kunsten leidden. Het theater en de concertgebouwen bevonden zich aan de rand van een groot plein met een verlichte fontein in het midden. De meeste voorstellingen waren nog niet begonnen, maar musici in zwarte kleding haastten zich al met hun instrumentenkoffers de trappen op en verdwenen over het plein in de verschillende gebouwen. Maya verplaatste het geld naar een met een rits afsluitbare binnenzak van haar jas en keek toen over haar schouder. Ze zag twee bewakingscamera's, maar die waren gericht op de menigtes rond de fontein.

Er kwam een taxi aangereden. Achterin zat Aronov. Toen hij haar wenkte, liep Maya de trappen weer af en stapte ze naast de Rus in.

'Goedenavond, Miss Strand. Fijn u weer te zien.'

'Het pistool moet werken en anders gaat de koop niet door.'

'Maar natuurlijk.' Aronov gaf hun bestemming door aan de chauffeur, een jongeman met kort stekeltjeshaar, en de taxi mengde zich weer in het verkeer. Even later reden ze over Ninth Avenue, in zuidelijke richting.

'Heeft u het geld bij u?' vroeg hij.

'Niet meer dan we overeengekomen zijn.'

'U bent erg achterdochtig, Miss Strand. Misschien moest ik u maar in dienst nemen als assistente.'

Toen ze Forty-second Street overstaken, haalde Aronov een balpen en een in leer gebonden notitieboekje uit zijn jaszak, alsof hij een aantekening wilde maken. De Rus begon over zijn favoriete nachtclub in Staten Island te praten en over de stripteasedanseres daar die ooit in het Ballet van Moskou had gedanst. Het was inhoudsloos gebabbel, dingen die een autoverkoper je vertelde terwijl hij je rondleidde door de showroom. Maya vroeg zich af of het keramische pistool nep was en of Aronov van plan was het geld te stelen. Of misschien was het niets. *Hij weet dat ik een wapen bij me heb,* dacht Maya. *Hij heeft het me zelf verkocht.*

De chauffeur sloeg rechtsaf op Thirty-eighth Street en volgde de borden naar de Lincoln Tunnel. De volledige avondspits leek hier bijeen te komen en verdeelde zich over de verschillende rijstroken. Drie afzonderlijke tunnels – elk met twee banen – voerden onder de rivier door naar New Jersey. Het was druk, maar de auto's reden ongeveer vijftig kilometer per uur. Toen ze naar buiten keek, zag ze een elektriciteitskabel van boven naar beneden lopen over de witte tegelwand van de tunnel.

Maya draaide zich om toen de Rus naast haar bewoog. Toen hij zijn balpen openklikte kwam er een naald uit de punt tevoorschijn. Op dat moment zag Maya elk detail haarscherp voor zich. Haar hand greep Aronovs pols. In plaats van zijn aanval af te weren, ging ze met zijn beweging mee en leidde zijn arm omlaag en met een ruk naar links.

Aronov stak zichzelf in zijn been. Hij gilde het uit van pijn en nu gebruikte Maya al haar krachten en stompte hem in zijn gezicht, terwijl ze met haar andere hand de naald in zijn vlees gedrukt hield. De Rus hapte naar lucht als een drenkeling, werd toen helemaal slap en zakte tegen het autoportier. Maya voelde aan zijn hals – hij leefde nog. De onbekende chemische stof in de namaakpen was dus slechts een verdovend middel. Ze doorzocht de zakken van Aronovs regenjas, vond het keramische pistool en stopte het in haar schoudertas.

Een doorzichtige ruit van plexiglas scheidde de voorbank van de taxi van de achterbank en ze zag dat de chauffeur in een microfoontje zat te praten. Beide portieren zaten op slot. Ze probeerde de zijraampjes open te draaien, maar ook die zaten op slot. Over haar schouder kijkend zag ze dat de taxi werd gevolgd door een donkere terreinwagen. Voorin zaten twee mannen, en de huurling op de passagiersplek zat ook in een microfoontje te praten.

Maya trok haar revolver en tikte met de loop op het plexiglas. 'Maak die portieren open!' riep ze. 'Snel!'

De chauffeur zag het wapen, maar deed niet wat ze zei. Er zat een cirkel van kalmte in haar hoofd, als een kring van krijt die op de stoep is gekalkt, en Maya bleef binnen die grenzen. De afscheiding tussen de banken was vast en zeker kogelvrij. Ze kon het zijraampje inslaan, maar het zou niet meevallen om door de kleine opening naar buiten te kruipen. De veiligste uitweg was via het gesloten portier.

Ze schoof de revolver tussen haar broekband, trok haar werpmes en drukte de scherpe punt tussen de rand van het raam en het plastic paneel. Het paneel kwam niet meer dan een centimeter los, dus pakte ze haar stootmes en duwde het in de kleine opening. Beide messen met kracht omlaagduwend, wrikte ze het plastic open, zodat een stalen paneel aan de binnenkant zichtbaar werd. Dit paneel was dik genoeg om kogels tegen te kunnen houden, maar de klampen waarmee het vastzat zagen er niet erg stevig uit.

Maya knielde op de vloer van de taxi, richtte haar revolver op de bovenste klamp en schoot. Het schot klonk pijnlijk hard. Haar oren tuitten toen ze een ruk aan het paneel gaf – en de deurknop, een stalen stang en de deurslotactuator blootlegde. Nu was het verder gemakkelijk. Ze drukte haar mes op het punt waar de stang en de actuator met elkaar verbonden waren en trok het naar boven. Het slot klikte open.

Ze had de eerste barrière genomen, maar ze was nog steeds niet vrij. De taxi reed te snel om er zomaar uit te kunnen springen. Maya haalde diep adem en probeerde de angst via haar longen uit te drijven. Ze waren nog een meter of vijftien van de tunneluitgang verwijderd. Wanneer het verkeer naar buiten kwam, zouden de auto's een ogenblik vaart minderen om van rijbaan te wisselen. Maya schatte dat ze twee à drie seconden de tijd had om eruit te komen voordat de taxi weer sneller ging rijden.

De bestuurder wist dat het portier nu open was. Hij keek in zijn achteruitkijkspiegel en zei iets in het microfoontje van zijn koptelefoon. Op het moment dat de taxi de tunnel uit kwam, greep Maya de deur en sprong. De deur zwaaide naar buiten. Ze hield zich stevig vast toen de taxi over een hobbel reed en zij tegen het deurframe werd gesmeten. Auto's weken uit en remmen gierden toen de taxichauffeur van de ene baan naar de andere slingerde. Toen hij even over zijn schouder naar haar keek boorde de taxi zich in de zijkant van een blauwe forenzenbus. Maya schoot los van de deur en belandde op de weg.

Ze krabbelde overeind en keek om zich heen. De ingang van de tunnel aan de New Jersey-zijde zag eruit als een door mensenhanden gemaakte canyon. Aan haar rechterhand rees een hoge betonnen wand op en op een steile helling een eind verderop zag ze huizen. Links van haar bevonden zich de tolhuisjes voor voertuigen die de tunnel binnengingen. De terreinwagen was een meter of zes achter de taxi tot stilstand gekomen en een man in kostuum en met stropdas stapte uit en staarde naar haar. Hij trok geen wapen; er waren veel te veel getuigen en vlak bij de tolhuisjes stonden drie politiewagens geparkeerd. Maya begon naar een afrit te rennen.

Vijf minuten later was ze in Weehawken, een armoedig slaapstadje met ongeplaveide smalle straten tussen de twee verdiepingen tellende houten huizen. Toen ze zeker wist dat niemand het zag, klauterde ze over de stenen muur om de binnenplaats aan de achterkant van een verlaten katholieke kerk en haalde haar mobieltje tevoorschijn. Hollis' telefoon ging vijf of zes keer over voordat hij opnam.

'Hoge uitgang! Zuiverste kinderen!' Gedurende de afgelopen drie maanden had zij drie ontsnappingsplannen verzonnen. 'Hoge uitgang,' betekende dat iedereen die zich in het appartement bevond via de brandtrap op het dak moest klimmen. 'Zuiverste kinderen' wilde zeggen dat ze elkaar zouden treffen in Tompkins Square Park aan de Lower East Side.

'Wat is er gebeurd?' vroeg Hollis.

'Doe nu maar wat ik zeg! Maak dat je wegkomt!'

'Dat kan niet, Maya.'

'Waar heb je het –'

'We hebben bezoek gekregen. Kom zo snel mogelijk naar huis.'

Maya vond een taxi en racete terug naar Manhattan. Zo ver mogelijk onderuitgezakt op de achterbank, vroeg ze de chauffeur langzaam door Catherine Street te rijden. Bij het socialewoningbouwproject was een groepje tieners aan het basketballen, maar niemand leek oog te hebben voor het fabrieksgebouw waarin hun loft zich bevond. Ze sprong uit de taxi, rende naar de overkant en opende de groene deur.

Zodra Maya binnen was trok ze haar revolver. Ze hoorde het geluid van auto's die door de straat reden en een vaag krakend geluid toen ze de houten trap beklom. Toen ze voor de deur stond, klopte ze één keer en bracht haar wapen in de aanslag.

Met een angstig gezicht deed Vicki open en Maya glipte naar binnen. Een paar meter verder stond Hollis met het geweer.

'Wat is er gebeurd?' vroeg hij.

'Het was een valstrik,' zei Maya. 'De Tabula weten dat we in New York zijn. Waarom zijn jullie nog hier?'

'Zoals ik al zei, we hebben bezoek.'

Hollis wees naar rechts. Iemand had het stuk zeildoek dat voor het slaapgedeelte van de mannen hing opzijgetrokken. Oscar Hernandez, de Jonesie-dominee die de loft voor hen had gehuurd, zat op een veldbed, naast een jonge Latino in een rood sweatshirt.

'Maya! Godzijdank, je mankeert niets!' Hernandez stond op en schonk haar een brede glimlach. Hij was chauffeur op een stadsbus, maar wanneer hij zich met aangelegenheden van de kerk bezighield droeg hij altijd zijn priesterboord. 'Welkom thuis. We begonnen ons al zorgen om je te maken.'

Uit het slaapvertrek van de vrouwen klonk de stem van een oudere vrouw. Maya haastte zich ernaartoe en trok een van de stukken zeildoek weg. Sophia Briggs, de Padvinder die in een verlaten raketsilo in de buurt van New Harmony woonde, zat op een veldbed met Gabriel te praten. Sophia was de lerares die Gabriel had geleerd zijn vermogen te gebruiken om naar andere rijken te reizen.

'Ah, de Harlekijn is terug.' Sophia bestudeerde Maya alsof ze een zeldzaam soort slang was. 'Goedenavond, kindje. Ik had niet gedacht jou nog eens terug te zien.'

In de schaduw bij de radiator bewoog iets. Was het een hond? Had Sophia een van haar huisdieren meegenomen? Nee, het was een klein meisje dat op de grond zat, met opgetrokken knieën en haar armen om haar benen geslagen. Toen Maya een stap in haar richting zette, werd er een gezicht naar haar opgeheven, een gezichtje dat geen enkele emotie vertoonde. Het was het Aziatische meisje uit New Harmony. Iemand had het dus overleefd.

# 7

Gabriel keek naar Maya's ogen toen zij naar het kleine meisje keek en zich toen tot Sophia wendde. 'Ik dacht dat iedereen was vermoord...'

'Iedereen behalve Alice Chen – Joans dochter. Ik vond haar beneden in mijn raketsilo, beschermd door mijn prachtige koningsslangen. De Tabula-huurlingen zijn ons wel komen zoeken, maar ze hebben alleen het eerste niveau doorzocht.'

'Hoe zijn jullie in New York gekomen?'

'Dokter Briggs is naar Austin in Texas gereden en heeft daar contact gelegd met een lid van onze kerk,' legde Hernandez uit. 'Enkelen van ons geloven nog steeds in de "Onbetaalde Schuld". Wij beschermen Reizigers, Harlekijns en hun vrienden.'

'Maar waarom zijn ze híér?'

'Alice en ik zijn allebei getuigen,' zei Sophia. 'We zijn van de ene kerk naar de andere doorgesluisd, totdat iemand dominee Hernandez belde.'

'Nou, jullie zijn hier aan het verkeerde adres. Ik neem de verantwoordelijkheid voor jou en dit kind niet op me.' Maya liep naar Alice Chen. 'Heb je grootouders? Een tante of een oom?'

'Alice is opgehouden met praten,' zei Sophia. 'Het moge duidelijk zijn dat ze een traumatische ervaring achter de rug heeft.'

'Ik heb haar in New Harmony anders gewoon horen praten.' Maya ging bij Alice staan en begon heel langzaam tegen haar te praten. 'Noem een naam. Ik heb de naam nodig van iemand die voor jou kan zorgen.'

'Laat haar met rust, Maya.' Gabriel stond op van het veldbed en ging op zijn hurken bij het meisje zitten. 'Alice...' fluisterde hij, en toen voelde hij de aura van verdriet die haar omhulde. Het gevoel was zo sterk en zo duister dat hij bijna op zijn knieën viel. Even wenste hij dat hij nooit een Reiziger was geworden. Hoe had zijn vader dit soort verdriet van anderen kunnen verdragen?

Gabriel stond op en richtte zich tot Maya. 'Ze blijft bij ons.'

'Deze twee leveren ons alleen maar vertraging op. We moeten hier nú weg.'

'Ze blijft bij ons,' herhaalde Gabriel. 'En anders ga ik hier niet weg.'

'We hoeven niet lang voor hen te zorgen,' zei Vicki. 'Dominee Hernandez heeft vrienden die op een boerderij in Vermont wonen.'

'Ze wonen daar volledig buiten het Netwerk – geen creditcards, geen telefoon, geen enkele verbinding met de buitenwereld,' zei Hernandez. 'Jullie kunnen er zo lang blijven als jullie willen.'

'En hoe komen we daar?' vroeg Maya.

'Neem de ondergrondse naar station Grand Central. Om elf uur tweeëntwintig vanavond vertrekt daar een trein op de Harlemlijn. Stap uit in het plaatsje Ten Mile River en wacht daar op het perron. Iemand van de kerk pikt jullie daar op met een auto en brengt jullie verder naar het noorden.'

Maya schudde haar hoofd. 'De hele situatie is veranderd nu de Tabula weten dat wij in New York zitten. Ze zullen alles in de gaten houden – het wordt heel gevaarlijk om ons te verplaatsen. Er zijn beveiligingscamera's op straat en in elk metrostation, en de computers kunnen onze gezichten scannen en onze exacte locatie bepalen.'

'Ik weet alles van die camera's,' zei Hernandez. 'Daarom heb ik een gids meegebracht.'

Hernandez maakte een wenkende beweging met zijn hand en de jonge Latino slenterde naar het midden van de ruimte. Hij droeg een honkbalpet en ruimzittende sportkleding met de logo's van verschillende sportploegen. Hoewel hij zijn best deed om nonchalant over te komen, maakte hij een nerveuze indruk.

'Dit is mijn neef, Nazarene Romero. Hij werkt bij de afdeling onderhoud van het New Yorkse vervoersbedrijf.'

Nazarene trok zijn extra-large broek omhoog alsof dat deel uitmaakte van de introductie. 'De meeste mensen noemen me Naz.'

'Aangenaam, Naz. Ik ben Hollis. En hoe denk jij ons naar Grand Central Station te krijgen?'

'Niet zo haastig,' zei Naz. 'Ik zit niet bij die kerk van mijn oom. Begrepen? Ik krijg jullie de stad uit, maar daar wil ik wel voor betaald worden. Duizend voor mij en nog eens duizend voor mijn vriend Devon.'

'Alleen maar om naar een treinstation te reizen?'

'Niemand zal jullie volgen.' Naz stak zijn rechterhand op alsof hij een eed aflegde voor de rechtbank. 'Dat garandeer ik je.'

'Dat is onmogelijk,' zei Maya.

'We gaan naar een station zonder camera's en we reizen met een trein zonder passagiers. Het enige wat jullie hoeven te doen is mijn aanwijzingen opvolgen en mij betalen wanneer we er zijn.'

Hollis stond op en liep naar Naz toe. Hoewel hij het geweer in zijn linkerhand hield, had hij geen wapen nodig om intimiderend over te komen. 'Ik kom de laatste tijd ook niet meer in de kerk, maar ik herinner me nog een heleboel preken. In zijn Derde Brief uit Mississippi zei Isaac Jones dat iedereen die het verkeerde pad inslaat een donkere rivier moet oversteken naar een stad waar het altijd nacht is. Dat lijkt me geen plek waar jij de eeuwigheid wil doorbrengen...'

'Ik ga niemand verraden of zo. Ik ben alleen maar jullie gids.'

Iedereen keek nu naar Maya en wachtte tot zij een beslissing zou nemen. 'We brengen jou en het kind naar die boerderij in Vermont,' zei ze tegen Sophia. 'Daarna staan jullie er verder alleen voor.'

'Zoals je wilt.'

'We vertrekken over vijf minuten,' zei Maya. 'Iedereen kan een rugzak meenemen of één tas of koffer. Vicki, verdeel het geld, zodat jij niet alles bij je hebt.'

Alice bleef op de grond zitten, zonder iets te zeggen, maar wel oplettend, terwijl zij snel hun bezittingen bij elkaar zochten. Gabriel propte twee T-shirts en wat ondergoed in een canvas schoudertas, samen met zijn nieuwe paspoort en een stapeltje biljetten van honderd dollar. Hij wist niet wat hij met het Japanse zwaard moest doen dat Thorn aan zijn vader had gegeven, maar Maya nam het wapen van hem over. Voorzichtig schoof ze de talisman in de zwart metalen buis die ze gebruikte om haar eigen Harlekijnzwaard in te vervoeren.

Terwijl de anderen zich gereedmaakten, bracht Gabriel Sophia Briggs een kopje thee. De Padvinder was een taaie oude vrouw die het grootste deel van haar leven alleen was geweest, maar ze leek nu toch wel uitgeput van haar tocht dwars door het land naar New York.

'Dank je wel.' Sophia raakte even zijn hand aan. Gabriel had een gevoel alsof ze weer in die verlaten raketsilo in Arizona waren en zij hem vertelde hoe hij het Licht uit zijn lichaam kon bevrijden.

'Ik heb de afgelopen paar maanden veel aan jou gedacht, Gabriel. Wat is er hier in New York allemaal gebeurd?'

'Met mij gaat het prima. Volgens mij...' Gabriel begon zachter te praten. 'Jij hebt me geleerd de grenzen over te gaan, maar ik weet nog steeds niet hoe ik een Reiziger moet zijn. Ik zie de wereld anders, maar ik heb geen idee hoe ik er iets aan kan veranderen.'

'Ben je nog verder op onderzoek uit geweest? Heb je de andere rijken bezocht?'

'Ik ben mijn broer tegengekomen in het rijk van de hongerige geesten.'

'Was het gevaarlijk?'

'Ik zal je er later alles over vertellen, Sophia. Nu wil ik het over mijn vader hebben. Hij heeft een brief naar New Harmony gestuurd.'

'Ja. Martin heeft me die brief laten zien toen ik een keer bij hem ging eten. Je vader wilde graag weten hoe het met de mensen ging.'

'Stond er een adres op? Hoe verwachtte hij dat Martin hem terug zou schrijven?'

'Er stond een adres op de envelop, maar Martin was van plan hem te verbranden. Er stond alleen maar: "Tyburn Convent. Londen."'

Gabriel had het gevoel dat het opeens licht werd om hem heen. *Tyburn Convent. Een klooster in Londen.* Waarschijnlijk woonde zijn vader daar. Hij hoefde alleen maar naar Engeland te gaan om hem te vinden.

'Hebben jullie dat gehoord?' vroeg hij aan de anderen. 'Mijn vader is in Londen. Hij heeft een brief geschreven vanuit een plek die Tyburn Convent heet.'

Maya gaf het .45 automatische pistool aan Hollis en pakte een handje kogels voor haar revolver. Ze wierp een korte blik op Gabriel en schudde zachtjes haar hoofd. 'Laten we naar een veilige plek gaan en daar over de toekomst praten. Is iedereen klaar?'

Dominee Hernandez stemde ermee in nog een uur of wat in het appartement te blijven en de verwarming en de lichten te gebruiken alsof er iemand thuis was. De rest van de groep kroop uit het raam naar de brandtrap en klom op het dak. Het leek net alsof ze op een platform boven de stad stonden. Er dreven wolken boven Manhattan en de maan leek een half uitgeveegde krijtvlek aan de hemel.

Na over een hele reeks lage muurtjes te zijn geklommen, bereikten zij het dak van een gebouw dat een eind verder in Catherine Street stond. De deur zat op het nachtslot, maar dat zag Maya niet als een obstakel. De Harlekijn pakte een dun stalen staafje, een zogenaamde *tension wrench*, stak het in het sleutelgat, en gaf er een kleine draai aan. Toen duwde zij er een slotenmakersinstrumentje tussen en gebruikte dat om de bovenste pennetjes in de kast te duwen. Toen de laatste met een klikje op zijn plaats schoot, duwde ze de deur open en leidde hen naar beneden, naar de begane grond van een pakhuis. Hollis deed de deur open en ze liepen een zijstraatje in dat uitkwam op Oliver Street.

Het was ongeveer tien uur 's avonds. De smalle straten waren vol jongelui die pekingeend en een paar loempia's wilden eten alvorens de rest van de avond ergens te gaan dansen. Mensen stapten uit taxi's of stonden op de trottoirs de menu's te bestuderen die voor de ramen van de restaurants hingen. Hoewel Gabriel en de anderen geheel opgingen in de menigte, had hij een gevoel alsof elke bewakingscamera in de stad hun bewegingen volgde.

Dat gevoel werd sterker toen zij via Worth Street naar Broadway liepen. Naz liep voorop, met Hollis naast zich. Daarachter kwam Vicki, gevolgd door Sophia en Alice. Gabriel hoorde Naz uitleggen hoe het systeem van de ondergrondse werd omgebouwd tot een systeem dat alleen nog gebruikmaakte van computergestuurde treinen. Op sommige lijnen deed de wagenbestuurder al niets anders meer dan in de voorste cabine naar het besturingsmechanisme zitten kijken dat geheel zonder hem zijn werk deed.

'Een computer in Brooklyn zorgt ervoor dat de trein gaat rijden en weer stopt,' zei Naz. 'Het enige wat je hoeft te doen is om de paar stations op een knop drukken om aan te tonen dat je niet zit te pitten.'

Toen Gabriel over zijn schouder keek, zag hij dat Maya nog geen twee meter achter hem liep. De hengsels van haar schoudertas en het zwaardfoedraal kruisten elkaar als een zwarte X op haar borst. Haar ogen gleden van links naar rechts, als een camera die voortdurend een gevaarlijke zone afzoekt.

Op Broadway sloegen ze rechtsaf, in de richting van een driehoekig park. City Hall bevond zich hier enkele blokken vandaan – een groot wit gebouw met brede trappen die omhoogvoerden naar Korinthische zuilen. Deze namaak-Griekse tempel stond slechts een paar honderd meter verwijderd van het Woolworth Building, een gotische kathedraal van commercie met een torenspits die omhoogreikte in de nacht.

'Misschien hebben de camera's ons gevolgd,' zei Naz. 'Maar dat maakt niet uit. De volgende camera hangt een eindje verderop in de straat. Zien jullie hem? Daar aan die lantaarnpaal bij het stoplicht. Misschien hebben ze ons over Broadway zien lopen, maar nu verdwijnen we.'

Hij liep de stoep af en leidde hen door het verlaten parkje. De asfaltpaden werden verlicht door het zwakke schijnsel van de veiligheidsverlichting, maar hun kleine groepje bleef in de duisternis.

'Waar gaan we naartoe?' vroeg Gabriel.

'Vlak onder ons bevindt zich een verlaten station van de ondergrondse. Het is honderd jaar geleden gebouwd en vlak na de Tweede Wereldoorlog weer gesloten. Geen camera's. Geen politie.'

'En hoe komen we dan naar Grand Central Terminal?'

'Laat dat maar aan mij over. Mijn vriend is over een kwartiertje hier.'

Ze liepen tussen een groepje kale dennenbomen door en naderden een stenen onderhoudsgebouwtje. Aan de westzijde daarvan zat een ventilatierooster en Maya rook de muffe geur van de ondergrondse. Naz leidde hen om het gebouwtje heen naar een stalen veiligheidsdeur. Zonder acht te slaan op verschillende waarschuwingsborden – GEVAAR! UITSLUITEND TOE-

GANG VOOR BEVOEGD PERSONEEL! – haalde hij een sleutelbos uit zijn rugzak.

'Hoe kom je daaraan?' wilde Hollis weten.

'Uit het kastje van mijn chef. Een paar weken geleden heb ik zijn sleutels een soort van geleend en toen heb ik ze laten namaken.'

Naz opende de deur en ging hen voor het gebouw binnen. Ze stonden op een stalen vloer, omringd door schakelkasten en elektriciteitskabels; een opening in een van de hoeken leidde naar een trap. De deur viel achter hen dicht en een harde klap echode door de kleine ruimte. Alice deed twee snelle stapjes naar voren, maar wist haar angst toen onder controle te krijgen. Ze zag eruit als een half wild dier dat zojuist in een kooi is opgesloten.

De wenteltrap voerde als een gigantische kurkentrekker naar beneden, naar een overloop waar boven een tweede veiligheidsdeur een enkel peertje brandde. Naz zocht tussen zijn gestolen sleutels en probeerde mompelend het slot open te krijgen. Uiteindelijk had hij de goede sleutel te pakken, maar er zat nog steeds geen enkele beweging in de deur.

'Laat mij eens proberen.' Hollis tilde zijn linkervoet op en richtte een voorwaartse trap op het slot. De deur schoot open.

Eén voor één betraden zij het verlaten station City Hall. De oorspronkelijke verlichting was verdwenen, maar iemand had een elektriciteitskabel aan de muur bevestigd en daar een tiental lampen mee verbonden. In het midden van de hal stond een hokje waar ooit plaatsbewijzen waren verkocht; het had een klein, koepelvormig koperen dak en leek eerder thuis te horen in zo'n ouderwetse bioscoop met ouvreuses en een rood fluwelen gordijn. Achter het hokje stonden houten tourniquets en een betonnen perron langs het metrospoor.

De vloer was bedekt met een laag grijzig wit stof; de lucht was muf en rook naar machineolie. Gabriel had het gevoel in een graftombe opgesloten te zitten, totdat hij omhoogkeek, naar het gewelfde plafond. Het deed hem aan een middeleeuwse kerk denken – een interieur van hoge bogen die vanaf de grond oprezen en elkaar op centrale punten weer troffen. De tunnel zelf bestond eveneens uit een serie bogen, verlicht door doffe, koperen kroonluchters met daaraan matglazen bollen. Geen reclames. Geen bewakingscamera's. De wanden en plafonds waren versierd met witte, rode en groene keramische tegels die samen ingewikkelde geometrische patronen vormden. Het maakte van de ondergrondse omgeving een soort heiligdom, een toevluchtsoord uit het hectische bestaan boven hen.

Gabriel voelde een warme luchtstroom langs zijn huid glijden en vervolgens hoorde hij in de verte een dof gerommel, dat steeds harder werd. Een paar tellen later kwam er een metrotrein de bocht om en racete zonder te stoppen door het station.

'Dat is de lokale lijn zes,' zei Naz. 'Die maakt hier een lus en gaat dan weer terug de stad in.'

'Gaan we daarmee naar Grand Central?' vroeg Sophia.

'Nee, wij nemen lijn zes niet. Veel te veel mensen.' Naz keek op zijn horloge. 'Jullie krijgen een privétrein, zonder pottenkijkers. Wacht maar af. Devon kan hier elk moment zijn.'

Naz liep ongeduldig heen en weer voor het kaartloket en haalde opgelucht adem toen er in de tunnel een paar koplampen verschenen. 'Daar zal je hem hebben. Nu heb ik die eerste duizend dollar nodig.'

Vicki overhandigde Naz een stapeltje honderddollarbiljetten en hun gids liep door het houten tourniquet het perron op. Hij zwaaide met zijn armen toen een enkele wagon het station kwam binnenrijden, een goederenwagen vol vuilniszakken achter zich aan slepend. Een slanke zwarte man – tegen de twee meter lang – zat achter het bedieningspaneel in de voorste cabine. Hij bracht de trein tot stilstand en opende de deuren. Naz schudde hem de hand, zei iets tegen hem en gaf zijn vriend vervolgens het geld.

'Opschieten!' riep hij. 'Er kan elk moment een andere trein aankomen.'

Maya ging het groepje voor naar binnen en gaf hun opdracht tegenover elkaar te gaan zitten en bij de ramen weg te blijven. Iedereen deed wat ze zei – zelfs Alice. Het meisje leek zich volledig bewust van alles wat er gebeurde, maar toonde geen enkele emotie.

Devon stond in de deuropening van de kleine bestuurderscabine. 'Welkom aan boord van de vullistrein,' zei hij. 'We moeten een paar keer van spoor wisselen, maar over een minuut of vijftien zijn we op Grand Central. We stoppen bij een onderhoudsperron omdat daar geen beveiligingscamera's zijn.'

Naz grijnsde alsof hij zojuist een goocheltruc ten beste had gegeven. 'Zien jullie wel? Wat heb ik jullie gezegd?'

Devon duwde de bedieningshendel omlaag en de trein schoot naar voren en begon bij het verlaten van het station steeds sneller te rijden. Het treinstel schommelde heen en weer en even later reden ze in noordelijke richting onder de straten van Manhattan. Bij station Spring Street stopte Devon, maar liet de deuren dicht. Hij wachtte tot er in de tunnel een groen licht aanging en drukte de hendel weer omlaag.

Gabriel stond op van zijn plek en ging bij Maya staan. Er stond een raampje open en er kwam warme lucht naar binnen. Toen de trein weer van spoor wisselde, voelde het alsof ze door een geheim deel van de stad reisden. In de verte zagen ze licht, weerkaatst op het spoor; er klonk een rammelend geluid en toen gleden ze langzaam door station Bleecker Street. Gabriel had al verschillende ritten over deze oostelijke lijn gemaakt, maar dit was een heel andere ervaring. Ze bevonden zich veilig in een schaduwland, één stap verwijderd van de alziende blik van de Grote Machine.

Astor Place. Union Square. En toen ging de deur van de bestuurderscabine open. De trein reed nog steeds, maar Devon raakte niets aan.

'Er is iets niet in orde...'

'Wat is het probleem?' vroeg Maya.

'Wij zijn een onderhoudstrein,' zei Devon. 'Die hoor ik te

bedienen. Maar vlak na het vorige station heeft de computer het overgenomen. Ik heb geprobeerd contact op te nemen met het commandocentrum, maar de radio is dood.'

Naz sprong op en stak zijn beide handen in de lucht alsof hij probeerde een ruzie te voorkomen. 'Niks aan de hand. Er zal wel een andere trein op deze lijn zitten.'

'Als dat zo was, hadden ze ons bij Bleecker kunnen laten stoppen.' Devon stapte de bestuurderscabine weer binnen en duwde nogmaals de hendel omlaag. Het metrostel negeerde zijn inspanningen en passeerde met dezelfde gematigde snelheid station Twenty-third Street.

Maya trok het keramische pistool dat ze Aronov had afgenomen. Ze hield het wapen op de vloer gericht. 'Ik wil dat je de trein bij het eerstvolgende station stilzet.'

'Dat kan hij niet,' zei Naz. 'De computer heeft de besturing overgenomen.'

Iedereen was nu gaan staan – zelfs Sophia Briggs en het meisje. Terwijl de wielen klikten als een tikkend horloge klemden zij zich vast aan de stangen in het midden van de wagon.

'Is er geen noodrem?' vroeg Maya aan Devon.

'Jawel, maar ik weet niet of die werkt. De computer geeft de trein opdracht te blijven rijden.'

'Kan je de deuren openen?'

'Alleen wanneer we stilstaan. Ik kan de extra beveiliging eraf halen, dan kun je de deuren handmatig openen.'

'Prima. Doe maar.'

Toen ze door station Twenty-eighth Street reden keek iedereen naar buiten. De paar New Yorkers die op het perron stonden leken bevroren in de tijd.

Maya wendde zich tot Hollis. 'Duw de deur open. Zodra we bij Forty-second Street zijn springen we eruit.'

'Ik blijf in de trein,' zei Naz.

'Jij gaat met ons mee.'

'Vergeet het maar. Ik heb jullie geld niet nodig.'

'Als ik jou was zou ik nu even niet aan geld denken.' Maya

tilde het pistool een eindje op en richtte het op Naz' knieschijf. 'Ik wil uit de buurt van de camera's blijven en die trein op Grand Central Terminal halen.'

Bij het verlaten van station Thirty-third Street schakelde Devon de deurbeveiliging uit. Hollis duwde twee van de deuren open en hield ze open. Om de paar meter passeerden ze een stalen dubbele T-balk die bedoeld waren om het plafond van de tunnel te ondersteunen. Het voelde alsof ze door een eindeloze gang reden, waar ze niet meer uit konden.

'Oké!' riep Devon. 'Zorg dat je klaarstaat!' Aan de wand van de bestuurderscabine hing een rode hendel met een T-vormig handvat. Devon greep hem vast, gaf er een harde ruk aan en onmiddellijk klonk het snerpende geluid van staal tegen staal. Het metrostel begon te trillen, maar de wielen bleven draaien. Toen zij station Forty-second Street binnenreden, deinsden de New Yorkers die op het perron stonden te wachten een eindje naar achteren.

Alice en Sophia sprongen als eersten, gevolgd door Vicki, Hollis en Gabriel. De trein reed langzaam genoeg voor Gabriel om overeind te blijven. Toen hij naar het einde van het perron keek, zag hij Maya Naz meetrekken uit de open deur. Nog steeds met piepende wielen verdween de metro in de tunnel. Mensen op het perron keken geschrokken en een man toetste een nummer in op zijn mobiele telefoon.

'Kom op!' riep Maya en ze begonnen te rennen.

# 8

Het bestelbusje reed om het betonnen beveiligingsmuurtje heen en kwam tot stilstand voor de Vanderbilt Avenue-ingang van Grand Central Terminal. Een Nationale Gardist die voor het treinstation stond kwam naar hen toe, maar Nathan Boone gaf een seintje aan een van zijn huurlingen, Ray Mitchell, een New Yorkse rechercheur. Ray draaide het raampje aan de passagierszijde omlaag en liet de soldaat zijn politiepenning zien. 'We hebben een telefoontje gekregen over wat mensen die in het station aan het dealen zouden zijn,' zei hij. 'Iemand zei dat ze een klein Chinees meisje bij zich hebben. Dat geloof je toch gewoon niet? Ik bedoel – kom op zeg – als je crack gaat lopen dealen, dan neem je toch een babysitter?'

De soldaat grinnikte en liet zijn geweer zakken. 'Ik ben nu zes dagen in de stad,' zei hij. 'Volgens mij is iedereen hier een beetje gek.'

De chauffeur, een Zuid-Afrikaanse huurling, Vanderpoul genaamd, bleef achter het stuur zitten terwijl Boone uit het busje stapte, samen met Mitchell en zijn partner, rechercheur Krause. Ray Mitchell was een kleine man die heel snel praatte en graag merkkleding droeg. Krause was zijn tegenpool: een grote, logge politieman met een rood aangelopen gezicht die voortdurend boos leek te zijn. Boone betaalde beide politiemannen een maandelijkse toelage en gaf hun af en toe een bonus voor extra werk.

'Wat nu?' vroeg Krause. 'Waar zijn ze gebleven nadat ze eruit zijn gesprongen?'

'Wacht even,' zei Boone. Via zijn koptelefoon kreeg hij voortdurend informatie van zowel twee teams huurlingen als van het computercentrum van de Broeders in Berlijn. De technici hadden zich toegang verschaft tot het beveiligingsnetwerk van het New Yorkse vervoersbedrijf en gebruikten hun scanprogramma's om de voortvluchtigen te zoeken.

'Ze zijn nog steeds in het metrostation,' zei Boone. 'De camera's ontvangen rechtstreekse beelden van hoe ze naar de pendeltrein lopen.'

'Dus we gaan naar de pendeltrein?' vroeg Mitchell.

'Nog niet. Maya weet dat wij haar volgen en dat zal haar gedrag beïnvloeden. Het eerste wat ze zal doen is uit de buurt van de camera's komen.'

Mitchell keek zijn partner glimlachend aan. 'En daarom krijgen we haar te pakken.'

Boone pakte het aluminium koffertje waarin de opsporingsapparatuur zat en drie infraroodbrillen.

'Laten we naar binnen gaan. Ik zal contact opnemen met het team dat geparkeerd staat op Fifth Avenue.'

De drie mannen gingen de stationshal binnen en liepen naar beneden via een van de brede marmeren trappen, die gebouwd waren met de oude Parijse opera als voorbeeld. Eenmaal in de grote hal ging Mitchell naast Boone lopen. 'Ik wil hier even heel duidelijk zijn,' zei hij. 'Wij rijden jullie de hele stad door en we houden ons niet afzijdig, maar we gaan niemand liquideren.'

'Dat vraag ik ook niet van jullie. Houden jullie je maar bezig met de autoriteiten.'

'Geen probleem. Ik ga me even melden bij de spoorwegpolitie om te vertellen dat we in het station zijn.'

Mitchell pakte zijn politiepenning, klemde die aan zijn jasje en haastte zich vervolgens een van de gangen in. Krause bleef als een reusachtige lijfwacht bij Boone en samen liepen ze op een centraal informatieloket af met een vierzijdige klok op het dak. De omvang van de grote hal, de gewelfde ramen, de wit marmeren vloeren en de stenen muren, bevestigden zijn overtuiging dat zijn kant deze geheime oorlog ging winnen. Elk jaar liepen er miljoenen mensen door dit station, maar slechts een enkeling wist dat het gebouw zelf een subtiele demonstratie van de macht van de Broeders was.

Een van de grootste medestanders van de Broeders in Amerika gedurende het begin van de twintigste eeuw was William K. Vanderbilt, de spoorwegmagnaat in wiens opdracht Grand Central Terminal was gebouwd. Vanderbilt had opdracht gegeven het gewelfde plafond van de grote stationshal te versieren met de sterrenbeelden van de dierenriem, vijf verdiepingen boven de marmeren vloer van het station. De sterren moesten worden afgebeeld zoals ze er tijdens het leven van Christus aan een mediterrane hemel moesten hebben uitgezien. Maar niemand – zelfs de Egyptische astrologen van de eerste eeuw niet – had ooit zo'n ordening gezien: de zodiak op het plafond stond precies omgekeerd.

Boone vond het grappig om de verschillende theorieën te lezen die verklaarden waarom de sterren zo waren weergegeven. De meest populaire gedachte was dat de schilder een afbeelding uit een middeleeuws manuscript had nagetekend en dat de sterren werden getoond vanuit het gezichtspunt van iemand buiten ons zonnestelsel. Niemand had ooit een antwoord gevonden op de vraag waarom Vanderbilts architecten hadden toegestaan dat dit bizarre idee werd verwerkt in zo'n belangrijk gebouw.

De Broeders wisten dat de plafondschildering niets te maken had met een middeleeuwse opvatting van de hemel. De sterrenbeelden stonden in de juiste positie voor iemand die zich in het holle plafond verborgen hield en omlaagkeek naar reizigers die zich naar hun treinen haastten. De meeste sterren waren twinkelende lichtjes aan een zachtblauwe hemel, maar er bevond zich ook een tiental kijkgaatjes tussen. In het verleden hadden politieagenten en spoorwegbeambten verrekijkers gebruikt om de bewegingen van verdacht ogende burgers te volgen. Tegenwoordig werd de gehele bevolking met scanners en andere elektronische apparatuur in de gaten gehouden. De omgekeerde dierenriem suggereerde dat alleen de toeschouwers van bovenaf het universum op de goede manier zagen. Alle anderen verkeerden in de veronderstelling dat de sterren op de juiste plek stonden.

Er kwam een gesprek binnen op de satelliettelefoon en een voormalige Britse soldaat, ene Summerfield, fluisterde in Boones oor. Het team was bij de Vanderbilt-ingang gearriveerd en had achter het bestelbusje geparkeerd. Voor deze operatie was het team samengesteld uit ongeveer dezelfde mannen die in Arizona hadden gewerkt. De New Harmony-operatie was goed geweest voor het moreel; het noodzakelijke geweld had een groep huurlingen van verschillende nationaliteiten en achtergronden met elkaar verenigd.

'Wat nu?' vroeg Summerfield.

'Opsplitsen in kleine groepjes en dan door verschillende ingangen naar binnen.' Boone keek op van het planbord. 'We verzamelen bij spoor dertig – de trein naar Stamford.'

'Ik dacht dat ze de pendeltrein gingen nemen.'

'Het enige wat Maya wil is haar Reiziger beschermen. Ze zal zich zo snel mogelijk verbergen. Dat betekent een tunnel in gaan of een onderhoudsruimte zoeken.'

'Is het doel van de operatie nog steeds hetzelfde?'

'Iedereen behalve Gabriel valt nu binnen de categorie "onmiddellijk uitschakelen".'

Summerfield zette zijn telefoon uit en Boone beantwoordde weer een oproep van het internetteam. Maya en de andere voortvluchtigen hadden de pendeltrein bereikt, maar draalden op het perron. Vorig jaar had Boone in Praag Maya's vader vermoord en hij voelde een eigenaardige persoonlijke band met de jonge vrouw. Ze was niet zo'n harde als haar vader, misschien wel omdat ze zich ertegen had verzet Harlekijn te worden. Maya had al één fout gemaakt – en de volgende keuze zou haar fataal worden.

# 9

Naz had Maya en de rest van het groepje door een doolhof van gangen en trappen naar de Times Square-pendeltrein gebracht. Het perron was een helder verlichte plek waar om de zoveel tijd een pendeltrein van een van drie parallel lopende sporen vertrok. De grijze betonnen vloer zat vol vlekken van de zwart geworden uitgespuugde kauwgom die een bizar mozaïek vormden. Een paar honderd meter verderop stond een groepje West-Indische mannen een calypsodeuntje te spelen op stalen trommels.

Tot nu toe hadden zij de huurlingen weten te ontlopen, maar Maya wist zeker dat ze in de gaten werden gehouden via het ondergrondse bewakingssysteem. Nu hun aanwezigheid in New York aan het licht was gekomen, wist ze dat de Tabula alle middelen zouden aanwenden om hen te vinden. Volgens Naz hoefden ze alleen de metrotunnel maar in te lopen en een trap te nemen naar een lager niveau van Grand Central Terminal. Jammer genoeg werd hier gepatrouilleerd door een agent van de spoorwegpolitie, en zelfs wanneer hij er even niet was, bestond de mogelijkheid dat iemand aan de autoriteiten zou doorgeven dat hij een groepje mensen op het spoor had zien springen.

De enige veilige manier om de tunnel binnen te komen was via een gesloten deur waarop met doffe gouden letters het woord KNICKERBOCKER stond. Ooit, in een gezelliger tijdperk, was er een doorgang geweest die vanaf het metroperron regelrecht toegang had gegeven tot de bar van het oude Knickerbocker Hotel. Hoewel het hotel tegenwoordig een appartementencomplex was, was de deur er nog steeds – niet opgemerkt door de tienduizenden forenzen die er elke dag langsliepen.

Maya stond op het perron en had het gevoel heel erg op te oog te vallen tussen al die forenzen die renden om de pendeltrein te halen. Toen de metro het station uit reed, liep Hollis naar haar toe en begon zachtjes tegen haar te praten.

'Wil je nog steeds de trein naar Ten Mile River nemen?'

'Zodra we op dat perron staan kunnen we de situatie nog een keer evalueren. Volgens Naz zijn daar geen camera's.'

Hollis knikte. 'Waarschijnlijk hebben de Tabula-scanners ons gezien toen we het appartement verlieten en door China Town liepen. Toen is iemand op het idee gekomen dat we het oude metrostation zouden gebruiken en heeft zich toegang verschaft tot de computer van het vervoersbedrijf.'

'Er is nog een andere verklaring.' Maya keek even in de richting van Naz.

'Ja, daar heb ik ook aan gedacht. Maar ik heb naar zijn gezicht gekeken toen we in dat treinstel zaten. Hij leek echt bang.'

'Houd hem in de gaten, Hollis. Als hij ervandoor wil gaan, hou hem dan tegen.'

Een nieuwe pendeltrein reed het station binnen, liet een nieuwe menigte passagiers binnen en vervolgde zijn rit naar Eighth Avenue. Het voelde alsof ze hier nooit meer weg zouden komen. Uiteindelijk kreeg de man van de spoorwegpolitie een oproep via zijn radio en haastte zich weg. Naz rende naar de Knickerbocker-deur en zocht tussen de sleutels aan zijn sleutelring. Toen het slot openklikte, trok hij met een glimlach de deur open.

'Deze kant op voor de speciale metrorondleiding,' kondigde hij aan, en een handjevol forenzen zag het groepje door de deur verdwijnen. Toen Naz de deur dichtdeed, stonden ze dicht op elkaar in een lage, donkere gang. Hij leidde hen langs een putdeksel en via vier betonnen treden naar de metrotunnel.

Iedereen ging tussen de rails staan en Naz wees hen op een derde rail waar elektrische stroom op stond. 'Kijk uit met de houten afdekplanken die daaroverheen liggen,' zei hij tegen hen. 'Als het hout breekt en je lichaam raakt de rail, dan ben je er geweest.'

De tunnel was zwart van het roet en er hing een rioollucht. Er druppelde water uit de rioolbuizen; het sijpelde door de betonnen wand en liet het oppervlak glinsteren als olie. Station City Hall was stoffig geweest, maar betrekkelijk schoon; de tunnel naar Times Square lag vol afval. Overal zag je ratten – donkergrijze, bijna dertig centimeter lange exemplaren. Dit was hun wereld en ze waren niet bang voor mensen. Wanneer er indringers verschenen, bleven de ratten gewoon door het afval rommelen, terwijl ze druk naar elkaar piepten en langs de wanden schuifelden.

'Ze zijn niet gevaarlijk,' zei Naz. 'Maar je moet wel uitkijken waar je loopt. Als je valt, kruipen ze meteen helemaal over je heen.'

Hollis bleef vlak bij hun gids. 'Waar is die deur waar je het over had?'

'Hier vlakbij. Ik zweer het je. Kijk maar uit naar een gelig licht.'

Ze hoorden een diep, rommelend geluid, een soort gedonder in de verte, en zagen de koplampen van de naderende trein. 'Naar het andere spoor!' riep Naz. Zonder op de anderen te wachten, sprong hij over de derde rail naar het aangrenzende spoor.

Iedereen volgde Naz' voorbeeld, behalve Sophia Briggs. De oude vrouw leek uitgeput en enigszins verward. Toen de lichten van de trein dichterbij kwamen, nam ze een risico en stapte boven op de houten afdekplaten van de derde rail. Ze hielden haar gewicht. Even later voegde ze zich bij de rest.

Naz rende een eindje vooruit en kwam met een opgewonden uitdrukking op zijn gezicht weer terug. 'Oké. Volgens mij heb ik de deur naar de trap gevonden. Volg mij en – '

De trein op het andere spoor overstemde de rest van zijn woorden. Maya zag snelle flitsen van verschillende passagiers achter de ramen – een oude man met een gebreide muts, een meisje met vlechten – en weg was de trein alweer. Een snoeppapiertje waaide omhoog in de lucht en zweefde als een dood blaadje weer naar beneden.

Ze liepen verder tot een splitsing die in drie verschillende richtingen voerde. Naz nam het rechter spoor en bracht hen naar een openstaande deur die werd verlicht door een enkel kaal peertje. Hij beklom drie metalen treden en betrad een onderhoudstunnel, op de voet gevolgd door Alice en Vicki. Toen Hollis boven kwam schudde hij zijn hoofd. 'We moeten het langzamer aan doen. Sophia begint erg moe te worden.'

'Zoek een veilige plek en wacht daar op ons,' zei Maya. 'Gabriel en ik nemen haar wel mee.'

Maya wist dat haar vader de rest van de groep zou hebben laten zitten om de Reiziger te redden, maar dat was een strategie waarop zij niet kon terugvallen. Gabriel zou nooit iemand achterlaten in de tunnels – en al helemaal niet de vrouw die zijn Padvinder was geweest. Ze keek de tunnel in en zag dat Gabriel Sophia's rugzak had overgenomen en om zijn eigen schouders had gehangen. Toen hij haar echter een arm wilde geven, schudde de oude dame heftig haar hoofd, alsof ze zeggen wilde: *Ik heb van niemand hulp nodig*. Sophia had nog geen drie stappen gezet toen zich plotseling een rode laserstraal door de duisternis boorde. 'Liggen!' schreeuwde Maya. 'Ga – '

Er klonk een harde knal en een kogel trof Sophia in de rug. De Padvinder viel voorover, probeerde nog op te staan, maar zakte toen in elkaar. Maya trok haar revolver en vuurde in de tunnel, terwijl Gabriel intussen Sophia in zijn armen nam en naar de trap rende. Maya volgde hem en bleef in de deuropening nog even staan om opnieuw enkele schoten te lossen. De laserstraal verdween toen vier donkere gestaltes zich terugtrokken in de schaduwen.

Maya opende de revolver en gebruikte de uitstoterstang om de lege hulzen te verwijderen. Terwijl ze opnieuw laadde betrad ze een onderhoudstunnel met bakstenen muren en zag Gabriel op zijn knieën zitten, met Sophia's slappe lichaam in zijn armen. Zijn bruinleren jack zat onder het bloed.

'Ademt ze nog?'

'Ze is dood,' zei Gabriel tegen haar. 'Ik hield haar vast toen ze stierf en ik voelde hoe het Licht haar lichaam verliet.'

'Gabriel...'

'Ik voelde haar sterven,' zei Gabriel nogmaals. 'Het voelde als water dat tussen je vingers doorloopt. Ik kon het niet tegenhouden... ik kon niets doen...' Er ging een huivering door hem heen.

'De Tabula zijn vlakbij,' zei Maya. 'We kunnen hier niet blijven. Je zult haar moeten achterlaten.'

Ze legde even haar hand op Gabriels schouder en keek toe hoe hij Sophia's lichaam voorzichtig op de grond legde. Een paar tellen later haastten zij zich door de tunnel naar een trap waar de anderen op hen wachtten. Vicki hield haar adem in toen ze het bloed op Gabriels jas zag, en Alice keek alsof ze op het punt stond om weg te rennen. Het meisje schudde langzaam haar hoofd. Maya voelde wat er door Alice heen ging. *Wie zal mij nu beschermen?*

'Wat is er gebeurd?' vroeg Vicki. 'Waar is Sophia?'

'De Tabula hebben haar vermoord. Ze zitten ons op de hielen.'

Vicki sloeg haar hand voor haar mond en Naz was er het liefst meteen vandoor gegaan. 'Dat was het dan,' zei hij. 'Ik ben hier weg. Ik heb hier niets mee te maken.'

'Je hebt geen keus. Wat de Tabula betreft ben je gewoon een doelwit. Op dit moment bevinden we ons pal onder het station. Jij moet ons hieruit en terug op straat zien te krijgen.' Ze wendde zich tot de anderen. 'Dit gaat niet gemakkelijk worden, maar we moeten bij elkaar blijven. Als we elkaar kwijtraken, zien we elkaar morgenochtend om zeven uur bij de Zuiverste Kinderen.'

Met een angstig gezicht leidde Naz het groepje naar beneden, naar een tunnel met elektrische leidingen langs het plafond. Het voelde alsof het gewicht van de stationshal hen steeds dieper in de aarde drukte. Ze bereikten weer een andere trap – een hele smalle ditmaal. De lucht in deze nieuwe tunnel was warm en vochtig. Langs de muren liepen twee witte buizen, elk met een diameter van zo'n zestig centimeter.

'Stoombuizen,' mompelde Naz. 'Niet aankomen.'

Ze volgden de buizen, liepen door een paar stalen veiligheidsdeuren en belandden in een onderhoudsruimte met een negen meter hoog plafond. In deze ruimte kwamen vier grote stoombuizen van verschillende delen van de ondergrondse samen; de druk werd bijgehouden met roestvrijstalen meters en in goede banen geleid met regulatiekleppen. Uit een scheur in het plafond druppelde water op de grond. In de ruimte hing dezelfde onaangename, schimmelige geur als in een broeikas voor tropische planten.

Maya trok de veiligheidsdeur achter zich dicht en keek om zich heen. Haar vader zou dit een 'doodlopend ravijn' hebben genoemd – een plek met één ingang en geen uitgang. 'Wat nu?' vroeg zij.

'Geen idee,' zei Naz. 'Ik probeer alleen maar weg te komen.'

'Dat is niet waar,' zei Maya. 'Je hebt ons hier niet voor niets naartoe gebracht.'

Ze trok haar mes en klemde het T-vormige heft in haar vuist. Voordat Naz kon reageren, greep ze hem bij zijn jack en duwde hem tegen de muur. Maya hield de punt van haar mes tegen het ondiepe kuiltje vlak boven Naz' borstbeen.

'Hoeveel heb je ervoor gekregen?'

'Niks! Ik heb van niemand wat gekregen!'

'Er zijn geen beveiligingscamera's in deze tunnels. Maar toch hebben ze ons gevolgd. En nu heb je ons in een nieuwe val laten lopen.'

Gabriel kwam naast haar staan. 'Laat hem los, Maya.'

'Dit is allemaal gepland. De Tabula wilden geen gebouw in Chinatown aanvallen. Het was te openbaar en er was te veel politie in de buurt. Maar hier beneden kunnen ze doen wat ze willen.'

Een druppel water viel op een van de stoomleidingen en er klonk een zacht sissend geluid. Gabriel boog zich naar voren en keek Naz met een intens geconcentreerde blik aan.

'Werk jij voor de Tabula, Naz?'

'Nee. Ik zweer het je. Ik wilde alleen maar wat geld verdienen.'

'Misschien zijn ze ons op een andere manier op het spoor gekomen,' zei Vicki. 'Weet je nog, in Los Angeles? Toen hebben ze een tracer in mijn schoen gestopt.'

Tracers waren draadloze instrumentjes die de locatie van een doelwit uitzonden. Maya was de afgelopen maanden heel voorzichtig geweest met elk voorwerp dat het appartement werd binnengebracht. Ze had elk meubelstuk en kledingstuk geïnspecteerd als een argwanende douanebeambte. Terwijl ze zich op haar mes concentreerde bekroop haar een gevoel van twijfel en aarzeling. Er was één voorwerp dat ze niet had onderzocht, een gouden appel die haar was toegeworpen en die zo verleidelijk, zo onweerstaanbaar was geweest dat de Tabula wisten dat ze hem zou grijpen.

Maya deed een stap naar achteren, stak haar mes in de schede en haalde het keramische pistool uit haar schoudertas. De worsteling met Aronov kwam haar weer voor de geest en ze analyseerde elk moment ervan. Waarom hadden ze haar niet vermoord op het moment dat ze in de taxi stapte? Omdat het zo gepland was, dacht Maya. Omdat ze wisten dat zij hen naar Gabriel zou leiden.

Niemand zei iets toen zij het keramische handwapen controleerde. De loop en de kast waren niet dik genoeg om een tracer te verbergen, maar de plastic pistoolgreep was perfect. Maya duwde de greep in de smalle opening tussen twee buizen aan de muur en gebruikte vervolgens de loop als hefboom. Ze drukte de loop met geweld omlaag en de greep scheurde met een luid gekraak open. Een parelgrijze tracer viel op de grond. Toen ze het ding opraapte voelde het warm aan en lag als een vonk uit een haardvuur in haar hand te gloeien.

'Wat is dat nou weer?' vroeg Naz. 'Wat is er aan de hand?'

'Zo zijn ze ons op het spoor gekomen in de tunnel,' zei Hollis. 'Ze volgen het radiozendertje.'

Maya legde de tracer op een smalle betonnen richel en vermorzelde hem met haar revolver. Ze had een gevoel alsof haar vader zich in de ruimte bevond en haar met een blik vol verachting bekeek. Hij zou iets in het Duits tegen haar hebben gezegd, iets bijtends en scherps. Toen ze nog een klein meisje was, had hij geprobeerd haar te leren hoe een Harlekijn tegen de wereld aan keek – altijd argwanend, altijd op je hoede – maar zij had zich ertegen verzet. En nu, vanwege haar onnadenkende impuls om dit wapen te willen hebben, had ze Sophia gedood en Gabriel in een val laten lopen.

Maya keek om zich heen naar een uitgang. De enige manier om hier weg te komen was een ladder die aan de muur hing en parallel liep aan een verticale stoombuis. De buis liep omhoog door een gat in het plafond, en de smalle opening was misschien net groot genoeg om erdoorheen te kruipen.

'Klim langs die ladder omhoog naar de verdieping hierboven,' zei ze tegen de anderen. 'We vinden wel een weg naar buiten via het treinstation.'

Naz klauterde naar boven en perste zich door het gat naar de volgende verdieping. Gabriel ging als tweede, gevolgd door Hollis en Vicki. Vanaf het moment dat zij het appartement in Chinatown hadden verlaten, was Alice Chen steeds voor in de groep gebleven – om te ontkomen aan de Tabula. Ditmaal beklom ze de ladder en aarzelde. Maya zag hoe het kind een manier probeerde te verzinnen om zichzelf te beschermen.

'Schiet op,' zei Maya tegen haar. 'Snel naar de anderen.'

Maya hoorde een bonk toen een van de stalen deuren van de tunnel werd dichtgesmeten. De mannen die Sophia hadden neergeschoten waren in de tunnel en kwamen steeds dichterbij. Alice liet zich weer van de ladder glijden en verdween onder een van de stoombuizen. Maya wist dat het zinloos was om achter het meisje aan te gaan; ze zou zich verborgen houden tot de Tabula weg waren.

Maya stond in het midden van de onderhoudsruimte en bekeek haar keuzes met de meedogenloze helderheid van een Harlekijn. De Tabula bewogen zich snel voort en waren waarschijnlijk niet bedacht op een tegenaanval. Tot dusverre was zij er niet in geslaagd Gabriel te beschermen, maar er was een manier om haar vergissingen goed te maken. Harlekijns werden gedoemd door hun daden, maar verlost door hun offer.

Maya deed haar schoudertas af en gooide hem op de grond. Gebruikmakend van drukkleppen en buizen om zich aan vast te houden, klom ze op een stoompijp en hees zichzelf vervolgens naar de buis die erboven hing. Ze bevond zich nu vierenhalve meter boven de vloer, recht tegenover de ingang van de ruimte. De lucht was warm en ademhalen was niet gemakkelijk. Uit de tunnel kwam een zacht geluid. Ze trok de revolver uit haar holster en wachtte. Haar benen trilden van de spanning. Haar gezicht was bedekt met zweet.

De deur vloog open en een grote man met een baard stond in aanvalshouding in de deuropening. De huurling hield een pistool vast met een laservizier onder de loop. Hij keek snel om zich heen en deed een paar stappen naar voren. Maya liet zich vallen en begon te schieten. Een kogel trof de huurling in zijn keel en hij zeeg ineen.

Maya viel op de grond, rolde naar voren en sprong overeind. Ze zag dat het lichaam van de dode man de deur openhield. Vanuit de donkere gang flitsten rode laserstralen en ze zocht dekking. Een kogel ketste van de muur en raakte een van de buizen. Stoom spoot in de lucht. Ze dook omlaag, zich afvragend waar ze zich kon verstoppen en opeens kwam Alice's hand onder een van de buizen tevoorschijn.

Toen een volgende kogel de muur raakte, lag Maya plat op het beton en schoof zichzelf zijwaarts onder de buis. Nu lag ze vlak achter Alice en het kleine meisje keek de Harlekijn over haar schouder aan. Alice keek niet angstig of boos – maar meer als een dier in een dierentuin dat de nieuwe bewoner van haar kooi bekijkt. Het schieten hield op en de laserstralen verdwenen. Stilte. Maya hield haar revolver met twee handen vast. De rechterhand omvat door de linker. Ze bereidde zich voor om op te staan, haar armen te strekken en te vuren.

'Maya?' Van ergens uit de tunnel klonk een mannenstem. Een Amerikaanse stem. Rustig, niet bang. 'Ik ben Nathan Boone, hoofd veiligheid van de Evergreen Foundation.'

Ze wist wie Boone was – de Tabula-huurling die haar vader had vermoord, in Praag. Maya vroeg zich af waarom Boone tegen haar praatte. Misschien probeerde hij haar kwaad te maken zodat zij hem zou aanvallen.

'Ik weet dat je daar bent,' zei Boone. 'Je hebt zojuist een van mijn beste mensen gedood.'

De Harlekijnregel was nooit iets tegen een vijand te zeggen tenzij je er je voordeel mee kon doen. Ze wilde haar mond houden, maar toen dacht ze aan Gabriel: als ze Boone wist af te leiden, kreeg de Reiziger meer tijd om te ontkomen.

'Wat wil je van me?' vroeg ze.

'Gabriel zal zeker sterven als je hem niet naar buiten laat komen. Ik beloof je dat ik Gabriel, Vicki en je gids niets zal doen.'

Maya vroeg zich af of Boone van het bestaan van Alice af wist. Hij zou haar ook vermoorden als hij zich realiseerde dat het kind de verwoesting van New Harmony had overleefd. 'En Hollis?' vroeg ze.

'Jullie hebben zelf besloten de strijd met de Broeders aan te gaan. Nu zullen jullie de consequenties onder ogen moeten zien.'

'Waarom zou ik jou vertrouwen? Je hebt mijn vader vermoord.'

'Dat was zijn eigen keus.' Boone klonk geïrriteerd. 'Ik heb hem een alternatief aangeboden, maar hij was te koppig om op mijn aanbod in te gaan.'

'We moeten dit eerst bespreken. Geef ons een paar minuten.'

'Jullie hebben geen paar minuten. Er is geen alternatief. Er wordt niet onderhandeld. Als jij een echte Harlekijn bent, dan zul je de Reiziger willen beschermen. Stuur de anderen de tunnel in, anders zal iedereen sterven. Strikt gesproken zijn wij in het voordeel.'

Waar had hij het over, dacht Maya. Welk voordeel? Alice Chen lag haar nog steeds aan te kijken. Het meisje raakte de warme stoompijp boven hun hoofd aan en stak toen haar hand uit – kennelijk probeerde ze haar iets duidelijk te maken.

'Wat probeer je me te vertellen?' fluisterde Maya.

'Heb je al een besluit genomen?' riep Boone.

Stilte.

Een kogel raakte een van de twee tl-buizen die aan het plafond hingen. Een tweede schot en de hele lamp werd weggeblazen in een regen van vonken; hij stuiterde tegen een van de stoombuizen en viel op de grond.

Nu de ruimte donkerder was, begreep Maya wat het kind haar probeerde te vertellen. Boone en zijn huurlingen hadden nachtkijkers. Zodra het tweede lichtpunt verwoest was, zou zij blind zijn terwijl Boone en zijn mannen hun doelwitten nog konden zien. De enige manier om je tegen de infraroodinstrumenten te beschermen was om heel koud te worden of om je lichaam tegen iets warms aan te drukken. Alice wist dit; daarom was ze achtergebleven en had ze zich onder de stoombuis verstopt.

Het schieten begon opnieuw; twee laserstralen werden op het tweede lichtpunt gericht. Alice rolde weg van de stoombuis en keek naar het dode lichaam dat in de deuropening lag. 'Blijf hier!' riep Maya. Maar het meisje sprong overeind en rende naar de deur. Toen ze de dode huurling bereikte, ging ze op haar hurken zitten, maakte zich zo klein mogelijk en pakte iets wat aan de riem van de man bevestigd had gezeten. Toen Alice terug kwam rennen, zag Maya dat het meisje een nachtkijker met een hoofdband had meegenomen. Alice gooide de kijker naar Maya en kroop weer in haar schuilplaats onder de stoombuis.

Een kogel raakte de tweede lamp en onmiddellijk was de ruimte in duisternis gehuld. Het voelde alsof zij zich in een grot diep in de aarde bevonden. Maya trok de nachtkijker over haar ogen. Ze drukte op het lichtknopje en meteen was de ruimte getransformeerd in allerlei kleuren groen. Alles wat warm was – de stoompijpen, de drukmeters, de huid van haar linkerhand – gloeide smaragdgroen op, alsof het radioactieve voorwerpen waren. De betonnen muren en vloeren hadden een lichtgroene kleur die haar aan jonge blaadjes deed denken.

Toen Maya over de rand van de stoombuis heen gluurde, zag zij een groenig schijnsel dat steeds helderder werd. Er liep iemand langzaam door de tunnel naar de open deur. Het schijnsel trilde een beetje en toen verscheen er een huurling met een nachtkijker in de deuropening. Hij droeg een geweer met een afgezaagde loop en stapte voorzichtig over het lijk van de dode man heen.

Ze kroop achter de pijp en drukte haar rug tegen het warme metaal. Het was onmogelijk de positie van de huurling te bepalen zolang hij in beweging bleef. Ze kon alleen maar gissen naar de richting waarin zij moest aanvallen. Maya had een gevoel alsof al haar energie vanuit haar schouders, door haar armen naar het pistool vloeide dat zij in haar handen hield. Ze ademde in, hield haar adem in, en sloop om de pijp heen.

In de deuropening was inmiddels een derde huurling verschenen. Hij was gewapend met een machinepistool. De Harlekijn schoot hem in de borst. Er was een lichtflits toen de kracht van de kogel hem achteruitduwde. Nog voordat de dode huurling de grond had geraakt, draaide Maya zich bliksemsnel om en doodde de man met het geweer. Stilte. De flauwe geur van cordiet vermengde zich met de rottende geuren in de onderhoudsruimte. Om haar heen gloeiden de stoombuizen groen op.

Maya stopte de nachtkijker in haar schoudertas, vond Alice, en greep haar bij de hand. 'Klimmen,' fluisterde ze. 'Gewoon klimmen.' Ze haastten zich via de ladder omhoog, kropen door het gat en bereikten een ruimte vlak onder een open mangat. Maya bleef een paar tellen staan en nam toen een beslissing: het was te gevaarlijk om het spoor op te gaan. Ze klemde haar hand om die van het meisje en trok haar mee een tunnel in die wegvoerde van het station.

# 10

Zich met zijn linkerhand vasthoudend aan de sporten van de ladder, gebruikte Naz zijn rechterhand om een gietijzeren putdeksel weg te schuiven. Na veel gegrom en gevloek wist hij de deksel eindelijk over de steunrand heen te duwen en schoof hem opzij. Gabriel volgde Naz door de opening naar het laagste niveau van de vertrekhal van Grand Central Terminal. Ze stonden tussen de met roet bedekte betonnen muur en een van de treinsporen.

Naz keek alsof hij klaar was om er meteen vandoor te gaan. 'Wat is er aan de hand?' vroeg hij. 'Waar blijven Vicki en Hollis?'

Gabriel tuurde omlaag in het mangat en zag de bovenkant van Vicki's hoofd. Ze bevond zich zo'n zes meter onder hem en klom voorzichtig omhoog langs de ladder.

'Ze zitten vlak achter mij. Geef ze nog een minuutje.'

'We hebben geen minuutje.' Naz hoorde een kletterend geluid in de verte, draaide zich om en zag de dubbele lichten van een naderende trein. 'We moeten hier weg!'

'We moeten op de anderen wachten.'

'Die zien we wel weer in de vertrekhal. Als de wagenbestuurder ons op het spoor ziet staan, waarschuwt hij de spoorwegpolitie.'

Gabriel en Naz renden het spoor over, sprongen op het perron en liepen een betonnen helling op naar de lichten. Gabriel trok snel zijn bebloede jack uit en keerde het binnenstebuiten. De onderste hal van het treinstation was verbouwd tot een eetplein, met aan alle kanten fastfoodrestaurantjes. Het enige wat open was, was een koffiebar, en een handjevol forenzen zat op bankjes te dommelen terwijl zij wachtten op late treinen. De twee mannen gingen aan een cafétafeltje zitten en wachtten tot de anderen van het perron kwamen.

'Wat gebeurde er?' vroeg Naz. 'Je hebt ze toch gezien?'

'Vicki was bezig de ladder te beklimmen. Hollis kwam vlak achter haar aan.'

Naz sprong op en begon te ijsberen. 'We kunnen hier niet blijven.'

'Ga zitten. We zijn hier nog maar een paar minuten. We moeten nog even wachten.'

'Je bekijkt het maar, man. Ik ben weg.'

Naz haastte zich naar de roltrap en verdween naar de bovenste verdieping van het station. Gabriel probeerde zich voor te stellen wat er met de anderen kon zijn gebeurd. Zaten ze beneden in de val? Hadden de Tabula hen ingehaald? Het feit dat er een tracer in het keramische pistool verstopt had gezeten had alles veranderd. Hij vroeg zich af of Maya een onnodig risico zou nemen om zichzelf te straffen voor wat er was gebeurd.

Gabriel verliet het eetgedeelte en liep naar de ingang die naar de sporen leidde. Op het perron hing een beveiligingscamera en Gabriel had in de hal nog vier andere camera's aan het plafond zien hangen. Waarschijnlijk hadden de Tabula zich toegang verschaft tot het computersysteem van het station en zochten hun computers de livebeelden af om hem te vinden. Blijf bij elkaar. Dat had Maya hun gezegd, maar ze had ook voor een back-upplan gezorgd; mocht zich een probleem voordoen, dan zouden ze elkaar morgenochtend in de Lower East Side van Manhattan ontmoeten.

Gabriel liep terug naar het eetplein en stelde zich verdekt op achter een betonnen pilaar. Enkele seconden later kwamen er vier stoer uitziende mannen met koptelefoontjes op de roltrap af en renden meteen door naar de perrons. Op het moment dat zij verdwenen waren, liep Gabriel de andere kant op, beklom een trap naar de grote hal en liep daar door een deur de straat op. De koude winterlucht prikte op zijn gezicht en liet zijn ogen tranen. De Reiziger duwde zijn kin tegen zijn borst en stapte de nacht in.

Gedurende hun tijd in New York had Maya erop gestaan dat iedereen veilige routes door de stad uit zijn hoofd leerde, alsmede een lijst van goedkope hotelletjes die niet aangesloten waren op het Netwerk. Een daarvan was het Efficiency Hotel aan Tenth Avenue in Manhattan. Voor twintig dollar contant kreeg je twaalf uur in een soort raamloze glasvezelcabine van tweeënhalve meter diep en anderhalve meter hoog. De achtenveertig cabines lagen aan weerskanten van een gang en gaven het hotel de aanblik van een mausoleum.

Voordat Gabriel het hotel binnenging, trok hij zijn leren jasje weer uit en vouwde het zo op dat de bloedvlekken onzichtbaar waren. De receptionist was een bejaarde Chinees die achter een kogelvrij raam zat en wachtte tot klanten hun contante geld in een smalle gleuf stopten. Gabriel betaalde hem twintig dollar voor het gebruik van de cabine en nog eens vijf dollar voor een schuimrubber matrasje en een katoenen deken.

Hij kreeg een sleutel en liep de gang in naar de gemeenschappelijke badkamer. Twee Latijns-Amerikaanse restaurantmedewerkers stonden met ontblote borst voor de wastafels en kletsten met elkaar in het Spaans terwijl zij het kookvet van hun armen en borst wasten. Gabriel verborg zich in een toilethokje tot de twee mannen verdwenen waren, kwam toen tevoorschijn en waste zijn jasje in de wasbak. Toen hij klaar was, beklom hij een laddertje naar zijn gehuurde plekje en kroop naar binnen. Elke cabine had een tl-buis en een kleine ventilator om ervoor te zorgen dat de lucht bleef circuleren. Er was een enkel haakje om zijn jas aan te hangen en het natte leer begon zachtjes te druppelen, alsof het nog steeds doordrenkt was met bloed.

Op het schuimrubber matrasje liggend, kon Gabriel aan niets anders denken dan aan Sophia Briggs. Hij had het Licht in haar voelen kolken en stromen als een krachtige watergolf, en toen was het door zijn handen gevloeid. Door de wanden van de cabine heen kon hij gedempte stemmen horen en het voelde alsof hij door schaduwen zweefde, omringd door geesten.

Maya had Gabriel geleerd dat het Netwerk niet absoluut was; er waren nog steeds openingen en schaduwgebieden waarbinnen je je veilig door de stad kon bewegen. De volgende ochtend kostte het hem ongeveer een uur om de beveiligingscamera's te ontwijken en naar Tompkins Square Park te lopen. In het financiële district en in Midtown lag het grijze rotsgesteente van Manhattan dicht onder de oppervlakte, waar het een fundering vormde voor de wolkenkrabbers die de stad domineerden. Aan de Lower East Side zat het gesteente honderden meters onder het oppervlak en waren de gebouwen in de straten hooguit vier of vijf verdiepingen hoog.

Tompkins Square Park was al meer dan honderd jaar de traditionele plek voor politieke protesten. Een generatie eerder had een groep daklozen er een kamp opgezet, totdat de politie het park had gesloten en omsingeld met een reusachtige ring van agenten. Vervolgens was de politie naar het midden gelopen, waar zij de geïmproviseerde onderkomens hadden verwoest en iedereen in elkaar hadden geslagen die weigerde te vertrekken. Tegenwoordig voorzagen reusachtige iepen het park van schaduw in de zomer en omringden zwarte ijzeren hekken elk metertje grond. Er hingen slechts twee bewakingscamera's in het park; beide stonden gericht op de kinderspeeltuintjes en waren gemakkelijk te ontwijken.

Gabriel liep behoedzaam door het park en naderde het bakstenen gebouwtje dat werd gebruikt door de tuinlieden. Hij liep een hek door en bleef staan voor een wit marmeren stèle met een kleine leeuwenkopfontein in het midden. In het marmer waren vaag de omtrekken van twee kindergezichtjes zichtbaar en de woorden: ZIJ WAREN DE ZUIVERSTE KINDEREN TER WERELD, JONG EN ONSCHULDIG. Dit was het monument voor een ramp in 1904 toen een schip, de *General Slocum*, de haven van New York verliet met een groep Duitse immigranten aan boord, voor een picknick van de zondagsschool. Het schip, dat niet over reddingsboten beschikte, vloog in brand en zonk en meer dan duizend vrouwen en kinderen kwamen om het leven.

Maya gebruikte het monument als één van in totaal drie mededelingenborden verspreid over Manhattan. De borden vormden voor hun kleine groepje een alternatief communicatiemiddel, in plaats van gemakkelijk te traceren mobieltjes. Op de achterkant van de stèle, op de marmeren sokkel, vond Gabriel wat graffiti die Maya hier een paar weken geleden had achtergelaten. Het was een Harlekijnteken: een ovaal met drie lijnen dat een luit symboliseerde. Hij keek naar het nabijgelegen basketbalveld en de kleine tuin. Het was zeven uur in de ochtend en er was niemand. Alle negatieve mogelijkheden die hij vanmorgen nog had verdrongen keerden in volle hevigheid terug. Iedereen was dood. En op de een of andere manier kwam dat allemaal door hem.

Gabriel knielde neer als een man die wil gaan bidden. Hij haalde een viltstift uit zijn jaszak en schreef op het monument: *G. hier. Waar jij?*

Hij verliet het park onmiddellijk en stak Avenue A over naar een cafeetje vol oude tafels, gammele stoelen en een paar schooltafeltjes die eruitzagen alsof ze op straat waren gevonden. Gabriel nam een kopje koffie en ging helemaal achterin zitten, met zijn gezicht naar de ingang. Zijn gevoel van hopeloosheid was bijna ondraaglijk. Sophia en de gezinnen in New Harmony waren vermoord. En nu bestond ook nog de mogelijkheid dat de Tabula Maya en zijn vrienden hadden vermoord.

Hij keek neer op het bekraste tafelblad en probeerde het boze stemmetje in zijn hoofd te sussen. Waarom was hij een Reiziger? En waarom had hij al deze ellende veroorzaakt? Zijn vader was de enige die deze vragen kon beantwoorden – en Matthew Corrigan woonde blijkbaar in Londen. Gabriel wist dat Londen meer bewakingscamera's had dan welke andere stad ter wereld ook. Het was een gevaarlijke stad, maar zijn vader zou wel een goede reden hebben gehad om ernaartoe te gaan.

Niemand besteedde aandacht aan Gabriel toen hij zijn schoudertas opende en het geld telde dat Vicki hem gisteravond had gegeven. Zo te zien was het genoeg voor een vliegticket naar Groot-Brittannië. Aangezien Gabriel zijn hele leven buiten het Netwerk had doorgebracht, konden de biometrische gegevens op zijn paspoortchip niet worden vergeleken met een eerdere identiteit. Maya had er zeker van geleken dat hij probleemloos naar een ander land kon reizen. Wat de autoriteiten betreft was hij Tim Bentley, een burger die werkzaam was als commercieel makelaar in Tucson, Arizona.

Hij dronk zijn koffie op en keerde terug naar het monument in Tompkins Square Park. Met een stukje krantenpapier veegde hij zijn eerdere boodschap weg en schreef BENNAARLONDEN. Hij voelde zich als de overlevende van een scheepsramp die zojuist een paar woorden in een stukje wrakhout had gekerfd. Als zijn vrienden nog in leven waren, zouden zij weten wat er was gebeurd. Ze zouden hem naar Londen volgen en hem treffen in het klooster Tyburn. Als iedereen dood was, was het een boodschap voor niemand.

Gabriel verliet het park zonder achterom te kijken en liep in zuidelijke richting over Avenue B. De ochtend was nog koud, maar de hemel was helder, bijna pijnlijk blauw. Hij was onderweg.

# II

Michael dronk zijn tweede kopje koffie leeg, stond op van zijn stoel aan de eikenhouten tafel en liep naar de spitsboogvensters aan de andere kant van de zitkamer. Het loden raamwerk van de vensters zorgde voor een zwart rasterpatroon op de buitenwereld. Hij bevond zich ten westen van Montreal op een eilandje midden in de Saint Lawrence-rivier. De afgelopen nacht had het geregend en de hemel was nog steeds zwaarbewolkt.

Voor elf uur die ochtend stond er een vergadering van de raad van bestuur van de Broeders op het programma, maar de boot met de bestuursleden aan boord was nog niet gearriveerd. De tocht van Chippewa Bay naar Dark Island duurde ongeveer veertig minuten. Als de golven een beetje woest waren, stapten de mensen met bleke gezichten aan land. Een helikoptervlucht vanuit om het even welke stad in de staat New York was veel efficiënter geweest, maar Kennard Nash had een voorstel om naast het botenhuis een heliplatform te bouwen van de hand gewezen.

'Het tochtje over de rivier is een goede ervaring voor de Broeders,' had Nash gezegd. 'Het geeft ze het gevoel dat ze helemaal weg zijn uit de gewone wereld. Ik denk dat het een bepaald soort respect afdwingt voor de unieke aard van onze organisatie.'

Eigenlijk was Michael het wel met Nash eens; Dark Island was een speciale plek. Begin twintigste eeuw had een rijke Amerikaanse naaimachinefabrikant het kasteel op het eiland gebouwd. Midden in de winter waren blokken graniet over het ijs gesleept om een drie verdiepingen hoge klokkentoren, een botenhuis en een kasteel te bouwen. Het kasteel had kantelen en torens en open haarden die groot genoeg waren om een complete os in te roosteren.

Tegenwoordig was Dark Island eigendom van een groep rijke Duitsers. Toeristen mochten er alleen in het najaar een paar maanden komen, maar de rest van het jaar gebruikten de Broeders het kasteel. Michael en generaal Nash waren drie dagen geleden aangekomen, samen met een technische ploeg van de Evergreen Foundation. De mannen installeerden microfoons en televisiecamera's, zodat leden over de hele wereld aan de vergadering van de raad van bestuur konden deelnemen.

De eerste dag op het eiland mocht Michael zich buiten het kasteel begeven en in zijn eentje naar de kliffen wandelen. Dark Island ontleende zijn naam aan de reusachtige naaldbomen die hun takken over de paden uitstrekten, het licht filterden en schaduwrijke groene tunnels creëerden. Aan de rand van het klif vond Michael een marmeren bankje waarop hij enkele uren doorbracht, de frisse dennengeur opsnuivend en uitkijkend over de rivier.

Die avond dineerde hij met generaal Nash, gevolgd door whisky in de met eiken lambrisering betimmerde salon. Alles in het kasteel was groot – de handgemaakte meubels, de ingelijste schilderijen en de drankkasten. Aan de muur van de salon hingen dierenkoppen en Michael had het gevoel dat er naar hem gekeken werd door een dode eland.

Nash en de rest van de Broeders beschouwden Michael als hun informatiebron over de verschillende rijken. Michael wist dat zijn positie nog steeds precair was. Normaal gesproken vermoordden de Broeders alle Reizigers, maar hij had het overleefd. Hij probeerde zichzelf zo onmisbaar mogelijk te maken zonder de omvang van zijn ambitie te tonen. Als de wereld een onzichtbare gevangenis ging worden, hield dit in dat één iemand de leiding moest hebben over zowel de bewakers als de gevangenen. En waarom kon die iemand geen Reiziger zijn?

Aanvankelijk hadden de Broeders Michael verbonden met hun kwantumcomputer en geprobeerd contact te maken met meer geavanceerde beschavingen in de andere rijken. Hoewel de computer nu vernietigd was, had Michael generaal Nash ervan weten te overtuigen dat hij uiteindelijk aan alle informatie kon komen die hij nodig had. Het leek hem verstandig zijn eigen doelen te verzwijgen. Als hij zijn vader vond en bijzondere dingen te weten kwam, was hij van plan die kennis in zijn eigen voordeel aan te wenden. Michael voelde zich als een man die aan een vuurpeloton is ontsnapt.

De afgelopen maand had Michael bij twee verschillende gelegenheden zijn lichaam verlaten. Dat ging steeds op dezelfde manier – eerst kwamen er een paar sprankjes Licht uit zijn lichaam en vervolgens leek al zijn energie naar buiten te stromen in een kille duisternis. Om in een van de rijken te belanden, moest hij alle vier de barrières passeren: een blauwe hemel, een woestijnvlakte, een brandende stad en een eindeloze zee. In het begin hadden die barrières onoverkomelijke obstakels geleken, maar inmiddels was hij in staat ze vrijwel onmiddellijk te nemen, omdat hij de smalle, donkere gangen had ontdekt die hem verder leidden.

Toen Michael die eerste keer zijn ogen opendeed bevond hij zich op een dorpsplein met bomen en bankjes en een muziektent. Het was vroeg in de avond en mannen en vrouwen in donkere kostuums en jassen liepen over het trottoir en gingen de felverlichte winkels binnen, om een paar minuten later met lege handen weer naar buiten te komen.

Hij was hier eerder geweest; dit was het Tweede Rijk, van de hongerige geesten. Het zag eruit als een echte wereld, maar alles hier was een loze belofte aan diegenen die nooit tevreden waren. Alle verpakkingen bij de kruidenier waren leeg. De appels in het kraampje op de hoek en de lappen vlees in de slagerij waren beschilderde stukken hout of aardewerk. Ook de in leer gebonden boeken in de openbare bibliotheek leken echt, maar toen Michael een keer had geprobeerd erin te lezen, was hij erachter gekomen dat er geen woorden op de bladzijden stonden.

Het was gevaarlijk om hier te zijn; hij voelde zich het enige levende wezen in een stad vol geesten. De mensen die dit rijk bevolkten leken te beseffen dat hij anders was; ze wilden met hem praten, hem aanraken, zijn spieren voelen en het warme bloed dat onder zijn huid stroomde. Toen hij er door de ramen naar binnen had gegluurd en de achterafstraatjes had afgezocht naar zijn vader, had Michael geprobeerd zoveel mogelijk in de schaduwen te blijven. Uiteindelijk had hij de doorgang ontdekt die terugvoerde naar zijn wereld. Toen hij een paar dagen later opnieuw de oversteek maakte, kwam hij weer op hetzelfde dorpsplein terecht, alsof het Licht weigerde een andere richting op te gaan.

De staande klok in de zitkamer begon te slaan en Michael keerde terug naar het raam. Er was zojuist een motorboot gearriveerd vanuit Chippewa Bay, en de leden van de raad van bestuur van de Broeders stapten op de kade. Het was koud en winderig, maar generaal Nash stond hen als een politicus op te wachten om hen te begroeten en de hand te schudden.

'Is de boot er?' vroeg een vrouwenstem.

Michael draaide zich om en zag mevrouw Brewster staan, een bestuurslid dat gisteravond was gearriveerd. 'Ja. Ik tel acht mensen.'

'Mooi zo. Dat betekent dat dr. Jensen toch geen vertraging heeft gehad met zijn vlucht.'

Mevrouw Brewster liep naar het dressoir en schonk een

kopje thee voor zichzelf in. Zij was in de vijftig – een kordate Engelse met een tweedrok, een trui en het soort praktische schoenen met dikke zolen dat je nodig had voor een wandeling door een modderig weiland. Hoewel mevrouw Brewster geen bepaalde beroepstitel leek te hebben, onderwierpen de andere bestuursleden zich aan de kracht van haar persoonlijkheid en waagde niemand het haar bij haar voornaam aan te spreken. Ze gedroeg zich alsof de wereld een chaotische school was en zij de nieuwe directrice. Alles diende georganiseerd te zijn. Slordig werk en slechte gewoontes werden niet getolereerd. Zij zou wel eens orde op zaken stellen, ongeacht de consequenties.

Mevrouw Brewster schonk wat room in haar kopje thee en glimlachte vriendelijk. 'Verheug je je een beetje op de bestuursvergadering, Michael?'

'Jazeker, mevrouw. Het gaat vast interessant worden.'

'Daar kon je wel eens gelijk in hebben. Heeft generaal Nash je verteld wat er gaat gebeuren?'

'Niet echt.'

'De man die de leiding heeft over ons computercentrum in Berlijn gaat een belangrijke technische innovatie presenteren die ons zal helpen het Panopticon te realiseren. We hebben de unanieme instemming van het bestuur nodig om ermee aan de slag te gaan.'

'Die krijgt u vast wel.'

Mevrouw Brewster nipte van haar thee en zette het porseleinen kopje toen op het schoteltje. 'De raad van bestuur heeft wat eigenaardigheden. Leden stemmen meestal ja tijdens een vergadering en zetten je pas later het mes op de keel. Daarom ben jij hier, Michael. Heeft iemand je verteld dat het mijn idee was om jou hiernaartoe te halen?'

'Ik dacht dat ik dat aan generaal Nash te danken had.'

'Ik heb alles over Reizigers gelezen,' zei mevrouw Brewster. 'Het schijnt zo te zijn dat sommigen van hen iemand alleen maar aan hoeven te kijken om te weten wat hij of zij denkt. Bezit jij die gave ook?'

Michael haalde zijn schouders op. Hij was heel voorzichtig met het vertellen over zijn speciale talenten. 'Ik kan wel zien of iemand liegt.'

'Mooi. Ik wil graag dat je dat doet tijdens deze vergadering. Het zou bijzonder nuttig zijn als jij kon zien wie vóór stemt, maar intussen nee denkt.'

Michael volgde mevrouw Brewster naar de eetkamer, waar generaal Nash een kort toespraakje hield om iedereen op Dark Island te verwelkomen. Aan één kant van de kamer waren drie platte videoschermen neergezet, met een halve kring van leren clubfauteuils ervoor. Het middelste scherm was wit, maar op de schermen van de twee monitoren aan weerszijden was een netwerk van hokjes te zien. Over de hele wereld zaten leden van de Broeders voor hun computers om deel te nemen aan de vergadering. Een paar leden hadden webcamera's, zodat hun gezichten op het scherm zichtbaar waren, maar in de meeste gevallen stond alleen de geografische locatie van een lid in de hokjes vermeld: Barcelona, Mexico Stad, Dubai.

'Aha, daar is hij,' zei Nash toen Michael de kamer binnenkwam. 'Dames en heren, dit is Michael Corrigan.'

Met zijn hand op Michaels rechterschouder leidde Nash hem om de stoelen heen om de anderen te ontmoeten. Michael voelde zich als een opstandige tiener die eindelijk op een feestje voor grote mensen mag komen.

Nadat iedereen was gaan zitten, liep Lars Reichhardt, de directeur van het computercentrum in Berlijn, naar het podium. Hij was een grote man met rood haar, blozende wangen en een bulderende lach die de hele ruimte vulde.

'Het is mij een eer u allen te mogen toespreken,' zei Reichhardt. 'Zoals u weet, is onze kwantumcomputer tijdens de aanval van vorig jaar op ons onderzoekscentrum in New York zwaar beschadigd geraakt. Op dit moment is hij nog steeds niet operationeel. Ons nieuwe computercentrum in Berlijn maakt gebruik van conventionele technologie, maar levert wel indrukwekkende prestaties. Ook hebben wij *bot-nets* gecreeerd van computers over de gehele wereld die zonder medeweten van de eigenaars onze opdrachten uitvoeren...'

Op de middelste monitor achter het podium verschenen regels computercode. Terwijl Reichhardt aan het woord was, werd de computercode steeds kleiner, totdat hij was samengeperst tot een zwart vierkant.

'Tevens zijn wij bezig ons gebruik van computerimmunologie uit te breiden. Wij hebben zichzelf onderhoudende, zichzelf kopiërende computerprogramma's gecreëerd die zich door het internet bewegen als witte bloedcellen door het menselijk lichaam. In plaats van op zoek te gaan naar virussen en infecties, zoeken deze programma's naar besmettelijke ideeën die de oprichting van het Panopticon zouden kunnen vertragen.'

Op het scherm werd het kleine, vierkante stukje code ingevoerd in een computer. Het reproduceerde zichzelf en werd doorgestuurd naar een tweede computer. Al snel begon het een heel systeem over te nemen.

'Aanvankelijk gebruikten wij computerimmunologie als een hulpmiddel om onze vijanden op te sporen. Vanwege de problemen met de kwantumcomputer, hebben wij onze cyberleukocyten omgezet in actieve virussen om computers te beschadigen die vol zitten met informatie die als antisociaal is herkend. Als het programma eenmaal is losgelaten op het systeem, vergt het geen enkel onderhoud meer.

Maar nu kom ik bij het *Hauptgericht* – het "hoofdgerecht" van ons banket. Wij noemen het ons Schaduwprogramma...'

Het beeldscherm werd donker en vertoonde vervolgens het door de computer gevormde beeld van een woonkamer. Op een stoel met een rechte rugleuning zat een gestalte die eruitzag als zo'n paspop die wordt gebruikt om de veiligheid van auto's te testen. Zijn gezicht en lichaam waren samengesteld uit geometrische vormen, maar het was duidelijk een mens – een man.

'Het gebruik van elektronische beveiliging en controle heeft een cruciaal punt bereikt. Met behulp van zowel bronnen bij de overheid als vanuit het bedrijfsleven, beschikken wij over alle benodigde informatie om een persoon gedurende zijn hele dag te volgen. We hebben een en ander in één systeem gecombineerd – het Schaduwprogramma. Schaduw creëert een parallelle cyberrealiteit die voortdurend verandert om de handelingen van elk individu weer te geven. Voor die leden van de Broeders die na dit praatje behoefte hebben aan meer informatie, ik waarschuw u – het Schaduwprogramma is...' Reichhardt pauzeerde even om naar een woord te zoeken. 'Ik zou het *verführerisch* willen noemen.'

'Dat betekent betoverend,' legde mevrouw Brewster uit. 'Verleidelijk.'

'Verleidelijk. Een uitstekend woord.

Om u te laten zien waartoe het Schaduwprogramma in staat is, heb ik een lid van de Broeders uitgekozen als ons onderwerp. Zonder zijn medeweten heb ik zijn gedupliceerde zelf in ons systeem ingevoerd. Foto's van paspoort- en rijbewijsdatabanken zijn omgezet in een driedimensionaal beeld. Met behulp van medische en andere persoonlijke gegevens kunnen we gewicht en lengte vaststellen.'

Voor het begin van de bijeenkomst had Michael dr. Anders Jensen al even kort ontmoet. Het was een tengere man met dun blond haar, die een positie bekleedde bij de Deense overheid. Jensen keek verrast op toen opeens zijn gezicht verscheen op het computergegenereerde mannetje. Op het scherm kwamen medische gegevens voorbij die het lichaam vormden. Informatie van een computer in een kledingzaak zorgde voor een grijs kostuum en een blauwe stropdas. Toen het figuurtje was aangekleed stond het op van de computerstoel en zwaaide.

'En daar zijn we dan!' riep Reichhardt. 'Dr. Jensen, mag ik u voorstellen aan uw schaduwzelf!'

Michael en de rest van de groep applaudisseerden, terwijl Jensen een geforceerd glimlachje produceerde. De Deen leek er niet blij mee dat zijn beeltenis nu in het systeem zat.

'Uit gegevens van woningbouwcorporaties kunnen we professor Jensens appartement aan Vogel Street nabootsen. Via creditcardinformatie, vooral van postorderbedrijven, kunnen we zelfs bepaalde meubelstukken in de verschillende kamers plaatsen.'

Terwijl de computergegenereerde professor heen en weer drentelde, verschenen er een bank, een stoel en een salontafel in de kamer. Michael keek naar de anderen. Mevrouw Brewster knikte naar hem en glimlachte betekenisvol.

'Dit klopt niet helemaal,' zei Jensen. 'Die bank staat tegen de muur bij de deur.'

'Neemt u mij niet kwalijk, professor.' Reichhardt zei iets in het dunne microfoontje dat aan zijn koptelefoon was bevestigd. De schaduwbank smolt weg en verscheen weer op de juiste plek.

'Nu zou ik u graag een ingekort verslag laten zien van een paar uur uit professor Jensens leven. Het Schaduwprogramma heeft hem negen dagen geleden gevolgd gedurende een succesvolle test van het systeem. Omdat de professor thuis over een beveiligingssysteem beschikt, weten wij precies wanneer hij zijn flat verlaat. Professor Jensens mobiele telefoon en het gps-systeem in zijn auto stellen ons in staat zijn rit naar een plaatselijk winkelcentrum te volgen. Op de parkeerplaats hangen twee bewakingscamera's. De professor wordt gefotografeerd en een gezichtsalgoritme bevestigt zijn identiteit. Het kortingspasje in Jensens portefeuille bevat standaard een RFID-chip. Die vertelt de computer wanneer hij een bepaalde winkel is binnengegaan. In dit geval is het een zaak die boeken, films en computerspelletjes verkoopt...'

Op het scherm begon de schaduw van Anders Jensen door een winkel te lopen, waarbij hij andere schaduwpersonen passeerde. 'Let wel – wat u hier op het scherm ziet is niet hypothetisch. Het komt exact overeen met professor Jensens werkelijke ervaring. Wij weten hoe de winkel eruitziet omdat de meeste moderne bedrijven zijn veranderd in elektronische omgevingen die het koopgedrag in de gaten houden. We weten hoe de klanten eruitzien omdat we hun legitimatiebewijzen hebben gescand en afbeeldingen van hun gezichten hebben gevonden in diverse databanken.

Teneinde diefstal te voorkomen zijn tegenwoordig de meeste producten voorzien van RFID-chips. Ze stellen winkels ook in staat hun goederen te volgen. Bedrijven in Denemarken, Frankrijk en Duitsland maken gebruik van chipsensoren in de schappen, zodat ze weten hoe klanten reageren op reclame en verpakking. In de komende paar jaar zal dit standaard overal gebeuren. Kijk nu goed. Professor Jensen gaat naar die plank daar en – '

'Zo is het wel genoeg,' mompelde Jensen.

'Hij pakt het product en zet het weer terug op de plank. Hij aarzelt even en besluit dan over te gaan tot aankoop van een dvd met de titel *Tropische Zonde III*.'

Generaal Nash begon te lachen en de anderen volgden zijn voorbeeld. Sommige van de Broeders op de computermonitors lachten mee. Met een diep ellendige blik op zijn gezicht staarde Jensen naar de grond en schudde zijn hoofd. 'Die – die heb ik voor een vriend gekocht,' zei hij.

'Mijn verontschuldigingen, professor, als dit wellicht wat pijnlijk voor u is.'

'Maar u kent de regels,' zei mevrouw Brewster op bitse toon. 'Binnen het Panopticon zijn wij allemaal gelijk.'

'Precies,' zei Reichhardt. 'Vanwege onze beperkte middelen hebben wij op dit moment slechts voldoende computervermogen om het Schaduwprogramma in één stad te gebruiken – Berlijn. Over vijftien dagen wordt het programma volledig geactiveerd. Zodra het systeem loopt, zullen de autoriteiten geconfronteerd worden met een – '

'Een terroristische dreiging,' zei Nash.

'Of iets dergelijks. Op dat moment zal de Evergreen Foundation het Schaduwprogramma aanbieden aan onze vrienden in de Duitse regering. Zodra het wordt geïnstalleerd, zullen onze politieke bondgenoten ervoor zorg dragen dat het een wereldwijd systeem wordt. Dit is niet slechts een middel om in te zetten tegen criminaliteit en terrorisme. Bedrijven zullen enthousiast zijn over het idee van een systeem dat exact kan vaststellen waar een werknemer zich bevindt en wat hij doet. Drinkt de werknemer tijdens zijn lunchpauze? Gaat hij 's avonds naar de bibliotheek en haalt hij daar bedenkelijke boeken van de planken? Het Schaduwprogramma zal een aantal controversiële boeken en films op de markt tolereren. De reactie van het publiek op deze zaken geeft ons meer informatie om onze schaduwrealiteit te creëren.'

Het bleef even stil en Michael maakte van de gelegenheid gebruik. 'Ik wil graag iets zeggen.'

Generaal Nash keek verbaasd. 'Dit is niet de geschikte plek en het goede moment, Michael. Je kunt je opmerkingen na afloop van de bijeenkomst bij me kwijt.'

'Daar ben ik het niet mee eens,' zei mevrouw Brewster. 'Ik wil wel weten wat onze Reiziger van dit alles vindt.'

Jensen knikte gretig. Hij wilde zo snel mogelijk een gespreksonderwerp dat niets te maken had met de duplicaatprofessor op het scherm. 'Het kan soms heel goed zijn om de zaken vanuit een ander perspectief te zien.'

Michael stond op en richtte zich tot de Broeders. Iedereen die voor hem zat droeg een masker dat was gevormd door een leven van bedrog, het volwassen gezicht dat de gevoelens verborg waaraan men ooit als kind uiting had gegeven. Terwijl de Reiziger ernaar stond te kijken, losten deze maskers op in kleine fragmentjes realiteit.

'Het Schaduwprogramma is een briljante prestatie,' zei Michael. 'Wanneer het eenmaal succes heeft in Berlijn, kan het gemakkelijk worden uitgebreid naar andere landen. Maar er is één dreiging die het hele systeem kapot kan maken.' Hij zweeg even en keek om zich heen. 'In de wereld hierbuiten loopt nog een actieve Reiziger rond. Een persoon die uw plannen kan dwarsbomen.'

'Je broer is geen probleem,' zei Nash. 'Hij is een vluchteling die er helemaal alleen voor staat.'

'Ik heb het niet over Gabriel. Ik heb het hier over mijn vader.'

Michael zag de verrassing op hun gezichten, gevolgd door de woede van Kennard Nash. De generaal had hen niet over Matthew Corrigan verteld. Misschien wilde hij niet zwak en onvoorbereid overkomen.

'Neem me niet kwalijk.' Mevrouw Brewster klonk alsof ze zojuist een foutje had ontdekt in een restaurantrekening. 'Is jouw vader jaren geleden al niet verdwenen?'

'Hij leeft nog. Op dit moment kan hij overal ter wereld zijn om het verzet tegen het Panopticon te organiseren.'

'Wij werken eraan,' sputterde Nash tegen. 'Mr. Boone houdt zich met de zaak bezig en hij heeft mij verzekerd – '

Michael viel hem in de rede. 'Het Schaduwprogramma zal mislukken – zoals al uw programma's zullen mislukken – tenzij u mijn vader vindt. U weet dat hij in Arizona de New Harmony-gemeenschap heeft gesticht. Wie weet welke andere centra van verzet hij is begonnen – of op dit moment aan het organiseren is?'

Er viel een gespannen stilte in de zaal. Bij het zien van de gezichten van de Broeders wist Michael dat hij erin was geslaagd hun angst te manipuleren.

'En wat kunnen we daaraan doen?' vroeg Jensen. 'Heb je misschien ideeën?'

Michael boog zijn hoofd als een nederige dienaar. 'Alleen een Reiziger kan een andere Reiziger vinden. Laat mij jullie helpen.'

# 12

Op Flatbush Avenue in Brooklyn vond Gabriel een reisbureautje met een verzameling stoffig strandspeelgoed in de etalage. Het reisbureau werd gerund door mevrouw Garcia, een al wat oudere Dominicaanse vrouw die minimaal driehonderd pond woog. Babbelend in een mengelmoesje van Engels en Spaans zette zij zich met haar voeten af tegen de vloer en reed op een bureaustoel met piepende wieltjes door de zaak. Toen Gabriel vertelde dat hij een enkele reis naar Londen wilde boeken – en contant wilde betalen – bleef mevrouw Garcia staan en bekeek haar nieuwe klant van top tot teen.

'Hebt u een paspoort?'

Gabriel legde zijn nieuwe paspoort op de balie. Mevrouw Garcia inspecteerde het als een douanebeambte en besloot dat het ermee door kon. 'Een enkele reis leidt tot vragen van de *immigración y la policía*. Misschien geen fijne vragen. *Sí*?'

Gabriel herinnerde zich Maya's verhaal over reizen per vliegtuig. De mensen die werden gefouilleerd waren grootmoeders die nagelschaartjes in hun tas hadden en andere passagiers die simpele regels overtraden. Terwijl mevrouw Garcia naar haar bureau rolde, telde hij het geld in zijn portefeuille.

Als hij een retourtje kocht, hield hij nog ongeveer honderdtwintig dollar over. 'Goed dan,' zei hij tegen haar. 'Doe dan maar een retourtje. Voor de eerstvolgende vlucht.'

Mevrouw Garcia gebruikte haar persoonlijke creditcard om het ticket te kopen, en gaf Michael wat informatie over een hotel in Londen. 'Daar ga je niet logeren,' legde ze uit. 'Maar je moet *el oficial del pasaporte* een adres en telefoonnummer geven.' Toen Gabriel bekende dat hij behalve zijn schoudertas geen andere bagage had, verkocht de reisagente hem voor twintig dollar een canvas koffer, die ze volstopte met wat oude kleren. 'Nu ben je een toerist. Wat wil je allemaal gaan zien in Engeland? Het kan zijn dat ze je dat gaan vragen.'

Het *Tyburnklooster*, dacht Gabriel. *Want daar is mijn vader*. Maar hij haalde zijn schouders op en staarde naar het kale linoleum. 'London Bridge, denk ik. En Buckingham Palace...'

'*Bueno*, Mr. Bentley. Doe de koningin de groeten van me.'

Gabriel had nog nooit een overzeese vlucht gemaakt, maar door films en televisiereclames had hij zich er wel een beeld van gevormd. Je zag dan altijd goedgeklede mensen die in comfortabele stoelen zaten en gesprekken hadden met andere aantrekkelijke passagiers. In werkelijkheid deed de ervaring hem denken aan de zomer dat hij en Michael bij een veebedrijf even buiten Dallas, Texas, hadden gewerkt. De runderen kregen plaatjes met barcodes in hun oren geschoten en de meeste tijd ging zitten in het uitzoeken van de stieren die er al te lang stonden, ze inspecteren, wegen en via smalle loopgangen in vrachtwagens drijven.

Elf uur later stond hij op luchthaven Heathrow in de rij voor de douane. Toen hij aan de beurt was, liep hij naar de paspoortbeambte toe. De man was een sikh met een volle baard. Hij pakte Gabriels paspoort aan en keek hem een ogenblik aan.

'Hebt u al eerder een bezoek gebracht aan het Verenigd Koninkrijk?'

Gabriel zette zijn meest ontspannen glimlach op. 'Nee. Dit is mijn eerste keer.'

De douanier haalde het paspoort door een scanner en bekeek het scherm voor hem. De biometrische informatie op de RFID-chip kwam overeen met de foto en de informatie die zich reeds in het systeem bevond. Net als de meester burgers met een saai baantje had de man meer vertrouwen in het apparaat dan in zijn eigen intuïtie. 'Welkom in Groot-Brittannië,' zei hij en opeens bevond Gabriel zich in een nieuw land.

Het was bijna elf uur 's avonds toen hij zijn geld wisselde, de luchthaven verliet en de metro naar Londen nam. Gabriel stapte uit op King's Cross Station en dwaalde wat rond tot hij een hotel had gevonden. De éénpersoonskamer was niet groter dan een kast en de binnenkant van het raam was bevroren, maar hij hield zijn kleren aan, wikkelde zich in de dunne deken en probeerde te slapen.

Een paar maanden voor zijn vertrek uit Los Angeles was Gabriel zevenentwintig geworden. Hij had zijn vader al vijftien jaar niet gezien. Zijn duidelijkste herinneringen had hij aan de periode waarin zijn familie zonder elektriciteit of telefoon op een boerderij in South Dakota woonde. Hij wist nog hoe zijn vader hem leerde de olie van de pick-up te verversen en hij herinnerde zich de avond dat zijn ouders met elkaar dansten bij het schijnsel van de open haard in de zitkamer. Hij wist nog hoe hij 's avonds naar beneden sloop wanneer hij in bed hoorde te liggen, stiekem door de deuropening gluurde en zijn vader in zijn eentje aan de keukentafel zag zitten. Op die momenten leek Matthew Corrigan bedachtzaam en droevig – alsof er een immense last op zijn schouders rustte.

Maar wat hij zich vooral herinnerde was een dag toen hij twaalf was en Michael zestien. Tijdens een zware sneeuwstorm hadden Tabula-huurlingen de boerderij aangevallen. Terwijl buiten de wind huilde, verstopten de jongens en hun moeder zich in de voorraadkelder. De volgende ochtend hadden de broertjes Corrigan vier lijken in de sneeuw gevonden. Maar hun vader was weg, uit hun leven verdwenen. Gabriel voelde zich alsof iemand een hand in zijn borst had gestoken en een deel van zijn lichaam had weggehaald. Er was daar een leegte, een hol gevoel dat nooit helemaal was weggegaan.

Toen hij wakker werd, vroeg Gabriel de hotelreceptionist hoe hij in Hyde Park moest komen en begon in zuidelijke richting te lopen. Hij voelde zich nerveus en niet op zijn plek in deze nieuwe stad. Op de kruispunten stond KIJK NAAR LINKS of KIJK NAAR RECHTS geschilderd, alsof de buitenlanders die Londen bevolkten op het punt stonden vermorzeld te worden door de zwarte taxi's en witte bestelbusjes. Gabriel probeerde in één rechte lijn te lopen, maar verdwaalde telkens in smalle keienstraatjes die alle kanten op gingen. In Amerika had je dollarbiljetten in je portemonnee, maar nu zat zijn zak vol munten.

In New York had Maya hem verteld over het beeld van Londen dat haar vader haar had geschetst. In de buurt van Goswell Road moest een stukje grond zijn waar duizenden pestslachtoffers in een kuil waren gegooid. Wellicht resteerden er nog wat beenderen, een paar geldstukken, een metalen kruisje dat eens de hals van een dode vrouw had gesierd, maar deze begraafplaats was nu een parkeerterrein vol reclameborden. Verspreid over de rest van de stad lagen hier en daar nog meer van dergelijke plekjes, plekken van dood en leven, grote rijkdom en nog grotere armoede.

De geesten waren er nog, maar verder was er een fundamentele verandering aan het plaatsvinden. Bewakingscamera's waren alomtegenwoordig – op kruispunten en in winkels. Er waren gezichtsscanners, kentekenlezers en deursensoren voor de RFID-pasjes die de meeste volwassenen bij zich droegen. De Londenaren stroomden uit de metrostations en liepen snel naar hun werk, terwijl de Grote Machine hun digitale beelden opnam.

Gabriel had verwacht dat het Tyburnklooster een grijs stenen kerkje zou zijn met klimop tegen de muren. In plaats daarvan trof hij twee negentiende-eeuwse herenhuizen aan met glas-in-loodramen en een zwart leien dak. Het klooster stond aan Bayswater Road, pal aan de overkant van Hyde Park. Het verkeer raasde in de richting van Marble Arch.

Een kleine metalen trap leidde naar een eiken deur met een koperen deurknop. Gabriel belde aan en even later werd er opengedaan door een bejaarde benedictines, gekleed in een smetteloos wit habijt en een zwarte sluier.

'U bent te vroeg,' verklaarde de non. Ze had een zwaar Iers accent.

'Te vroeg voor wat?'

'O. U bent Amerikaan.' Gabriels nationaliteit leek voldoende uitleg te zijn. 'De rondleidingen beginnen om tien uur, maar eigenlijk maken die paar minuten ook niet uit.'

Ze ging hem voor naar een voorvertrek dat veel weg had van een kleine kooi. Een deur in de kooi gaf toegang tot een trap die omlaagleidde naar de kelder. Een andere deur voerde naar de kloosterkapel en het woongedeelte.

'Ik ben zuster Ann.' De non droeg een ouderwetse bril met een gouden montuur. Haar gezicht, omlijst door de zwarte nonnenkap, was glad en krachtig en vrijwel leeftijdsloos. 'Ik heb familie in Chicago,' zei ze. 'Komt u uit Chicago?'

'Nee. Het spijt me.' Gabriel legde zijn hand op de ijzeren tralies die hen omringden.

'Wij zijn in afzondering levende benedictinessen,' legde zuster Ann uit. 'Dat houdt in dat wij onze tijd doorbrengen met gebed en contemplatie. Er zijn altijd twee zusters die zich bezighouden met het publiek. Voor mij is het mijn vaste taak en de anderen rouleren om de maand of zo.'

Gabriel knikte beleefd, alsof dit nuttige informatie was. Hij vroeg zich af hoe hij naar zijn vader moest vragen.

'Ik zou u de crypte wel willen laten zien, maar ik moet de boekhouding gaan doen.' Zuster Ann haalde een grote sleutelring uit haar zak en ontsloot een van de hekken. 'Wacht hier, dan ga ik zuster Bridget halen.'

De non verdween de gang in en liet Gabriel alleen achter in de kooi. Aan de muur hing een rekje met religieuze pamfletten en op het mededelingenbord zat een oproep om geld te geven. Kennelijk had de een of andere ambtelijke bureaucraat besloten dat de nonnen driehonderdduizend pond moesten betalen om het klooster toegankelijk te maken voor rolstoelgebruikers.

Gabriel hoorde ruisende rokken en daar kwam zuster Bridget de gang door glijden in de richting van de ijzeren tralies. Zij was veel jonger dan zuster Ann. Het benedictijner habijt verborg alles behalve haar ronde wangen en donkerbruine ogen.

'U bent een Amerikaan.' Zuster Bridget had een lichte, bijna ademloze manier van praten. 'We krijgen hier veel Amerikanen. Ze doen vaak hele aardige giften.'

Zuster Bridget kwam de kooi binnen en maakte de tweede deur open. Terwijl Gabriel de non naar beneden volgde langs een kronkelende metalen trap, kreeg hij te horen dat er op de Tyburnheuvel aan het eind van de straat honderden katholieken waren opgehangen of onthoofd. In Elizabethaanse tijden had er kennelijk een soort diplomatieke immuniteit bestaan, want de Spaanse ambassadeur mocht deze executies bijwonen en haarlokken van de doden meenemen. In moderne tijden waren er nog meer relieken aan het licht gekomen, toen de heuvel was afgegraven om plaats te maken voor een rotonde.

De crypte leek op een grote kelder in een industrieel gebouw. Hij had een zwarte betonnen vloer en een wit gewelfd plafond. Iemand had glazen vitrines gebouwd om botfragmenten en stukjes met bloed bevlekte kleding tentoon te stellen. Er hing zelfs een ingelijste brief die een van de martelaren in de gevangenis had geschreven.

'Dus het waren allemaal katholieken?' vroeg Gabriel. Hij staarde naar een vergeeld dijbeen en twee ribben.

'Ja. Katholieken.'

Gabriel keek naar het gezicht van de non en realiseerde zich dat ze loog. Kennelijk zat die zonde haar dwars, want ze worstelde een ogenblik met haar geweten en zei toen, heel voorzichtig: 'Katholieken en... nog een paar anderen.'

'U bedoelt Reizigers?'

'Ze keek hem verschrikt aan. 'Ik heb geen idee waarover u het heeft.'

'Ik ben op zoek naar mijn vader.'

De non schonk hem een begrijpend glimlachje. 'Woont hij in Londen?'

'Mijn vader is Matthew Corrigan. Volgens mij heeft hij mij vanaf dit adres een brief gestuurd.'

Zuster Bridget bracht haar rechterhand naar haar borst, alsof ze een klap wilde afweren. 'In dit klooster mogen geen mannen wonen.'

'Mijn vader verbergt zich voor mensen die hem kwaad willen doen.'

De angstige blik van de non veranderde nu in een van paniek. Ze wankelde achteruit, in de richting van de trap. 'Matthew heeft ons verteld dat hij een teken zou achterlaten in de crypte. Meer kan ik u niet vertellen.'

'Ik moet hem vinden,' zei Gabriel. 'Vertel me alstublieft waar hij is.'

'Het spijt me, meer kan ik niet zeggen,' fluisterde de non. En toen was ze verdwenen. Haar zware schoenen bonkten over de metalen trap.

Gabriel liep de crypte rond als een man die zit opgesloten in een gebouw dat op het punt staat om in te storten. Beenderen. Heiligen. Een met bloed bevlekt hemd. Hoe kon dit alles hem naar zijn vader leiden?

Voetstappen op de trap. Hij verwachtte zuster Bridget weer te zien, maar het was zuster Ann. De Ierse non keek kwaad. Licht reflecteerde in haar brillenglazen.

'Kan ik je helpen, jongeman?'

'Ja. Ik ben op zoek naar mijn vader, Matthew Corrigan. En die andere non, zuster Bridget, vertelde me...'

'Zo is het genoeg. U moet hier weg.'

'Zij zei dat hij een teken had achtergelaten – '

'Gaat u onmiddellijk weg, anders bel ik de politie.'

De uitdrukking op het gezicht van de bejaarde non liet hem geen ruimte om te protesteren. De sleutels aan de metalen ring rammelden vrolijk toen zij Gabriel liet voorgaan op de trap en vervolgens via de voordeur uitliet. Hij stond in de kou toen zuster Ann de deur begon te sluiten.

'Zuster, alstublieft. U moet begrijpen – '

'Wij weten wat er in Amerika is gebeurd. Ik heb in de krant gelezen hoe al die mensen zijn vermoord. Ook kinderen. Zelfs de kleinsten hebben ze niet gespaard. Zulke dingen mogen hier niet gebeuren!'

Ze sloeg de deur keihard dicht en Gabriel hoorde het geluid van zware sloten. Het liefst had hij willen schreeuwen en op de deur willen bonken, maar dan zou de politie komen. Zonder te weten wat hij nu moest doen, keek de Reiziger uit over het verkeer en de kale bomen van Hyde Park. Hij bevond zich in een vreemde stad, zonder geld en zonder vrienden, en niemand om hem te beschermen tegen de Tabula. Hij was alleen, helemaal alleen, in de onzichtbare gevangenis.

# 13

Na een paar uur doelloos te hebben rondgedwaald, vond Gabriel in Goodge Street, vlak bij de Universiteit van Londen, een internetcafé. Het café werd gerund door een paar vriendelijke Koreanen die slechts enkele woorden Engels spraken. Gabriel kreeg een betaalkaart en liep naar de rij computers. Een paar mensen zaten porno te bekijken, terwijl anderen goedkope vliegtickets kochten. De blonde tiener die achter de computer naast hem zat speelde een onlinespel waarin zijn avatar zich verborgen hield in een gebouw, en iedere vreemdeling vermoordde die zijn gezicht liet zien.

Gabriel nam plaats achter de computer en probeerde via verschillende chatrooms Linden te vinden, de Franse Harlekijn die geld naar New York had gestuurd. Toen hij na twee uur nog steeds geen succes had, liet hij een boodschap achter op een website voor verzamelaars van antieke zwaarden. *G. in Londen. Heb geld nodig.* Hij betaalde de Koreanen voor zijn computertijd en bracht de rest van de dag door in de leeszaal van de bibliotheek van de Universiteit van Londen. Toen de bibliotheek om zeven uur dichtging, liep hij terug naar het internetcafé en zag dat er niemand op zijn bericht had gereageerd.

Eenmaal terug op straat, was het zo koud dat hij zijn adem kon zien. Hij werd gepasseerd door een groepje lachende studenten. Hij had nog geen tien pond in zijn zak.

Het was te koud om buiten te slapen en in de ondergrondse hingen beveiligingscamera's. Terwijl hij over Tottenham Court Road liep, langs de helder verlichte winkels waar televisies en computers werden verkocht, schoot hem te binnen dat Maya hem een keer iets had verteld over een locatie in West Smithfield, waar de autoriteiten vroeger ketters, opstandelingen en Harlekijns executeerden. Ze had zelfs een keer de taal van haar vader gebruikt toen ze het over die bewuste plek had en noemde het *Blutacker*. Het Duitse woord verwees oorspronkelijk naar de begraafplaats vlak buiten Jeruzalem, gekocht met het zilver van Judas, maar daarna had het een meer algemene betekenis gekregen, namelijk een vervloekte plek – bloedgrond. Als dit werkelijk een Harlekijnplek was, was er misschien ook wel een mededelingenbord in de buurt of een aanwijzing waar hij hulp kon vinden.

Hij sloeg de richting van Oost-Londen in en vroeg de weg aan mensen die allemaal óf dronken óf verdwaald leken. Eén man die nauwelijks nog op zijn benen kon staan begon met zijn armen in het rond te maaien alsof hij vliegen wilde doodslaan. Uiteindelijk liep Gabriel Giltspur Street in, langs St. Bartholomew's Hospital, en vond daar twee gedenktekens die vlak bij elkaar stonden. Het ene was ter herinnering aan de Schotse verzetsheld William Wallace, terwijl de andere plaquette, die er hooguit een meter vandaan stond, de plek aangaf waar men ooit katholieken op de brandstapel had gezet. *Blutacker,* dacht Gabriel. Maar er waren nergens Harlekijntekens te bekennen.

De monumenten de rug toekerend, liep hij naar St. Bartholomew the Great, een romaans kerkje. De stenen muren van de kerk waren in de loop der jaren afgebrokkeld en donker geworden, en het stenen pad ernaartoe was bedekt met modder. Gabriel liep onder een poort door en kwam op een begraafplaats terecht. Vlak voor hem bevond zich een zware houten deur met ijzeren scharnieren die toegang gaf tot het kerkje. Er stond iets op de onderkant van de deur gekrabbeld en toen hij dichterbij kwam zag hij dat er met een zwarte viltstift vier woorden op geschreven stonden: HOOP OP EEN REIZIGER.

Was de kerk een toevluchtsoord? Gabriel klopte op de deur en bonsde er vervolgens met allebei zijn vuisten op, maar er werd niet opengedaan. Misschien hoopten de mensen dat er een Reiziger langs zou komen, maar hij had het koud en hij was moe en had hulp nodig. Terwijl hij zo op de begraafplaats stond, voelde hij een sterk verlangen om uit zijn lichaam te breken en deze wereld voorgoed te verlaten. Michael had gelijk. De strijd was gestreden en de Tabula hadden gewonnen.

Toen hij zich omdraaide bedacht hij ineens hoe Maya in New York gebruik had gemaakt van mededelingenborden. Wat ze schreef leek op graffiti, maar elke letter en elk lijntje bevatte informatie. Hij hurkte neer bij de deur en zag dat HOOP onderstreept was. Misschien was het toeval, maar de zwarte streep had een klein haakje aan het eind, bijna als een pijl.

Toen Gabriel weer onder de poort door liep, zag hij dat de pijl – als het een pijl was – naar Smithfield Market wees. Een grote man in een wit slagersschort kwam langslopen met een boodschappentas vol bierblikjes. 'Neemt u mij niet kwalijk,' zei Gabriel. 'Waar is... Hoop? Is dat een plek?'

De slager lachte hem niet uit en maakte hem niet uit voor krankjorum. Hij wees met zijn hoofd in de richting van de markt. 'Een eindje verderop, vriend. Het is hier vlakbij.'

Gabriel stak Long Lane over en liep naar de Smithfield vleesmarkt. Honderden jaren lang was deze wijk een van de gevaarlijkste plekken van Londen geweest. Bedelaars, hoeren en zakkenrollers mengden zich tussen de menigtes terwijl hele kuddes vee door de smalle straatjes naar het slachthuis werden gedreven. Warm bloed stroomde door de goten en verspreidde een flauwe witte damp in de winterse lucht. Boven de slachterij cirkelden de raven, om zo nu en dan plotseling omlaag te duiken en te vechten om wat vleesafval.

Die tijd behoorde tot het verleden en nu was het grote plein omzoomd door restaurants en boekwinkels. Maar 's avonds, wanneer iedereen naar huis was gegaan, keerde de geest van het oude Smithfield terug. Het was een duistere plek, een schaduwplek, een plek die gewijd was aan de dood.

Het grote plein tussen Long Lane en Charterhouse Street werd gedomineerd door het twee verdiepingen tellende gebouw van waaruit al het vlees door heel Londen werd gedistribueerd. Deze enorme markt besloeg de hele lengte van een aantal stadsblokken en werd door vier straten in stukken verdeeld. Om het hele gebouw heen liep een moderne plexiglas luifel die vrachtwagenchauffeurs die hun goederen kwamen inladen tegen de regen moest beschermen, maar de markt zelf was een gerenoveerd voorbeeld van victoriaans zelfvertrouwen. In de muren van de markt waren witte stenen bogen aangebracht, waarvan de openingen waren opgevuld met Londense bakstenen. Aan twee kanten van het gebouw bevonden zich reusachtige ijzeren poorten die paars en groen waren geverfd.

Hij liep een keer om het hele gebouw heen en vervolgens nog een keer, op zoek naar graffiti. Het leek te gek voor woorden om in deze omgeving naar 'hoop' te zoeken. Waarom had de man in het slagersschort hem gezegd deze straat in te lopen? Doodmoe ging Gabriel op een betonnen bankje zitten, op een klein plein aan de overkant van de markt. Hij hield zijn handen voor zijn mond en probeerde zijn vingers warm te blazen. Toen keek hij om zich heen. Hij bevond zich op de kruising van Cowcross Street en St. John's. De enige zaak die nog open was, was een pub met een houten gevel, een meter of zes verderop.

Toen Gabriel de naam van de pub las, verscheen er voor het eerst in dagen een lach op zijn gezicht. Hoop. Het was de Hope Pub. Hij stond op van het bankje, liep op het warme licht af dat door het beslagen glas naar buiten scheen en bestudeerde het uithangbord dat boven de ingang bungelde. Het was een primitieve afbeelding van twee drenkelingen die zich te midden van een woeste zee vastklemden aan een vlot. In de verte was een zeilschip aan de horizon verschenen en beide mannen zwaaiden wanhopig. Een kleiner bordje gaf aan dat er boven de zaak een restaurant gevestigd was dat de Sirloin heette, maar waarvan de keuken een uur eerder al dicht was gegaan.

Toen hij de kroeg binnenging verwachtte hij half een groots moment. *Je hebt het raadsel opgelost, Gabriel. Welkom thuis.* In plaats daarvan trof hij een waard aan die zichzelf stond te krabben, terwijl een bardame met een stuurs gezicht de toog stond schoon te vegen met een doekje. Voor in de zaak stonden zwarte tafeltjes en achterin een paar banken. Op een plank aan de muur stonden, naast vier stoffige champagneflessen, een paar opgezette fazanten.

Er waren maar drie klanten: een echtpaar van middelbare leeftijd, dat fluisterend zat te kibbelen, en een vermoeid uitziende oude man die in zijn lege glas zat te staren. Met een paar van zijn resterende munten kocht Gabriel een glas bier, waarmee hij zich terugtrok in een nis met zachte banken en een donkere houten lambrisering. De alcohol werd geabsorbeerd door zijn lege maag en stilde zijn honger. Gabriel deed zijn ogen dicht. *Heel even maar*, zei hij tegen zichzelf. Maar hij gaf toe aan zijn vermoeidheid en viel in slaap.

Zijn lichaam voelde de verandering. Een uur geleden was de ruimte nog kil en stil geweest. Nu was hij gevuld met energie. Toen Gabriel wakker werd hoorde hij het geluid van stemmen en gelach en hij voelde een kille tochtvlaag van de deur die telkens open- en dichtging.

Hij deed zijn ogen open. De pub was nu vol mannen en vrouwen van zijn eigen leeftijd, die elkaar begroetten alsof ze elkaar weken niet hadden gezien. Hier en daar hadden een paar mensen op goedmoedige wijze een meningsverschil, waarna ze beiden wat geld gaven aan een man die een grote zonnebril droeg.

Waren het voetbalfans, dacht Gabriel. Hij wist dat de Engelsen helemaal gek waren van voetbal. De mannen in de pub droegen sweatshirts met capuchons en spijkerbroeken. Sommigen hadden tatoeages – ingewikkelde ontwerpen die onder hun shirts vandaan kwamen en zich om hun hals krulden. Geen van de vrouwen droeg een jurk of een rok; hun haar was heel kort geknipt of in een staartje gebonden, alsof het strijdbare Amazones waren.

Hij bestudeerde een paar mensen die aan de bar stonden en besefte dat ze slechts één specifiek ding met elkaar gemeen hadden – hun schoenen. De sportschoenen waren niet van het soort dat speciaal was ontworpen om te basketballen of door het park te joggen; ze hadden flitsende kleuren, bijzondere veters en zolen met een soort profiel dat je nodig had om over afwisselend terrein te rennen.

Een nieuwe tochtvlaag gaf aan dat er een nieuwe klant binnenkwam. Hij was luidruchtiger, vriendelijker en in elk geval dikker dan de rest van de mensen. Zijn vette zwarte haar werd gedeeltelijk bedekt door een wollen muts met een belachelijke witte pompon erbovenop. Zijn nylon jack stond open en onthulde een prominent aanwezige buik en een T-shirt met een zijdedrukafbeelding erop van een bewakingscamera met een brede rode diagonale streep erdoorheen.

De man met de muts bestelde een biertje en maakte een snel rondje door de pub, waarbij hij mensen op de rug sloeg en handen schudde als een wethouder die herkozen wil worden. Toen Gabriel goed keek zag hij toch een bepaalde spanning in zijn ogen. Toen hij op die manier wat mensen had begroet, kwam de man bij hem op de bank zitten en toetste een nummer in op een mobiele telefoon. Toen er kennelijk niet werd opgenomen, sprak hij een boodschap in.

'Dogsboy! Met Jugger! Wij zitten in de Hope and Sirloin. Alle ploegen zijn er. Dus waar ben jij, vriend? Bel me.'

De man met de muts klapte zijn mobieltje dicht en zag Gabriel naast zich zitten. 'Kom jij uit Manchester?'

Gabriel schudde zijn hoofd.

'Bij welke ploeg zit jij dan?'

'Wat bedoel je?'

'O, je komt uit Amerika. Ik ben Jugger. Hoe heet jij?'

'Gabriel.'

Jugger wees op de menigte. 'Al die mensen zijn *freerunners*. Vanavond zijn er drie ploegen uit Londen plus nog een uit Manchester.'

'En wat zijn freerunners?'

'Kom nou! Ik weet dat jullie ze in de VS ook hebben. Het is begonnen in Frankrijk met een paar jongens die gewoon wat lol maakten op de daken. Het is een manier om de stad te zien als een grote hindernisbaan. Je klimt over muren en springt van het ene gebouw naar het andere. Je breekt los. Daar gaat het in principe om: losbreken. Snap je?'

'Dus het is een sport?'

'Voor sommigen. Maar de ploegen die je hier vanavond ziet vormen echt de harde kern. Dat wil zeggen dat wij rennen waarheen we willen. Geen grenzen. Geen regels.' Jugger keek even naar links en naar rechts, alsof hij hem een geheim ging vertellen. 'Heb je wel eens gehoord van de Grote Machine?'

Gabriel onderdrukte de neiging om te knikken. 'Wat is dat?'

'Dat is het computersysteem dat ons met scannerprogramma's en bewakingscamera's voortdurend in de gaten houdt. De freerunners weigeren deel uit te maken van de Grote Machine. Wij rennen overal dwars doorheen.'

Gabriel keek naar de deur toen een nieuw groepje freerunners de kroeg binnenkwam. 'Is dit dan een soort wekelijkse bijeenkomst?'

'Niks bijeenkomst, vriend. Wij zijn hier voor de rechte-lijnrace. Dogsboy is onze man, alleen is hij er nog niet.'

Jugger bleef zitten, terwijl zijn ploeg zich om hem heen begon te verzamelen. Ice was een meisje van een jaar of vijftien, zestien. Ze was klein en had een ernstig gezichtje, met getekende wenkbrauwen die haar op een minderjarige geisha deden lijken. Roland was een man uit Yorkshire die heel langzaam praatte. Sebastian was een parttimestudent, bij wie de pocketboeken uit de zakken van zijn gerafelde regenjas puilden. Jugger was de onofficiële leider van de ploeg en werd eindeloos geplaagd met zijn gewicht en zijn 'ijsmuts'.

Gabriel was nog nooit in Engeland geweest en had soms wel moeite alles te volgen wat er werd gezegd. Het Britse Engels bleek hier en daar toch wel af te wijken van het Amerikaanse. Niet alleen het Engels klonk anders, maar er bleek ook een apart freerunner-vocabulaire te bestaan. De vier leden van de ploeg hadden het over *monkey vaults, cat leaps en wall runs*. Ze klommen niet gewoon tegen de zijkant van een gebouw op; ze 'maakten het volledig in' of 'verslonden' het.

De mensen hadden het steeds maar over hun beste renner – Dogsboy – maar hij was er nog steeds niet. Op een gegeven moment begon Juggers mobieltje te piepen en gebaarde hij dat iedereen zijn mond moest houden.

'Waar zit je nou?' vroeg Jugger. Naarmate het gesprek vorderde, keek hij eerst geërgerd en toen boos. 'Je had het beloofd, vriend. Dit zijn jouw mensen. Je laat je ploeg zitten... Doe niet zo lullig... Je kunt toch niet zomaar... Verdomme!'

Jugger klapte zijn mobieltje dicht en begon te vloeken. Gabriel kon er de helft niet van verstaan.

'Ik neem aan dat Dogsboy niet present zal zijn,' zei Sebastian.

'De rotzak beweert dat hij last heeft van zijn been. Ik wed om een tientje dat hij in zijn nest ligt met een lekker wijf.'

De rest van de ploeg begon zich nu ook te beklagen over het verraad van hun vriend, maar ze werden stil toen de man met de grote zonnebril naar hen toe kwam. 'Dat is Mash,' fluisterde Roland tegen Gabriel. 'Hij houdt alle weddenschappen voor vanavond bij.'

'Waar is jullie renner?'

'Ik heb hem net gesproken,' zei Jugger. 'Hij... hij probeert een taxi te pakken te krijgen.'

Mash wierp Juggers mensen een laatdunkende blik toe, alsof hij al wist wat er aan de hand was. 'Als hij er over tien minuten nog niet is, zijn jullie je weddenschappen kwijt, plus de honderd pond inschrijfgeld.'

'Het zou ook – heel misschien – kunnen dat hij last heeft van zijn been.'

'Je kent de regels. Zonder renner verlies je je inschrijfgeld.'

'Vuile rotzak,' mompelde Jugger. Nadat Mash weer was teruggekeerd naar de bar keek hij op naar zijn mensen. 'Oké. Wie is de renner? Ik heb een vrijwilliger nodig.'

'Ik doe technische dingen, geen rechte lijn,' zei Ice. 'Dat weet je.'

'Ik ben snipverkouden,' zei Roland.

'Dat ben je al drie jaar!'

'Waarom doe je het zelf niet, Jugger?'

Gabriel had vroeger thuis altijd graag in bomen geklommen en over de balken van de grote schuur geklauterd. In Californië was hij uitdagingen blijven zoeken in het racen met motoren en parachutespringen. Maar in New York, in de periode dat Maya herstellende was van haar verwondingen, had hij zijn kracht en behendigheid naar een heel nieuw niveau getild. 's Avonds hadden zij samen kendo-oefeningen gedaan. In plaats van bamboestokken had Maya haar Harlekijnzwaard gebruikt en hij het talismanzwaard. Het waren de enige keren dat zij vrijelijk naar elkaars lichaam hadden gekeken. Hun intense relatie leek tot uitdrukking te komen in een meedogenloze strijd. Aan het einde van een kendotraining hijgden ze allebei als een molenpaard en waren ze kletsnat van het zweet.

Gabriel boog zich naar voren en knikte naar Jugger. 'Ik wil het wel doen,' zei hij. 'Ik wil wel voor jullie ploeg rennen.'

'En wie mag jij dan wel zijn?' vroeg Ice.

'Dit is Gabriel,' stelde Jugger hem haastig voor. 'Een Amerikaanse freerunner. Een expert.'

'Als jullie geen renner hebben, verliezen jullie honderd pond,' zei Gabriel. 'Ik stel voor dat jullie mij dat geld betalen. Zo maakt het voor jullie niets uit en misschien win ik jullie weddenschappen wel.'

'Weet je wat je moet doen?' vroeg Sebastian.

Gabriel knikte. 'Een wedstrijd lopen. Tegen een paar muren op klimmen.'

'Je moet over het dak van Smithfield Market rennen, de sprong naar het oude slachthuis maken en vervolgens de straat door naar het kerkhof van St. Sepulchre-without-Newgate,' zei Ice. 'Als je struikelt val je twintig meter omlaag naar de straat.'

Dit was het moment – hij kon nu nog van gedachten veranderen. Maar Gabriel voelde zich alsof hij bezig was geweest te verdrinken in een rivier en er opeens een boot was verschenen. Hij had slechts een paar seconden om een touw te grijpen.

'Wanneer beginnen we?'

Vanaf het moment dat hij de beslissing had genomen, had Gabriel het gevoel omringd te zijn door een nieuwe groep beste vrienden. Toen hij bekende dat hij honger had, haastte Sebastian zich naar de bar en kwam even later terug met een chocoladereep en een zakje zoute chips met azijnsmaak. Gabriel at het snel op en voelde een nieuwe golf energie. Hij besloot geen alcohol te nemen, hoewel Roland aanbood een biertje voor hem te halen.

Jugger leek nieuw zelfvertrouwen te krijgen nu zijn ploeg weer een renner had. Hij ging nog een keer de hele bar rond en Gabriel hoorde zijn harde stem boven al het andere lawaai uit. Binnen enkele minuten verkeerde de helft van de mensen in de overtuiging dat Gabriel een bekende freerunner uit de Verenigde Staten was die speciaal naar Londen was overgekomen vanwege zijn vriendschap met Juggers mensen.

Gabriel at nog een reep chocola en ging toen naar het herentoilet om wat water in zijn gezicht te plenzen. Toen hij naar buiten kwam, stond Jugger hem al op te wachten. Hij duwde een deur open en leidde Gabriel naar een binnenplaats die 's zomers door de pub werd gebruikt.

'Even als mannen onder elkaar,' zei Jugger. Al zijn grootspraak was verdwenen en hij maakte een verlegen en onzekere indruk – het dikke jongetje dat op school altijd was gepest. 'Eerlijk zeggen, Gabriel. Heb je dit wel eens eerder gedaan?'

'Nee.'

'Zoiets als dit is niet voor de gewone burger. Het is een heel snelle manier om dood te gaan. Als je wilt kunnen we er via de achteruitgang tussenuit knijpen.'

'Ik ben niet van plan om weg te lopen,' zei Gabriel. 'Ik kan het heus wel...'

De deur vloog open. Sebastian en drie andere freerunners kwamen de binnenplaats op. 'Hier is hij!' riep iemand. 'Opschieten! Tijd om te beginnen!'

Toen ze de pub verlieten werd Jugger opgeslokt door de menigte, maar Ice kwam naast Gabriel lopen. Ze greep hem stevig bij zijn arm en fluisterde tegen hem: 'Kijk naar je voeten, maar kijk niet verder omlaag.'

'Oké.'

'Als je tegen een muur op klimt, probeer je er dan niet tegenaan te drukken. Duw je lichaam er juist een beetje vanaf. Dat helpt je je zwaartepunt te bepalen.'

'Verder nog iets?'

'Als je bang wordt, niet verdergaan. Gewoon blijven waar je bent, dan halen wij je wel van het dak. Wanneer mensen bang worden, vallen ze.'

Er was niemand anders op straat dan de freerunners en sommigen van hen begonnen een beetje op te scheppen – ze sprongen op de rand van betonnen muurtjes en deden achterwaartse salto's. Verlicht door de beveiligingslampen, zag Smithfield Market eruit als een reusachtige stenen tempel die midden in Londen was neergekwakt. Er hingen plastic lakens voor de stalen deuren die de laadperrons afsloten en de nachtwind liet ze zachtjes heen en weer wapperen.

Mash leidde hen om de markt heen en legde de route van de wedstrijd uit. Zodra ze op het dak waren, moesten ze de hele lengte van het gebouw over rennen en een metalen luifel gebruiken om de straat over te steken naar een verlaten slachthuis. Vervolgens moesten ze op de een of andere manier weer op de straat zien te komen en naar Snow Hill rennen, naar St. Sepulchre-without-Newgate. De eerste renner die het omheinde kerkhof bereikte was de winnaar.

Toen de rest van de menigte de straat in liep, wees Ice hem de andere mannen aan die aan de race zouden deelnemen. Cutter was een bekende ploegleider uit Manchester. Hij droeg duur uitziende schoenen en een rood trainingspak, gemaakt van een satijnachtige stof die glansde in het licht. Ganji was een van de Londense renners – een Perzische emigrant van even in de twintig met een slanke, atletische lichaamsbouw. Malloy was de vierde renner, klein en gespierd en met een gebroken neus. Volgens Ice werkte hij als parttime barkeeper in dansclubs in Londen.

Ze bereikten de noordkant van de markt en bleven aan de overkant van de straat staan, voor een slagerij die was gespecialiseerd in orgaanvlees. Gabriels honger was verdwenen en hij was zich in hoge mate bewust van zijn nieuwe omgeving. Hij hoorde mensen lachen en praten en rook een vage knoflookgeur die afkomstig was uit het Thaise restaurant een eindje verderop. De keien waren nat en zagen eruit als stukken glanzend zwart obsidiaan.

'Niet bang zijn,' fluisterde Ice als een soort bezwering. 'Niet bang zijn... Niet bang zijn...'

Het marktgebouw rees als een massieve muur voor de freerunners op. Gabriel zag dat hij tegen het smeedijzeren hek zou moeten klimmen om op de doorzichtige plexiglas luifel te komen, die zich zo'n negen meter boven de keien bevond. De luifel werd op zijn plaats gehouden door stalen stangen die in een hoek van vijfenveertig graden uit de muur kwamen. Hij zou tegen een van die stangen op moeten klimmen om het dak te bereiken.

Opeens werd het stil en keek iedereen naar de vier renners. Jugger kwam voor Gabriel staan en overhandigde hem een paar klimhandschoenen zonder vingers. 'Trek deze aan,' zei hij. 'Dat staal wordt 's nachts verrekte koud.'

'Wanneer ik klaar ben wil ik meteen mijn geld.'

'Maak je geen zorgen, vriend. Beloofd is beloofd.' Jugger gaf Gabriel een klap op zijn schouder. 'Je bent een rare vogel. Ik kan niet anders zeggen.'

Cutters rode trainingspak leek op te gloeien onder de beveiligingslampen. Hij kwam naar Gabriel toe lopen en knikte. 'Dus jij komt uit Amerika?'

'Inderdaad.'

'Weet je wat een *splat* is?'

Jugger keek nerveus. 'Kom op nou. We gaan net beginnen.'

'Ik probeer alleen maar te helpen,' zei Cutter. 'Een beetje opleiding voor onze neef uit Amerika. Een splat is wanneer je niet weet waar je mee bezig bent en van een dak valt.'

Gabriel bleef doodstil staan en keek Cutter diep in de ogen. 'Er bestaat altijd een kans dat je valt. De vraag is – denk je daaraan? Of ben je in staat het uit je hoofd te zetten?'

Cutters mondhoek trilde een beetje, maar hij wist zijn angst te beheersen en spuwde op de grond.

'Er kan niet meer gewed worden,' riep een stem. En toen ging de menigte uiteen en kwam Mash voor hen staan.

'We hebben dit georganiseerd omdat Manchester de Londense ploegen heeft uitgedaagd. Dat de beste renner moge winnen en al die onzin meer. Maar wat wij hier doen is meer dan een wedstrijd. De meesten van jullie weten dat wel. Muren en hekken houden ons niet tegen. De Grote Machine kan ons niet vinden. Wij maken onze eigen plattegrond van deze stad.'

Mash stak zijn rechterhand in de lucht en telde. 'Eén, twee...'

Cutter rende naar de overkant en de rest volgde. De smeedijzeren hekken waren ontworpen om op bloemen en ranken te lijken. Steun zoekend in deze openingen, begon Gabriel te klimmen.

Toen ze de bovenkant van het hek hadden bereikt, glipte de tengere Ganji tussen de luifel en de muur. Cutter deed hetzelfde, gevolgd door Gabriel en Malloy. Hun schoenen maakten een bonkend geluid op het doorzichtige plastic en de luifel trilde. Gabriel greep een van de stangen die uit de bovenkant van de muur staken. De stalen stang was zo dun als een touw en moeilijk vast te houden.

Aan de stang hangend, trok hij zich hand over hand omhoog. Toen hij het einde van de stang bereikte, vond Gabriel een ruimte van negentig centimeter tussen de stang en de bovenkant van de wit stenen gevelrand die om het hele dak heen liep. *Hoe moet ik daar bovenop komen?* dacht hij. *Dat is niet te doen.*

Gabriel keek naar links en zag hoe de andere drie mannen de gevaarlijke overstap naar het dak probeerden te maken. Malloy had de sterkste armen en schouders. Hij sloeg zijn benen om de stang en zwaaide zijn lichaam om, zodat hij nu boven op de stang stond. Zich stevig vasthoudend, probeerde hij zijn gewicht naar het onderste deel van zijn lichaam te verplaatsen. Toen zijn voeten zich in de juiste positie bevonden, liet hij de stang los, reikte naar de rand van de gevel en viel. Malloy kwam op de plexiglas luifel terecht en begon omlaag te rollen, maar greep zich vast aan de rand en stopte. Hij leefde nog.

Gabriel vergat de anderen en concentreerde zich op zijn eigen bewegingen. In navolging van Malloys strategie draaide hij zich om, zodat zijn voeten op de bovenste rand van de schuine stang stonden. Zijn handen had hij net een centimeter of tien hoger. Hij maakte zich klein als een man die in een doos wordt gepropt, verplaatste het volle gewicht van zijn lichaam naar zijn voeten en gooide zichzelf toen omhoog.

Gabriel greep de wit stenen gevelrand; het was een soort klein muurtje rond de rand van het dak. Hij had alle kracht in zijn armen nodig om zich op te trekken en over de rand te klauteren.

Het leien dak van Smithfield Market lag als een donkergrijze weg voor hem. De nachtelijke hemel was helder; de sterren waren stipjes blauwachtig wit licht. Gabriels geest begon in het bewustzijn van een Reiziger te glippen. Hij zag de realiteit om hem heen als een beeld op een scherm.

Cutter en Ganji renden langs hem heen en Gabriel keerde weer terug in het hier en nu. De losliggende dakleien maakten een klikkend geluid toen hij de achtervolging van zijn twee tegenstanders inzette. Een paar tellen later bereikte hij de eerste opening in het dak: een negen meter breed gedeelte waar een weg het gebouw in tweeën deelde. Het gat werd overbrugd door betonnen bogen met daarop platen ivoorkleurig glasvezel, maar de glasvezel zag er niet sterk genoeg uit om zijn gewicht te kunnen dragen. Met de bewegingen van een koorddanser stapte hij op een boog en stak over naar de andere kant van de straat. Cutter en Ganji begonnen uit te lopen. Zijn blik gleed langs hen heen naar de sterren en het leek wel alsof ze allemaal in de richting van die donkere uitgestrektheid van de ruimte renden.

Bij de tweede open plek waren de glasvezelplaten verdwenen en overbrugden alleen de betonnen bogen de straat. Indachtig wat Ice hem had verteld, concentreerde Gabriel zich op zijn voeten en probeerde niet naar de weg daarbeneden te kijken, waar een handjevol nieuwsgierige freerunners omhoogtuurde om hun vorderingen te volgen.

Gabriel was ontspannen en bewoog zich gemakkelijk, maar hij was wel bezig de wedstrijd te verliezen. Hij moest weer stoppen om een derde serie bogen over te steken. Halverwege zag hij Cutter en Ganji op een steile metalen luifel springen die langs Long Lane naar het dichtgetimmerde stenen gebouw voerde dat ooit dienst had gedaan als slachthuis.

Cutter was het hele dak over gerend. Nu liep hij heel langzaam en voorzichtig over de luifel. Ganji bevond zich een meter of vijf bij hem vandaan en besloot de leiding te nemen. Hij stapte op de linkerkant van de luifel, rende drie stappen en gleed uit. Hij viel en rolde gillend verder tot zijn benen over de rand verdwenen en zijn handen zich vastgrepen aan de dakgoot.

Ganji bungelde in de lucht. Zijn ploeg stond beneden op straat en schreeuwde dat hij zich vast moest houden – hij hoefde zich alleen maar vast te houden! – dan zouden zij naar boven komen en hem helpen. Maar Ganji had hun hulp niet nodig. Hij trok zichzelf een eindje op en wist één been op de glibberige metalen luifel te krijgen, gevolgd door de rest van zijn lijf. Tegen de tijd dat Gabriel bij hem was, lag de freerunner met zijn gezicht omlaag. Duwend met zijn tenen en zich optrekkend aan zijn handen, bracht hij zich langzaam in veiligheid.

'Gaat het?' riep Gabriel naar hem.

'Maak je over mij maar geen zorgen. Ga door! Londen is nummer één!'

Cutter had ver op Gabriel voorgelegen, maar die voorsprong verdween op het platte dak van het slachthuis. De freerunner rende heen en weer, op zoek naar een brandtrap of een ladder waarlangs hij omlaag zou kunnen komen naar de straat. Cutter rende naar de zuidwestelijke hoek van het gebouw, klauterde over een laag muurtje, greep een regenpijp en zwaaide over de rand. Gabriel rende ook naar die hoek en keek omlaag. Cutter gleed centimeter voor centimeter langs de regenpijp naar beneden, waarbij hij zijn bewegingen onder controle hield met de zijkanten van zijn klimschoenen. Toen hij Gabriel zag, stopte Cutter even en knikte naar zijn tegenstander.

'Sorry voor wat ik zei voordat we van start gingen. Ik wilde je alleen maar zenuwachtig maken...'

'Ik snap het.'

'Ganji is door het oog van de naald gekropen. Is alles in orde met hem?'

'Ja. Hij mankeert niks.'

'Londen heeft het goed gedaan, makker. Maar deze keer wint Manchester het toch.'

Gabriel deed wat hij Cutter had zien doen en zwaaide zichzelf op de regenpijp. Onder hem manoeuvreerde Cutter om wat groene hulsttakken heen en duwde ze weg met zijn armen tot hij eindelijk bij de grond was.

Op het moment dat Cutter op straat stapte, besloot Gabriel een risico te nemen. Hij duwde zich af van de muur, liet de regenpijp los en viel zes meter naar beneden tussen de struiken. De takken kraakten en braken, maar hij ging mee met de beweging, rolde opzij en kwam op zijn voeten terecht.

Er waren een paar freerunners verschenen, als toeschouwers die naar een stadsmarathon stonden te kijken. Cutter liet zien wat hij kon en rende over een rij geparkeerde auto's. Met één sprong stond hij op een motorkap; in twee stappen was hij over het dak, een sprong verwijderd van de kofferbak vanwaar hij naar de volgende auto sprong. Er begonnen autoalarmen af te gaan en het hoge, trillende geluid weerkaatste tegen de muren. Cutter riep: 'Manchester!' en hief in triomf beide armen hoog in de lucht.

Gabriel rende geruisloos over de keien. Cutter zag zijn tegenstander niet en Gabriel begon steeds verder op hem in te lopen. Ze bevonden zich onder aan Snow Hill, de smalle straat die omhoogvoerde naar St. Sepulchre en het opdoemende silhouet van het Old Bailey-gerechtsgebouw. Cutter sprong over een auto, draaide zich om en zag Gabriel. Verrast sprintte hij meteen verder, de heuvel op. Toen ze nog ongeveer tweehonderd meter van de kerk verwijderd waren, kon Cutter zijn eigen angst niet meer bedwingen. Hij begon keer op keer over zijn schouder te kijken en had alleen nog maar aandacht voor zijn tegenstander.

Opeens dook er een zwarte Londense taxi op uit de schaduwen en draaide de straat in. De taxichauffeur zag het rode trainingspak en trapte bovenop zijn rem. Cutter sprong hoog op, maar zijn benen raakten de voorruit van de taxi en hij stuiterde weg als een lappenpop die op straat wordt gegooid.

De taxi kwam met piepende remmen tot stilstand. De ploeg uit Manchester kwam aanrennen, maar Gabriel vervolgde zijn weg de heuvel op en klom over het spijlenhek naar de verlaten tuin van St. Sepulchre. Daar bukte hij zich, zette zijn handen op zijn knieën en probeerde op adem te komen. Een freerunner in de stad.

# 14

Maya liep East Tremont af en vervolgens Puritan Avenue op. Pal aan de overkant van de straat bevond zich haar huidige schuilplaats – de Bronx Tabernakel van de Goddelijke Kerk van Isaac T. Jones. Vicki Fraser had contact opgenomen met de plaatselijke dominee en hij had de vluchtelingen toestemming gegeven in de kerk te blijven tot ze een nieuw plan hadden verzonnen.

Hoewel Maya liever uit New York was weggegaan, was het East Tremont-gedeelte van de Bronx veel veiliger dan Manhattan. Het was een drukke arbeiderswijk – het soort buurt waar geen grote warenhuizen stonden en slechts een enkel bankgebouw. In East Tremont hingen wel beveiligingscamera's, maar die kon je gemakkelijk ontwijken. De overheidscamera's beveiligden parken en scholen. De particuliere camera's bevonden zich in bars en slijterijen – duidelijk zichtbaar op de toonbank gericht.

Drie dagen eerder waren zij en Alice ontsnapt uit de ondergrondse wereld onder Grand Central Terminal. Overdag hadden ze misschien arbeiders tegen kunnen komen, maar het was heel vroeg in de ochtend en de tunnels waren koud, donker en verlaten. De nachtsloten en hangsloten op de deuren waren standaardmodellen – niet moeilijk open te krijgen met Maya's kleine verzameling lopers en sleutels. Haar enige andere gereedschap was de generator van aselecte getallen die aan een koordje om haar nek bungelde. Bij verschillende kruispunten drukte zij op het knopje en koos een richting gebaseerd op het getal dat op het schermpje oplichtte.

Ze liepen onder de straten van Midtown door en volgden de spoortunnel die naar het westen van Manhattan leidde. Toen ze uit de tunnel tevoorschijn kwamen, was er een nieuwe dag aangebroken. Alice had sinds hun vertrek uit het appartement niet meer gegeten en geslapen, maar het kleine meisje bleef vlak naast haar. Maya hield een taxi aan en vroeg de chauffeur hen naar het Tompkins Square Park te brengen.

Bij het naderen van de mededelingenplek op het monument van de Zuiverste Kinderen zag ze dat er niemand op haar wachtte. Een onaangenaam gevoel – iets wat veel weg had van angst – maakte zich van haar meester. Was Gabriel dood? Hadden de Tabula hem te pakken gekregen? Maya knielde neer op de koude stenen en las de boodschap: BENNAARLONDEN. Ze wist dat Gabriel zijn vader wilde vinden, maar op dat moment voelde zijn besluit als verraad. Haar vader had gelijk – een Harlekijn mocht nooit een band vormen met een Reiziger.

Toen ze het park weer uit kwam, zag ze Alice naast de taxi staan en druk naar haar zwaaien. Maya wilde net boos worden om deze ongehoorzaamheid, toen ze zag dat Hollis en Vicki waren gearriveerd met een andere taxi. Ze vroegen waar Gabriel was en vertelden dat ook zij van hem gescheiden waren geraakt, uiteindelijk de ondergrondse hadden verlaten en een veilig hotelletje hadden genomen in Spanish Harlem. Ze spraken geen van beiden over wat er in het hotel was voorgevallen, maar Maya voelde dat de strijder en de maagd eindelijk geliefden waren geworden. Vicki's ongemakkelijke houding ten opzichte van Hollis was helemaal verdwenen.

Wanneer ze hem in het appartement in Chinatown aanraakte, was dat altijd met een vluchtig, snel gebaar geweest. Nu legde ze de palm van haar hand tegen zijn arm of zijn schouder, alsof ze op die manier hun band wilde bevestigen.

De Bronx Tabernakel van de Goddelijke Kerk was een indrukwekkende naam voor twee huurkamers boven restaurant Happy Chicken. Maya stak de straat over, gluurde door de beslagen ruiten van de Happy Chicken naar binnen en zag twee verveelde koks klaarstaan achter een stoomtafel. Ze had er gisteravond iets te eten gehaald en was erachter gekomen dat het vlees niet gewoon werd bereid in het afhaalrestaurant; het werd ingevroren, ontdooid, in stukken gesneden, platgeslagen met vleeshamers en vervolgens gefrituurd totdat het bedekt was met een keiharde korst.

Vlak naast het restaurant was een deur die toegang gaf tot de tabernakel. Maya opende de deur en beklom de steile trap. Een ingelijste foto van de Profeet, Isaac Jones, hing boven de ingang van de tempel en Maya gebruikte een tweede sleutel om binnen te komen. Ze liep een lange ruimte binnen, die vol stond met houten banken. Vóór in de kamer stonden een preekstoel voor de dominee en een klein podium voor de kerkmusici. Recht achter de preekstoel bevonden zich enkele ramen met uitzicht over de straat.

Hollis had een paar van de banken opgestapeld en tegen de muur geschoven. Zijn blote voeten piepten over de glanzend gewreven houten vloer terwijl hij bezig was zijn oefeningen uit te voeren – een gracieuze reeks bewegingen die de basiselementen van de oosterse vechtkunst vertegenwoordigden. Intussen zat Vicki met een in leer gebonden uitgave van *De verzamelde brieven van Isaac T. Jones* op een bankje. Ze deed net alsof ze zat te lezen, maar keek in werkelijkheid naar de trap- en stootbewegingen van Hollis.

'Hoe is het gegaan?' vroeg Vicki. 'Heb je een internetcafé gevonden?'

'Ik ben uiteindelijk terechtgekomen in een *Tasti D-lite*-ijssalon op Arthur Avenue. Daar staan vier computers met internetverbinding.'

'Is het gelukt om contact te krijgen met Linden?' vroeg Hollis.

Maya keek om zich heen. 'Waar is Alice Chen?'

'In de kinderkamer,' zei Vicki.

'Wat is ze aan het doen?'

'Dat weet ik niet. Ik heb een uurtje geleden een boterham met jam en pindakaas voor haar gemaakt.'

De kerkdiensten duurden zo'n beetje de hele zondagochtend en daarom had de tabernakel voor de jongere kinderen een zijkamer ingericht met speelgoed. Maya liep naar de deur die naar de kamer leidde en keek door een raam. Alice had een groot spandoek van de kerk over een tafel gelegd en vervolgens alle meubelstukken in de kamer om de tafel heen gezet. Maya nam aan dat het meisje in het donkere middelpunt van dit geïmproviseerde fort zat. Als de Tabula de kerk binnendrongen zouden ze een paar tellen langer nodig hebben om bij haar te komen.

'Zo te zien heeft ze het druk gehad.'

'Ze probeert zich te beschermen,' zei Vicki.

Maya liep weer terug naar het midden van de tabernakel. 'Als Gabriel zaterdag een vliegtuig naar Londen heeft genomen, dan is hij daar nu al tweeënzeventig uur. Ik weet zeker dat hij regelrecht naar het Tyburnklooster is gegaan om navraag te doen naar zijn vader. Volgens Linden hebben de Harlekijns nog nooit met die groep nonnen te maken gehad. Hij heeft geen idee of Matthew Corrigan daar is.'

'Dus wat doen we nu?' vroeg Hollis.

'Linden vindt dat we naar Engeland moeten komen om hem te helpen Gabriel te vinden, maar er zijn twee problemen wat betreft identificatie. Omdat Gabriel buiten het Netwerk is opgegroeid, komen de gegevens van zijn valse paspoort overeen met de feiten die we in de Grote Machine hebben ingevoerd.

Dat betekent dat hij het "schoonste" paspoort heeft – het paspoort dat de meeste kans heeft om door de autoriteiten te worden geaccepteerd.'

Vicki knikte langzaam. 'Maar de Tabula beschikken waarschijnlijk over biometrische informatie van Hollis en mij.'

'Over Maya hebben ze ook informatie,' zei Hollis. 'Vergeet niet dat zij een paar jaar in Londen heeft gewoond zonder dat ze moeite deed buiten het Netwerk te blijven.'

'Linden en ik kunnen wel aan schone, niet traceerbare identificatie komen wanneer we eenmaal in Europa zijn, maar het is te riskant om allemaal ons huidige paspoort te gebruiken om naar Londen te vliegen. De Tabula hebben aanhangers bij de verschillende veiligheidsdiensten. Als zij onze valse identiteiten kennen, plakken ze gewoon een terrorismealarm op onze dossiers.'

Hollis knikte. 'En wat is het tweede probleem?'

'Alice Chen heeft niet eens een paspoort. Ik zou niet weten hoe we haar aan boord van een vliegtuig naar Europa kunnen krijgen.'

'Wat betekent dat?' vroeg Hollis. 'Dat we haar hier moeten laten?'

'Nee. We willen de kerk erbuiten houden. Het gemakkelijkste plan is om ergens een hotelkamer te nemen, te wachten tot ze slaapt en dan gewoon weg te gaan.'

Vicki keek geschokt. Hollis was boos. *Zij zullen je nooit begrijpen*, dacht Maya. Dat had Thorn haar wel duizend keer voorgehouden. De gemiddelde burger die je op straat tegenkwam zou nooit begrijpen hoe een Harlekijn tegen de wereld aankeek.

'Ben je helemaal gek geworden?' zei Hollis. 'Alice is de enige ooggetuige van wat er in New Harmony is gebeurd. Als de Tabula erachter komen dat zij nog leeft, vermoorden ze haar.'

'Er is nog een alternatief. Maar dan zullen jullie het feit moeten accepteren dat van nu af aan óf Linden óf ik alle beslissingen neemt.'

Maya liet haar stem met opzet kil en onverzettelijk klinken, maar Hollis liet zich niet intimideren. Hij keek naar Vicki en grinnikte toen. 'Volgens mij krijgen we nu de oplossing te horen voor al onze problemen.'

'Linden heeft geregeld dat we naar Engeland kunnen vertrekken aan boord van een vrachtschip. De reis over de Atlantische Oceaan zal ongeveer een week in beslag nemen, maar het is voor ons wel een manier om het land binnen te komen zonder paspoort. Ik zal Alice hier in New York tegen de Tabula beschermen, maar we kunnen haar niet blijven bewaken. Zodra we in Londen zijn, krijgt ze een nieuwe identiteit en wordt ze in een veilige omgeving ondergebracht.'

'Goed, Maya, we hebben het begrepen,' zei Hollis. 'De Harlekijns willen het voor het zeggen hebben. Geef ons nu even de tijd om erover te praten.'

Terwijl Hollis en Vicki naast elkaar op het bankje gingen zitten, liep Maya naar de ramen en keek naar de overkant van de straat, waar het kerkhof van St. Raymond lag. Het enorme kerkhof was net zo vol en grauw als de stad zelf; de grafstenen, zuilen en treurende engelen stonden dicht op elkaar gepakt.

Het feit dat Hollis en Vicki verliefd op elkaar waren veranderde alles; het impliceerde een leven met z'n tweeën. *Als ze verstandig zijn,* dacht Maya, *vluchten ze zowel voor de Tabula als voor de Harlekijns. Er zit geen toekomst in deze eindeloze strijd.*

'We hebben een besluit genomen,' zei Vicki. Toen Maya terugkeerde naar het midden van de kamer, zag ze dat de twee geliefden nu apart zaten. 'Ik ga met jou en Alice op de boot mee naar Engeland.'

'En ik blijf nog een paar weken in New York,' zei Hollis. 'Ik ga ervoor zorgen dat de Tabula zullen denken dat Gabriel nog in de stad is. Wanneer ik hier klaar ben, moet je maar een andere manier vinden om mij het land uit te krijgen.'

Maya knikte instemmend. Hollis was geen Harlekijn, maar

hij begon wel als een Harlekijn te denken. 'Dat is een goed idee,' zei ze. 'Als je maar wel heel voorzichtig bent.'

Hollis negeerde haar en keek in Vicki's ogen. 'Natuurlijk ben ik voorzichtig. Dat beloof ik.'

# 15

Michael zat achter in de Mercedes en keek uit het zijraampje naar het Duitse platteland. Vanochtend had hij ontbeten in Hamburg en nu reed hij samen met mevrouw Brewster over de Autobahn om het nieuwe computercentrum in Berlijn te gaan bekijken. Voor in de wagen zat naast de Turkse chauffeur een bewaker in een zwart pak. De bewaker werd geacht de Reiziger in de gaten te houden en te voorkomen dat hij ontsnapte, maar daar bestond niet de geringste kans op. Michael koesterde geen enkel verlangen om terug te keren naar de gewone wereld.

Toen ze net in de auto zaten had hij op de achterbank een glanzend houten kistje met houten laatjes zien staan. Michael was ervan uitgegaan dat het kistje geheime informatie over de Broeders bevatte, maar in werkelijkheid zat er alleen een verguld vingerhoedje in, een zilveren schaartje en een hele verzameling zijden borduurgarens.

Mevrouw Brewster zette een koptelefoon op en haalde een lap tevoorschijn waarop een afbeelding van een roos stond gedrukt. Ze voerde een paar telefoongesprekken, steeds op gedempte toon, met leden van de Broeders, terwijl haar sterke vingers intussen de naald door het linnen prikten. Haar favoriete uitdrukking was 'geweldig', maar Michael begon een aardig gevoel te krijgen voor de verschillende manieren waarop ze het woord gebruikte. Sommige leden van de Broeders hadden haar lof verdiend. Maar als ze het woord heel langzaam of juist scherp, of op een verveelde toon zei, dan kreeg er iemand op zijn kop omdat hij had gefaald.

Hij was tijdens de bijeenkomst op Dark Island veel te weten gekomen over de Broeders. Alle leden wilden dolgraag het Virtuele Panopticon realiseren, maar er bestonden verschillende interne groepen gebaseerd op nationaliteit en persoonlijke relaties. Hoewel Kennard Nash hoofd was van de raad van bestuur en de leiding had over de Evergreen Foundation, vonden sommige leden hem te Amerikaans. Mevrouw Brewster had de leiding over een organisatie met de naam Jonge Wereldleiders Programma en was hoofd geworden van de Europese factie.

Op Dark Island had Michael mevrouw Brewster zijn persoonlijke evaluatie gegeven van elk afzonderlijk lid van het bestuur. Na afloop van de bijeenkomst had mevrouw Brewster aangekondigd dat zij graag wilde dat Michael haar zou begeleiden wanneer zij een kijkje ging nemen bij de voortgang van het Schaduwprogramma. Generaal Nash leek niet blij te zijn met dit verzoek en met het feit dat Michael tijdens de bijeenkomst over zijn vader was begonnen. 'Ga je gang, neem hem maar mee,' zei Nash tegen mevrouw Brewster. 'Maar verlies hem niet uit het oog.'

De volgende dag gingen ze in Toronto aan boord van een privévliegtuig naar Duitsland. Reizen in gezelschap van mevrouw Brewster was een snelle les in macht. Michael begon het idee te krijgen dat de politici die toespraken hielden en nieuwe wetten voorstelden niet meer waren dan acteurs in een ingewikkeld spel. Hoewel deze leiders het voor het zeggen leken te hebben, dienden zij zich toch aan een script te houden dat door anderen was geschreven. Terwijl de media werden afgeleid door de beroemdheidscultuur, wisten de Broeders buiten de schijnwerpers te blijven. Zij waren eigenaars van het theater, telden hoeveel kaartjes er waren verkocht en besloten welke scènes er voor het publiek zouden worden opgevoerd.

'Houd me op de hoogte en laat het me weten wanneer er iets verandert,' zei mevrouw Brewster tegen iemand in Singapore. Ze zette haar koptelefoon af, legde haar borduurwerk neer en drukte op een knopje in haar armleuning. Uit de achterkant van de voorbank gleed een glazen scheidingswand omhoog. Nu kon de chauffeur hun gesprek niet horen.

'Heb je trek in een kopje thee, Michael?'

'Graag.'

Voor hen bevond zich een kastje en mevrouw Brewster pakte twee koppen en schotels, koffiemelk en suiker en een thermoskan hete thee.

'Eén of twee klontjes?'

'Geen suiker. Alleen room.'

'Kijk eens aan. Ik had je voor een zoetekauw gehouden.' Mevrouw Brewster overhandigde Michael een kopje thee en nam zelf twee klontjes suiker.

Het porselein rinkelde zachtjes toen de wagen over een hobbel reed, maar theedrinken op de achterbank zorgde wel voor een eigenaardig huiselijke sfeer. Hoewel mevrouw Brewster nooit kinderen had gehad, speelde ze graag de rijke tante die de gewoonte had haar lievelingsneefje te verwennen. De afgelopen paar dagen had hij haar mannen uit een tiental verschillende landen zien vleien en charmeren. Mannen praatten te veel in het bijzijn van mevrouw Brewster en dat was een van de dingen die haar macht gaven. Michael was vastbesloten niet dezelfde vergissing te maken.

'En, Michael – vermaak je je een beetje?'

'Jawel hoor. Ik was nooit eerder in Europa geweest.'

'Wat vond je van onze drie vrienden in Hamburg?'

'Albrecht en Stoltz staan aan uw kant. Gunter Hoffman is sceptisch.'

'Ik begrijp niet hoe je daarbij komt. Dr. Hoffman heeft tijdens het hele gesprek nog geen zes woorden gezegd.'

'De pupillen van zijn ogen vernauwden zich telkens wanneer u het over het Schaduwprogramma had. Hoffman is toch een soort wetenschapper of zo? Misschien begrijpt hij de politieke en sociale implicaties van het programma niet helemaal.'

'Maar Michael toch. Je moet echt wat milder zijn met betrekking tot wetenschappers.' Mevrouw Brewster pakte haar borduurwerk weer op. 'Ik ben in Cambridge afgestudeerd in natuurkunde en beschouwde de wetenschap als een carrière.'

'En toen?'

'In mijn laatste jaar aan de universiteit las ik over iets wat de chaostheorie wordt genoemd – de studie van onvoorspelbaar gedrag in niet-lineaire dynamische systemen. De onnozele massa heeft zich de term toegeëigend en gebruikt hem in volkomen onwetendheid voor het rechtvaardigen van romantisch anarchisme. Maar wetenschappers weten dat zelfs wiskundige chaos deterministisch is – met andere woorden, wat in de toekomst plaatsvindt wordt bepaald door een reeks gebeurtenissen uit het verleden.'

'En u wilde die gebeurtenissen beïnvloeden?'

Mevrouw Brewster keek op van haar borduurwerk. 'Jij bent een bijzonder bijdehante jongeman. Laten we het erop houden dat ik me realiseerde dat de natuur de voorkeur geeft aan structuur. De wereld zal altijd te maken blijven hebben met orkanen en vliegtuigongelukken en andere onvoorspelbare rampen. Maar als wij ons Virtuele Panopticon realiseren, zal de menselijke samenleving zich in de juiste richting ontwikkelen.'

Ze passeerden een plaatsnaambord met de naam Berlijn en de wagen leek sneller te gaan rijden. Op deze weg gold geen snelheidslimiet. 'Misschien kunt u na het bezoek aan het computercentrum Nathan Boone bellen,' zei Michael. 'Ik zou wel graag willen weten of hij al iets over mijn vader heeft ontdekt.'

'Natuurlijk.' Mevrouw Brewster schreef een memo aan zichzelf op haar computer. 'En stel dat meneer Boone succes heeft en dat wij je vader vinden. Wat ben je dan van plan tegen hem te zeggen?'

'De wereld maakt een grote technologische verandering door. Het Panopticon is onontkoombaar. Dat moet hij zich realiseren en vervolgens moet hij de Broeders helpen hun doel te bereiken.'

'Geweldig. Dat is geweldig.' Ze keek op van haar toetsenbord. 'We hebben geen nieuwe ideeën van Reizigers nodig. We moeten gewoon de regels volgen.'

Tegen de tijd dat Michael zijn tweede kopje thee had leeggedronken, waren ze in Berlijn en reden ze over de met bomen omzoomde boulevard Unter den Linden. De paar groepjes toeristen op straat leken overweldigd door de barokke en neoclassicistische gebouwen. Mevrouw Brewster wees hem op een stapel reusachtige boeken met de namen van Duitse schrijvers op de ruggen. Dit gedenkteken was opgericht op de Bebelplatz, waar de nazi's in de jaren dertig van de twintigste eeuw de bibliotheken hadden geleegd en boeken hadden verbrand.

'In Tokyo of New York wonen veel meer mensen,' zei zij. 'Berlijn voelt altijd als een stad die te groot is voor zijn bevolking.'

'Ik neem aan dat heel veel gebouwen tijdens de Tweede Wereldoorlog zijn verwoest.'

'Inderdaad. En vervolgens hebben de Russen veel van wat er nog overeind stond opgeblazen. Maar dat onaangename verleden is weggeveegd.'

Bij de Brandenburger Tor sloeg de Mercedes linksaf en volgde de rand van een park in de richting van de Potsdamer Platz. De muur die de stad ooit in tweeën had verdeeld was weliswaar verdwenen, maar leek op de een of andere manier toch nog aanwezig. Toen de muur werd afgebroken, creëerde de vrijgekomen ruimte een gouden kans voor projectontwikkelaars. De zone des doods was nu een opvallende strook vol saaie, moderne wolkenkrabbers.

Een lange laan, de Voss Strasse, was gedurende de Tweede Wereldoorlog de plek geweest waar de rijkskanselarij had gestaan. Een groot deel van de omgeving was afgezet en in aanbouw, maar de chauffeur parkeerde voor een enorm, vijf verdiepingen tellend gebouw dat uit een vroeger tijdperk leek te stammen.

'Dit was oorspronkelijk een kantoorgebouw van de spoorwegen van het Duitse Rijk,' vertelde mevrouw Brewster. 'Na de val van de Muur hebben de Broeders het in hun bezit gekregen.'

Ze stapten uit en liepen naar het computercentrum. De buitenmuren van het gebouw waren volgeklad met graffiti en voor de meeste ramen waren metalen veiligheidsschermen bevestigd, maar Michael herkende de restanten van een prachtige negentiende-eeuwse gevel. Hij zag de gekrulde kroonlijsten en de gezichten van Griekse goden boven de grote erkerramen die uitzicht gaven over de straat. Van de buitenkant gezien leek het gebouw een dure limousine die helemaal ontmanteld was en vervolgens in een ravijn was geduwd.

'Het gebouw is in tweeën verdeeld,' vertelde mevrouw Brewster. 'We komen eerst in het openbare gedeelte, dus wees discreet.'

Ze liep naar een massieve stalen deur, bewaakt door een beveiligingscamera. Naast de deur hing een plastic bordje waarop stond dat het gebouw het hoofdkwartier was van een bedrijf dat zich Personal Customer noemde.

'Is dit een Engels bedrijf?' vroeg Michael.

'Nee. Het is helemaal Duits.' Mevrouw Brewster drukte op de bel. 'Lars heeft ons aangeraden het een Engelse naam te geven. Het geeft het personeel het idee dat ze meewerken aan iets moderns en internationaals.'

De deur klikte open en ze liepen een helder verlichte ontvangstruimte binnen. Een jonge vrouw van een jaar of twintig, met ringen in haar oren, lippen en neus, keek glimlachend naar hen op. 'Welkom bij Personal Customer. Wat kan ik voor u doen?'

'Ik ben mevrouw Brewster en dit is meneer Corrigan. Wij zijn technische consultants en wij komen naar de computer kijken. Als het goed is weet meneer Reichhardt dat wij vandaag zouden komen.'

'Ja. Natuurlijk.' De jonge vrouw overhandigde mevrouw Brewster een verzegelde envelop. 'U mag naar de – '

'Dat weet ik, kindje. Ik ben hier al eerder geweest.'

Ze liepen naar een lift naast een vergaderzaal met glazen wanden. Een groepje werknemers – van wie de meesten in de dertig waren – zat om een grote tafel te lunchen en te praten.

Mevrouw Brewster scheurde de envelop open, haalde er een plastic kaartje uit en wuifde ermee naar de liftsensor. De deur gleed open, ze stapten in de lift en ze zwaaide nog een keer met het pasje. 'We gaan naar de kelder. Dat is de enige ingang naar de toren.'

'Mag ik een vraag stellen?'

'Jazeker. We bevinden ons nu niet meer in de openbare ruimte.'

'Waar denken de werknemers eigenlijk dat ze mee bezig zijn?'

'O, het is allemaal volkomen legitiem. Hun is verteld dat Personal Customer een moderne marktonderzoekfirma is, die demografische gegevens verzamelt. Natuurlijk is het adverteren voor groepen mensen volledig uit de tijd. In de toekomst zal alle reclame rechtstreeks tot de individuele consument worden gericht. Wanneer je op straat een billboard ziet, zal die de RFID-chip aan je sleutelhanger waarnemen en je naam laten verschijnen. Die energieke jonge mensen die je net zag zijn druk bezig om alle mogelijke gegevens over Berlijners te verzamelen en in te voeren in de computer.'

De liftdeur gleed open en ze liepen een grote kelder binnen zonder binnenmuren. Michael vond de reusachtige ruimte nog het meest lijken op een fabriek zonder arbeiders. De ruimte stond vol machines en communicatieapparatuur. 'Dat is de reserve stroomgenerator,' zei mevrouw Brewster, naar links wijzend. 'Dat daar is een airconditioning- en filtersysteem, want blijkbaar houdt onze computer niet van vervuilde lucht.'

Op de vloer was een wit looppad geschilderd dat zij volgden naar de andere kant van de ruimte. Hoewel de apparatuur erg indrukwekkend was, was Michael nog steeds nieuwsgierig naar de mensen die hij in de vergaderruimte had gezien. 'Dus de werknemers weten niet dat zij bijdragen aan het tot stand brengen van het Schaduwprogramma?'

'Natuurlijk niet. Op een gegeven moment zal Lars hun vertellen dat hun marktonderzoeksgegevens mee zullen helpen aan het bestrijden van terrorisme. Dan delen we meteen wat bonussen en promoties uit. Ik weet zeker dat ze er blij mee zullen zijn.'

Het witte looppad bracht hen bij een tweede ontvangstbalie – ditmaal bemand door een gespierde beveiligingsmedewerker die een pak en een stropdas droeg. De bewaker had hen op een kleine monitor gevolgd. Toen zij naar hem toe kwamen, keek hij op.

'Goedemiddag, mevrouw Brewster. U wordt verwacht.'

Achter de balie bevond zich een deur zonder deurknop of handgreep, maar de bewaker drukte hem niet open. In plaats daarvan liep mevrouw Brewster naar een klein metalen kistje, waar aan één kant een gleuf in zat. Het stond op een richel, ongeveer een meter van de deur.

'Wat is dat?' vroeg Michael.

'Een handaderscanner. Je steekt je hand erin en een camera maakt een foto met infrarood licht. De hemoglobine in je bloed neemt het licht op zodat je aderen op een digitale foto zwart kleuren. Mijn patroon wordt vervolgens vergeleken met een vormplaat die in de computer is opgeslagen.'

Ze stak haar hand in de gleuf, er volgde een flits en het slot klikte open. Mevrouw Brewster duwde de deur open en

Michael volgde haar de tweede vleugel van het gebouw binnen. Tot zijn verrassing zag hij dat de binnenkant helemaal was leeggesloopt, zodat de balken en de bakstenen muren zichtbaar waren. In dit raamloze omhulsel stond een grote glazen toren in een stalen frame. De toren bestond uit drie verdiepingen van onderling met elkaar verbonden geheugenelementen, centrale computers en servers. Het hele systeem was bereikbaar door middel van een stalen trap en verhoogde looppaden.

In een hoek van de ruimte zaten twee mannen achter een bedieningspaneel. Zij zaten apart van de gesloten toren – als misdienaren die de kapel niet mochten betreden. Boven hen hing een groot plat scherm, waarop vier computerfiguurtjes zichtbaar waren die in een schaduwauto over een met bomen omzoomde boulevard reden.

Lars Reichhardt stond op en zei met luide stem: 'Welkom in Berlijn! Zoals jullie zien, volgt het Schaduwprogramma jullie al sinds jullie aankomst in Duitsland.'

Michael keek op het scherm en zag dat de auto inderdaad een Mercedes was en dat de figuurtjes die erin zaten inderdaad op hem en mevrouw Brewster leken, en op de bewaker en de chauffeur.

'Blijf kijken,' zei Reichhardt, 'dan zie je jezelf tien minuten geleden, rijdend over Unter den Linden.'

'Het is allemaal erg indrukwekkend,' zei mevrouw Brewster. 'Maar wat de raad van bestuur wil weten is wanneer het systeem volledig operationeel kan zijn.'

Reichhardt keek naar de technicus achter het bedieningspaneel. De jongeman raakte even zijn toetsenbord aan en meteen verdwenen de schaduwbeelden van het scherm.

'Over tien dagen zijn we er helemaal klaar voor.'

'Kunt u dat garanderen, Herr Reichhardt?'

'U kent mijn toewijding aan ons werk,' zei Reichhardt op vriendelijke toon. 'Ik zal er alles aan doen om dat doel te bereiken.'

'Voordat we onze vrienden bij de Duitse overheid op de hoogte kunnen stellen, moet het Schaduwprogramma eerst perfect werken,' zei mevrouw Brewster. 'Zoals we op Dark Island al besproken hebben, hebben we ook suggesties nodig voor een nationale advertentiecampagne, zoals we dat in Groot-Brittannië hebben gedaan. Het Duitse volk moet ervan overtuigd worden dat het Schaduwprogramma noodzakelijk is voor hun veiligheid.'

'Natuurlijk. We zijn daar al mee aan de slag gegaan.' Reichhardt wendde zich tot zijn jonge assistent. 'Erik, laat het prototype van het reclamefilmpje eens zien.'

Eric typte enkele commando's in en op het scherm verscheen een televisiereclame. Een ridder met een zwart kruis op zijn witte mantel hield de wacht terwijl een stel vrolijke jonge Duitsers in een bus stapte, op kantoor werkte en in een park liep te voetballen. 'Het leek ons wel een goed idee de legende van de Duitse ridderorde terug te brengen. Overal waar je gaat of staat, beschermt het Schaduwprogramma je tegen alle gevaar.'

Mevrouw Brewster leek niet erg onder de indruk van het filmpje. 'Ik begrijp waar je naartoe wilt, Lars. Maar misschien – '

'Het werkt niet,' zei Michael. 'Je moet met een beeld komen dat meer emoties losmaakt.'

'Het gaat hier niet om emoties,' zei Reichhardt. 'Het gaat om veiligheid.'

'Kun je een paar beelden voor me oproepen?' vroeg Michael aan de technicus. 'Laat me een vader en moeder zien die neerkijken op hun twee slapende kinderen.'

Lichtelijk in de war over wie het hier voor het zeggen had, keek Erik op naar zijn baas. Reichhardt knikte en de jongeman begon weer te typen. Eerst verschenen er een paar figuurtjes zonder gezicht op het scherm, maar gaandeweg begonnen zij de vorm aan te nemen van een vader met een krant in zijn hand en een moeder die zijn hand vasthield. Ze stonden in een slaapkamer vol speelgoed terwijl twee kleine meisjes in identieke bedjes lagen te slapen.

'Je begint met dit beeld – een emotioneel tafereel – en dan zeg je iets als: "Bescherm de Kinderen."'

Erik bleef typen en de woorden *Beschützen Sie die Kinder* gleden over het beeld.

'Zij beschermen hun kinderen en – '

Mevrouw Brewster viel hem in de rede. 'En wij beschermen hen. Ja, dat klinkt allemaal heel warm en veilig. Wat vindt u ervan, Herr Reichhardt?'

Het hoofd van het computercentrum keek naar het scherm waarop allerlei kleine details verschenen. Een liefdevolle blik op het gezicht van de moeder. Een nachtlampje en een voorleesboek. Een van de slapende meisjes hield haar knuffellammetje in haar armen.

Reichhardt glimlachte zwakjes. 'Meneer Corrigan heeft onze boodschap helemaal door.'

# 16

De *Prince William of Orange* was een vrachtschip dat eigendom was van een groep Chinese investeerders die in Canada woonden, hun kinderen naar Engelse scholen stuurden en hun geld in Zwitserland onderbrachten. De bemanning kwam uit Suriname, maar alle drie de officieren waren Nederlanders die hun opleiding bij de Nederlandse koopvaardij hadden gekregen.

Gedurende de reis van Amerika naar Engeland slaagde noch Maya noch Vicki erin erachter te komen wat er werd vervoerd in de verzegelde scheepscontainers in het ruim. De twee vrouwen gebruikten hun maaltijden met de officieren in de scheepskombuis en op een avond had Vicki haar nieuwsgierigheid niet meer kunnen bedwingen.

'En wat wordt er deze reis vervoerd?' vroeg zij aan kapitein Vandergau. 'Is het iets gevaarlijks?'

Vandergau was een grote, zwijgzame man met een blonde baard. Hij liet zijn vork zakken en glimlachte vriendelijk. 'Ah, de lading,' zei hij, en keek erbij alsof het een vraag was die hem nooit eerder was gesteld.

De eerste stuurman, een jongere man met een snor, zat aan de andere kant van de tafel. 'Kool,' zei hij.

'Ja. Dat klopt,' zei kapitein Vandergau. 'We vervoeren groene kool, rodekool, zuurkool en kool in blik. De *Prince William of Orange* voorziet een hongerende wereld van kool.'

Het was vroeg in het voorjaar, er stond een stevige wind en het regende zachtjes. De buitenkant van de boot was staalgrijs, bijna dezelfde kleur als de lucht. De zee was donkergroen en de golven kwamen omhoog en sloegen tegen de boeg in een nooit eindigende reeks kleine confrontaties. In deze saaie omgeving merkte Maya dat ze veel te veel aan Gabriel dacht. Op dit moment was Linden in Londen op zoek naar de Reiziger en ze kon niets doen om hem daarbij te helpen. Na een aantal onrustige nachten vond Maya twee roestige verfblikken die gevuld waren met cement. Ze gebruikte deze gewichten om een hele serie oefeningen mee te doen. Na afloop deden al haar spieren pijn en was ze nat van het zweet.

Vicki bracht het grootste deel van haar tijd in de kombuis door, waar ze theedronk en haar gedachten opschreef in een dagboek. Zo nu en dan verscheen er een gelukzalige uitdrukking op haar gezicht en wist Maya dat ze aan Hollis dacht. Eigenlijk wilde Maya haar haar vaders preek over liefde vertellen – dat je er zwak van werd – maar ze wist nu al dat Vicki er geen woord van zou geloven. De liefde leek Vicki juist sterker te maken en meer zelfvertrouwen te geven.

Zodra Alice in de gaten had dat ze veilig was, bracht ze bijna elk uur dat het licht was zwervend over het schip door – een zwijgende aanwezigheid op de brug en in de machinekamer. De meeste bemanningsleden hadden zelf ook gezinnen, en ze waren dan ook heel lief voor Alice, maakten speelgoed voor haar en bereidden lekkere hapjes voor haar.

Toen op de achtste dag de zon opging, passeerde de boot de stormvloedkering in de Theems en begon aan de trage tocht over de rivier. Maya stond bij de boeg en keek naar de pinkelende straatverlichting van dorpjes in de verte. Dit was niet haar thuis – ze had geen thuis – maar ze was eindelijk terug in Engeland.

De wind stak op en deed de lijnen aan de reddingsboten rammelen. Zeemeeuwen krijsten en zweefden boven de woeste golven terwijl kapitein Vandergau over het dek liep te ijsberen met een satelliettelefoon in zijn hand. Kennelijk was het belangrijk dat zijn lading bij een bepaalde kade in Oost-Londen werd afgeleverd op het moment dat een bepaalde douane-inspecteur, Charlie genaamd, daar aan het werk was. Vandergau vloekte in het Engels, in het Nederlands en in nog een derde taal die Maya niet herkende, maar Charlie weigerde zijn telefoon op te nemen.

'Ons probleem is niet corruptie,' zei de kapitein tegen Maya. 'Ons probleem is luie, inefficiënte Britse corruptie.' Uiteindelijk kreeg hij Charlies vriendin aan de telefoon en kreeg van haar de informatie die hij nodig had. 'Vanmiddag om twee uur. Ja, ik heb het begrepen.'

Vandergau schreeuwde een commando naar de machinekamer en de schroeven begonnen te draaien. Toen Maya naar beneden ging voelde ze een vage vibratie in de stalen wanden. Er klonk een constant bonkend geluid, alsof ergens in het schip een reusachtig hart klopte.

Om een uur of één 's middags klopte de eerste stuurman aan op de deur van hun hut. Hij vertelde hun dat ze hun spullen moesten pakken en naar de kombuis moesten komen voor instructies. Maya, Vicki en Alice zaten aan de smalle tafel en hoorden de glazen en borden rammelen in hun houten rekken. Het schip draaide zich om op de rivier, om naar een kade te manoeuvreren.

'Wat gebeurt er nu?' vroeg Vicki.

'Zodra zij door de inspectie zijn, gaan wij aan land en gaan we naar Linden.'

'En de beveiligingscamera's dan? Moeten we ons vermommen?'

'Ik weet niet precies wat er gaat gebeuren, Vicki. Als je niet gevonden wilt worden, zijn er over het algemeen twee mogelijkheden. Je doet iets heel ouderwets – iets heel primitiefs –

om niet ontdekt te worden. Of je doet precies het tegenovergestelde en gebruikt technologie die een generatie voorloopt op de standaard. In beide gevallen vindt de Grote Machine het moeilijk de informatie te verwerken.'

De eerste stuurman kwam weer terug naar de kombuis en maakte een weids gebaar met zijn arm. 'De complimenten van kapitein Vandergau en hij verzoekt jullie mij te volgen naar een veiliger accommodatie.'

Maya, Vicki en Alice gingen naar de inloopvoorraadkast van het schip. Met een beetje hulp van de Javaanse kok verplaatste de eerste stuurman de voorraden zodanig dat de drie verstekelingen verborgen zaten achter een wand van kartonnen dozen. Toen werd de metalen deur gesloten en waren zij alleen.

De tl-buis boven hun hoofd verspreidde een fel, metaalachtig licht. Maya droeg haar revolver in haar enkelholster. Ze had zowel haar Harlekijnzwaard als Gabriels Japanse zwaard uit hun foedraal gehaald en naast zich neergelegd. Boven hen liep iemand snel door een gang – het scherp klikkende geluid kwam dwars door het plafond heen. Alice Chen schoof wat dichter naar Maya toe, slechts een paar centimeter van het been van de Harlekijn.

*Wat wil ze van me?* dacht Maya. *Ik ben wel de laatste persoon op aarde die haar enige liefde of fysieke genegenheid toont.* Ze herinnerde zich dat Thorn haar een keer had verteld over een reis die hij had gemaakt door zuidelijk Soedan. Toen haar vader een dag met missionarissen in een vluchtelingenkamp doorbracht, had een kleine jongen – een oorlogsweesje – hem als een verdwaald hondje op de voet gevolgd. 'Alle levende wezens hebben een drang tot overleven,' had haar vader uitgelegd. 'Als kinderen hun familie kwijt zijn, gaan ze op zoek naar de sterkste persoon die ze kunnen vinden, iemand die hen kan beschermen...'

De deur ging open en ze hoorde de stem van de eerste stuurman. 'Voorraadkast.'

Een man met een Londens accent zei: 'Oké.' Het was maar één woord, maar de manier waarop hij het zei deed haar aan bepaalde aspecten van Engeland denken. Achtertuinen met stenen tuinkabouters. Frietjes met doperwtjes. Vrijwel onmiddellijk ging de deur weer dicht en dat was het; de inspectie was achter de rug.

Ze bleven nog even wachten en toen kwam kapitein Vandergau de kast binnen en haalde de wand van dozen weg. 'Het is mij een waar genoegen geweest jullie drieën aan boord te hebben, maar nu is het tijd om te gaan. Volg mij maar. Er is een boot gearriveerd.'

Terwijl zij zich benedendeks verborgen hadden gehouden, was het hevig gaan misten. Het dek was nat en aan de reling kleefden kleine waterdruppels. De *Prince William of Orange* had afgemeerd in een van de Oost-Londense havenbassins, maar kapitein Vandergau bracht hen snel naar de stuurboordzijde van het schip. Vastgelegd met twee nylon touwen, danste er een klein bootje op de hoge golven. De houten boot was twaalf meter lang en gebouwd voor ondiep water. In het midden bevond zich een grote kajuit met patrijspoorten en het achterdek was open. Maya had wel eerder dit soort boten in Londen gezien, bij het oversteken van een van de kanalen. Er waren mensen die erop woonden en ze voor vakanties gebruikten.

Op het achterschip stond een bebaarde man in een zwarte mackintosh aan het roer. De capuchon over zijn hoofd maakte dat hij op een monnik leek uit de tijd van de inquisitie. Hij wenkte – *Kom naar beneden* – en Maya zag dat er een touwladder langs de zijkant van het schip was gehangen.

Het kostte Maya en Alice maar een paar seconden om naar het dek van de smalle boot te klimmen. Vicki was veel voorzichtiger. Ze klemde zich vast aan de houten sporten van de touwladder en keek omlaag naar het dek dat omhoogkwam en weer wegzakte op de golven. Ten slotte raakten haar voeten het dek en liet ze los. De man met de baard en de capuchon

– in gedachten had Maya hem al mr. Mackintosh gedoopt – bukte zich en startte de motor.

'Waar gaan we naartoe?' vroeg Maya.

'Over het kanaal naar Camden Town.' De bebaarde man had een zwaar Oost-Londens accent.

'Moeten wij in de kajuit blijven?'

'Als jullie warm willen blijven. Over camera's hoef je je geen zorgen te maken. Waar wij naartoe gaan zijn geen camera's.'

Vicki trok zich terug in de kleine kajuit, waar in een smeedijzeren kacheltje een kolenvuurtje brandde. Alice liep voortdurend in en uit en inspecteerde de kombuis, het platte dak en de walnotenhouten lambrisering.

Toen Mackintosh de boot omdraaide en de Theems op voer, ging Maya naast het roer zitten. Een zware regenbui had de stadsriolering flink doorgespoeld en het water was donkergroen van kleur. Door de dichte mist kon je nauwelijks meer dan drie meter om je heen kijken, maar de man met de baard was in staat zonder zichtbare oriëntatiepunten te navigeren. Ze passeerden een boei in het midden van de rivier en Mackintosh knikte. 'Die daar klinkt als een oude kerkklok op een koude dag.'

Ze werden omgeven door mist en de vochtige kou deed haar huiveren. De klotsende golven verdwenen en ze passeerden een kade met jachten en andere pleziervaartuigen. In de verte hoorde Maya een auto claxonneren.

'We zijn in Limehouse Basin,' vertelde Mackintosh. 'Vroeger werd alles hiernaartoe gebracht en op binnenschepen geladen. IJs en hout. Kolen uit Northumberland. Dit was de mond van Londen, die alles opslokte zodat de kanalen het naar de rest van het lichaam konden vervoeren.'

Tegen de tijd dat de lange, smalle boot het kanaal bereikte dat naar de eerste schutsluis leidde trok de mist enigszins op. Mackintosh klom via een ladder aan wal, sloot een paar houten deuren achter de boot en drukte toen een witte hefboom omlaag. Water stroomde in de sluis en de boot kwam omhoog tot het niveau van het kanaal.

Aan de linkerkant van het kanaal groeide alleen maar struikgewas; aan de rechterkant bevonden zich een flagstonepad en een stenen gebouwtje met tralies voor de ramen. Het voelde alsof ze het Londen uit een vroeger tijdperk waren binnengevaren, een plek met rijtuigen en schoorsteenroet. Ze voeren onder een spoorbrug door en vervolgden hun weg over het kanaal. Het water was ondiep en een paar keer schraapte de bodem van de boot over zand en kiezels. Om de twintig minuten moesten ze stoppen voor een nieuwe sluis die hen naar het volgende niveau bracht. Waterplanten gleden langs de romp van de zich traag voortbewegende boot.

Tegen zessen bereikten ze het laatste kanaal en naderden Camden Town. Deze ooit zo armoedige buurt was een plek geworden vol restaurantjes, kunstgalerieën en een weekmarkt. Mackintosh meerde af langs de kant en laadde de canvas schoudertassen uit waarin de vrouwen hun spullen vervoerden. Vicki had in New York kleren gekocht voor Alice en alles in een roze rugzak gestopt met een afbeelding van een eenhoorn op de achterkant.

'Loop hier de weg op en zoek een Afrikaanse man die Winston heet,' zei Mackintosh. 'Hij zal jullie overal naartoe brengen waar je wilt.'

Maya liep voor Vicki en Alice het pad op dat naar de weg leidde die door Camden liep. Op de stoep stond een Harlekijnluit getekend, met een kleine pijl erbij die naar het noorden wees.

Ze liepen ongeveer honderd meter over de stoep naar een wit busje met een ruitvormig motief op de zijkant. Een jonge Nigeriaan met een rond, mollig gezicht stapte uit en opende de zijdeur van het busje. 'Goedenavond, dames. Ik ben Winston Abosa, jullie gids en chauffeur. Ik heet jullie van harte welkom in Engeland.'

Ze stapten achterin en gingen op de stalen bankjes zitten die tegen de wanden waren gelast. Een metalen rooster scheidde het laadgedeelte van de twee voorstoelen. Winston sloeg een paar keer links- en rechtsaf in de smalle straten van Camden. Toen stopte het busje en werd opeens de zijdeur opengerukt. Een grote man met een geschoren hoofd en een stompe neus keek naar binnen.

Linden.

De Franse Harlekijn droeg een lange zwarte overjas en donkere kleding. Om zijn schouder hing een foedraal voor zijn zwaard. Linden had Maya altijd doen denken aan een soldaat uit het vreemdelingenlegioen die alleen maar leefde voor zijn kameraden en de strijd.

'*Bonsoir,* Maya. Je leeft nog.' Hij lachte alsof het feit dat zij nog leefde een subtiele grap was. 'Het doet me deugd je weer te zien.'

'Heb je Gabriel gevonden?'

'Nog niet. Maar ik denk ook niet dat de Tabula hem al hebben.' Linden ging zo dicht mogelijk bij de chauffeur zitten en schoof een velletje papier door het rooster. 'Goedenavond, Mr. Abosa. Wees zo goed ons naar dit adres te brengen.

Winston reed de straat weer op en reed in noordelijke richting door Londen. Linden zette zijn grote handen op zijn bovenbenen en bekeek de andere passagiers.

'Ik neem aan dat u mademoiselle Fraser bent.'

'Inderdaad.' Vicki leek onder de indruk.

Linden keek naar Alice Chen alsof ze een plastic tasje met afval was dat ze van de boot hadden meegenomen. 'En dit is het kind uit New Harmony?'

'Waar gaan we naartoe?' vroeg Maya.

'Zoals je vader altijd al zei: "Los het eerste probleem altijd eerst op." Er zijn tegenwoordig nog maar weinig weeshuizen, maar een van onze sikh-vrienden heeft een pleeggezin in Clapton gevonden waar een vrouw kinderen in huis neemt.'

'Krijgt Alice een nieuwe identiteit?' vroeg Maya.

'Ik heb een geboorteakte en een paspoort weten te bemachtigen. Haar nieuwe naam is Jessica Moi. Ouders omgekomen bij een vliegtuigongeluk.'

Winston reed langzaam door de spitsdrukte en veertig minuten later zette hij de wagen langs het trottoir. 'We zijn er, sir,' zei hij zacht.

Linden opende de zijdeur en iedereen stapte uit. Ze bevonden zich in Clapton, in de buurt van Hackney in Noord-Londen. Het was een woonwijk en de straat bestond uit twee verdiepingen tellende huizen die waarschijnlijk in het begin van de twintigste eeuw waren gebouwd. De buurt had jarenlang een respectabele reputatie weten te behouden, maar slaagde er inmiddels niet meer in de schijn op te houden. Plassen smerig regenwater vulden gaten in de straat en de stoepen. De lapjes grond voor elk gebouw waren overwoekerd met onkruid en overal stonden plastic vuilnisbakken vol afval. Aan een boom hing een vel papier waarop werd gevraagd naar een weggelopen hond uit te kijken, maar de regen had ervoor gezorgd dat alle letters waren doorgelopen in zwarte kronkellijntjes.

Linden keek links en rechts de straat in. Geen gevaar te bekennen. Met een kort hoofdgebaar zei hij tegen Vicki: 'Geef het kind een hand.'

'Ze heet Alice.' Vicki had een koppige blik op haar gezicht. 'U moet haar bij haar naam noemen, Mr. – Mr. Linden.'

'Haar naam is onbelangrijk, mademoiselle. Over vijf minuten heeft ze een nieuwe.'

Vicki gaf Alice een hand. Het meisje keek haar angstig en vragend aan. *Wat gebeurt er? Waarom doen jullie me dit aan?*

Maya draaide zich om. Het kleine gezelschap liep over de stoep naar nummer zeventien en Linden klopte op de deur.

De regen was langs de zijkant van het huis gesijpeld en de deurposten waren uitgezet. Nu klemde de deur en ze hoorden een vrouw vloeken terwijl de deurknop heen en weer ging. Uiteindelijk schoot de deur open en zag Maya een vrouw van een jaar of zestig in de gang staan. Ze had dikke benen, brede schouders en geblondeerd haar met grijze uitgroei. Die is niet achterlijk, dacht Maya. Een valse glimlach op een sluw gezicht.

'Welkom, lieve mensen. Ik ben Janice Stillwell.' Ze richtte zich tot Linden. 'En u bent zeker Mr. Carr. We verwachtten u al. Onze vriend Mr. Singh heeft me verteld dat u een pleeggezin zoekt.'

'Dat klopt.' Linden keek haar aan als een rechercheur die zojuist een nieuwe verdachte heeft gevonden. 'Mogen we binnenkomen?'

'Maar natuurlijk. Waar zijn mijn manieren? Wat een natte, sombere dag, vindt u ook niet? Hoog tijd voor een kopje thee.'

Het huis stonk naar sigarettenrook en urine. Op de trap vlak voor hen zat een mager jongetje met rood haar, gekleed in niets anders dan een te groot T-shirt. Hij verdween naar de eerste verdieping terwijl zij mevrouw Stillwell volgden naar een voorkamer met een raam dat uitkeek over de straat. Aan één kant van de kamer stond een groot televisietoestel waarop een tekenfilm over robots bezig was. Het geluid stond uit, maar op de bank zaten een Pakistaans jongetje en een klein zwart meisje naar de felgekleurde beelden te kijken.

'Een paar van de kinderen,' legde mevrouw Stillwell uit. 'Op dit moment verzorgen we er zes. Die van u zou ons geluksnummer zeven kunnen worden. Gloria hier is door de rechter bij ons geplaatst. Ahmed is een particuliere regeling.' Met een boze blik klapte ze in haar handen. 'Zo is het wel weer genoeg, kinderen. Jullie zien toch dat we gasten hebben?'

De twee kinderen keken elkaar aan en verlieten de kamer. Mevrouw Stillwell loodste Vicki en Alice naar de bank, maar Maya en Linden bleven staan. 'Wie heeft er zin in een kopje thee?' vroeg mevrouw Stillwell. Een soort dierlijk instinct vertelde haar dat de twee Harlekijns gevaarlijk waren. Haar gezicht was rood en ze bleef maar naar Lindens handen kijken – waarvan de vingers en knokkels vol littekens zaten.

Er verscheen een schaduw in de deuropening en een oudere

man met een brandende sigaret in zijn mond kwam de kamer binnen. Het uitgezakte gezicht van een alcoholist. Een gerafelde broek en een trui vol vlekken. 'Is dit de nieuwe?' vroeg de man, met een blik op Alice.

'Mijn man, Mr. Stillwell...'

'Dan hebben we nu twee zwarten, twee blanken, Ahmed en Gerald, en dat is een halfbloedje. Zij is ons eerste Chineesje.' Meneer Stillwell lachte piepend. 'Het lijkt hier verdomme de Verenigde Naties wel.'

'Hoe heet je?' vroeg mevrouw Stillwell aan Alice.

Alice zat op het puntje van de bank met haar voeten plat op het kleed. Maya ging wat dichter bij de deur staan voor het geval het kind ervandoor wilde gaan.

'Is ze doof of achterlijk?' vroeg meneer Stillwell.

'Misschien spreekt ze alleen Chinees.' Mevrouw Stillwell boog zich over het kind heen. 'Jij Engels praten? Dit is je nieuwe thuis.'

'Alice praat helemaal niet,' zei Vicki. 'Ze heeft speciale begeleiding nodig.'

'Wij geven geen speciale begeleiding. Wij geven ze alleen te eten en te drinken.'

'Wij hebben u vijfhonderd pond per maand aangeboden,' zei Linden. 'Daar maak ik duizend pond van als u haar meteen hier houdt. Over drie maanden komt meneer Singh kijken hoe het gaat. Als er problemen zijn, neemt hij haar weer mee.'

De Stillwells keken elkaar aan en knikten. 'Duizend pond per maand is prima,' zei meneer Stillwell. 'Ik kan niet meer werken vanwege me rug...'

Alice sprong van de bank en rende naar de deur. In plaats van te vluchten sloeg zij haar armen om Maya heen.

Vicki zat te huilen. 'Doe het niet,' fluisterde ze tegen Maya. 'Laat dit niet gebeuren.'

Maya voelde hoe het kinderlijfje tegen haar aan werd gedrukt en de dunne armpjes haar stevig vasthielden. Zo was ze nog nooit door iemand aangeraakt. *Help mij.*

'Laat los, Alice.' Maya liet haar stem opzettelijk streng klinken. 'Laat me onmiddellijk los.'

Het kleine meisje zuchtte en deed een stap naar achteren. Om de een of andere reden maakte haar gehoorzaamheid alles nog erger. Als Alice had gevochten om weg te komen, zou Maya de armen van het kind op haar rug hebben gedraaid en haar op de grond hebben gedwongen. Maar Alice gehoorzaamde, precies zoals Maya Thorn had gehoorzaamd, al die jaren geleden. En de herinneringen drongen zich aan Maya op, overweldigden haar bijna – de harde klappen en het geschreeuw, het verraad in de ondergrondse, toen haar vader had geregeld dat ze het tegen drie volwassen mannen moest opnemen. De Harlekijns mochten dan de Reizigers beschermen, ze beschermden ook hun eigen arrogante trots.

Zonder iemand anders aan te kijken richtte ze zich tot Linden. 'Alice blijft hier niet. Ze gaat met mij mee.'

'Dat kan niet, Maya. Ik heb al besloten.'

Lindens rechterhand ging heel even naar zijn zwaard, en viel toen slap langs zijn zij. Maya was de enige in de kamer die dat gebaar begreep. Harlekijns deden niet aan loze dreigementen. Als het tot een gevecht kwam, zou hij proberen haar te doden.

'Dacht je dat je mij kon intimideren?' vroeg Maya. 'Ik ben Thorns dochter. Verdoemd door het vlees. Verlost door het bloed.'

'Wat is hier verdomme aan de hand?' vroeg meneer Stillwell.

'Houd je mond,' zei Linden.

'Niks ervan! We hebben zojuist een overeenkomst gesloten voor duizend piek per maand. Er staat wel niks zwart op wit, maar ik ken mijn rechten als Engelsman!'

Zonder enige waarschuwing liep Linden de kamer door, greep Stillwell met één hand bij de keel en begon te knijpen. Mevrouw Stillwell schoot haar echtgenoot niet te hulp. Haar mond ging open en dicht alsof ze naar lucht stond te happen.

'Mensen toch,' mompelde ze. 'Mensen... Mensen...'

'Bij bepaalde gelegenheden sta ik een nietsnut zoals jij toe mij aan te spreken,' zei Linden. 'Die toestemming is zojuist ingetrokken. Begrepen? Laat zien dat je me begrijpt!'

Stillwells gezicht was vuurrood. Hij slaagde erin zwakjes te knikken en zijn ogen te bewegen. Linden liet los en de oude man zakte in elkaar op de grond.

'Je kent je plicht,' zei Linden tegen Maya. 'Het is onmogelijk je aan die belofte te houden en dit kind bij je te houden.'

'Toen we in New York waren heeft Alice mij gered. Ik bevond me op een gevaarlijke plek en zij waagde haar leven om een nachtkijker te pakken. Ik ben haar óók iets verplicht.'

Lindens gezicht verstrakte en zijn hele lichaam was gespannen. Zijn vingers gleden een tweede maal naar zijn zwaard. Vlak achter de Harlekijn vertoonde een geluidloze televisie beelden van vrolijke kindertjes die ontbijtgranen zaten te eten.

'Ik let wel op Alice,' zei Vicki. 'Ik beloof het. Ik zal alles doen...'

Linden trok een portefeuille uit zijn jaszak, haalde er een paar briefjes van vijftig uit en gooide ze op de grond als oud papier.

'Jullie hebben geen idee wat pijn is – échte pijn,' zei hij tegen de Stillwells. 'Praat hierover, met wie dan ook, en jullie zullen erachter komen.'

'Ja, sir,' prevelde mevrouw Stillwell. 'We begrijpen het, sir.'

Linden beende de kamer uit. De Stillwells zaten op handen en knieën het geld bij elkaar te graaien toen ook de anderen naar buiten liepen.

# 17

Met een scheermes in zijn hand haalde Jugger met een woeste blik uit naar de lucht naast Gabriels hoofd. 'De Ripper is teruggekeerd naar Londen en dorst naar bloed!'

Sebastian zat in een leunstoel naast het elektrische kacheltje. Hij keek op van zijn pocketuitgave van Dantes *Inferno* en fronste. 'Hang niet zo de clown uit, Jugger. Maak het karwei nu maar gewoon af.'

'Daar ben ik mee bezig. En het wordt een van mijn betere prestaties.'

Jugger spoot wat scheerschuim op zijn vingertoppen, wreef het op de huid bij Gabriels oren en gebruikte vervolgens het scheermes om de Amerikaanse bakkebaarden weg te halen. Toen hij klaar was, veegde hij het restant weg met zijn mouw en grijnsde. 'Ziezo, makker. Een heel ander mens.'

Gabriel stond op van het krukje en liep naar de oude spiegel die naast de deur aan de muur hing. Het gebarsten glas haalde een grillige streep door zijn lichaam, maar hij kon wel zien dat Jugger hem een heel kort militair kapsel had gegeven. Zijn nieuwe uiterlijk was niet van hetzelfde niveau als Maya's speciale contactlenzen en vingerschildjes, maar het was beter dan niets.

'Had Roland inmiddels niet terug moeten zijn?' vroeg Gabriel.

Jugger keek op zijn mobiele telefoon hoe laat het was. 'Het is zijn beurt om vanavond voor het eten te zorgen, dus hij is boodschappen gaan doen. Help jij hem bij het koken?'

'Dat denk ik niet. Niet nadat ik gisteravond de spaghettisaus heb laten aanbranden. Ik heb hem gevraagd iets voor me na te trekken. Dat is alles.'

'Dat lukt hem wel, makker. Roland is heel goed in simpele opdrachten.'

'Ongelooflijk! Nou is Dante alwéér flauwgevallen!' Vol afkeer smeet Sebastian het boek op de grond. 'Vergilius had beter een freerunner door de hel kunnen sturen.'

Gabriel verliet wat ooit een voorkamer was geweest en beklom de smalle houten trap naar zijn kamer. Boven stond de vorst op de muren en hij kon zijn eigen adem zien. De afgelopen tien dagen had hij bij Jugger, Sebastian en Roland gewoond in een kraakpand dat de naam Vine House droeg, op de zuidoever van de Theems. Het gammele gebouw van drie verdiepingen was ooit een boerderij geweest te midden van de boomgaarden en moestuinen die Londen van voedsel voorzagen.

Als Gabriel één ding had geleerd over achttiende-eeuwse Engelsen, dan was het dat ze een stuk kleiner waren dan de huidige inwoners van Londen. Eenmaal boven, bukte hij zich om door de deuropening te kunnen en de zolderkamer binnen te gaan. Het was een piepklein, kaal kamertje met een laag plafond en gepleisterde muren. De houten vloer kraakte toen hij eroverheen liep om naar buiten te kijken door het ronde raampje.

Gabriels bed was een matras dat op vier triplex pallets was gelegd die ze van een laadperron hadden weggehaald. De paar kledingstukken die hij bezat lagen in een kartonnen doos. De enige decoratie in de kamer was een ingelijste foto van een jonge vrouw uit Nieuw-Zeeland, 'Onze Trudy' genaamd. Met een gereedschapsriem om haar middel en een voorhamer in haar hand keek ze met een brutaal glimlachje in de camera. Een generatie geleden hadden Trudy en een klein legertje krakers bezit genomen van de leegstaande woningen rond Bennington Square. Die tijd was nu voorbij en intussen werden er voor de meeste huizen woonvergunningen verstrekt. Maar Trudy stond nog steeds te glimlachen op de foto en Vine House stond er ook nog steeds – illegaal, half instortend en vrij.

Toen Jugger en zijn ploeg Gabriel na de wedstrijd aan de overkant van Smithfield Market opvingen, hadden zij hem onmiddellijk eten en vriendschap aangeboden – plus een nieuwe naam.

'Hoe deed je dat?' vroeg Jugger toen ze naar de rivier liepen.

'Toen ik langs die regenpijp naar beneden kwam heb ik een gokje gewaagd.'

'Had je zoiets al eens eerder gedaan?' vroeg Jugger. 'Om zoiets te doen moet je wel heel zeker van jezelf zijn.'

Gabriel vertelde hem over de HALO-parachutesprongen die hij thuis in Californië had gemaakt. Die sprongen van grote hoogte dwongen je uit een vliegtuig te springen en een vrije val van meer dan een minuut te maken zonder je parachute open te trekken.

Jugger knikte alsof dit alles verklaarde. 'Luister,' zei hij tegen de anderen. 'We hebben een nieuw ploeglid. Halo, welkom bij de freerunners.'

Nadat Gabriel de volgende ochtend wakker was geworden in Vine House, was hij onmiddellijk teruggegaan naar het Tyburnklooster. Het was de enige manier die hij kon verzinnen om zijn vader te vinden; hij moest die metalen trap weer af naar de crypte en uitzoeken welk teken zijn vader had achtergelaten tussen de beenderen en de verweerde kruizen.

Drie uur lang zat hij op een bankje tegenover het klooster en observeerde wie de deur opendeed voor de weinige bezoekers. Die ochtend werden de bezoekers ofwel welkom geheten door zuster Ann, de bejaarde non die had geweigerd antwoord te geven op zijn vragen, ofwel door zuster Bridget, de jongere non die zo angstig had gekeken toen hij het over zijn vader had gehad. Gabriel ging nog twee keer terug naar het klooster, maar steeds werd de deur door dezelfde vrouwen geopend. Zijn enige optie was nu te wachten tot zuster Bridget werd vervangen door iemand die hem niet herkende.

Wanneer Gabriel niet bij het klooster was, bracht hij zijn middagen doelloos door met het zoeken naar zijn vader in de buitenwijken van Londen. In de stad hingen duizenden bewakingscamera's, maar hij verkleinde het risico door geen gebruik te maken van het openbaar vervoer en zich niet in de drukke straten ten noorden van de rivier te wagen.

Het feit dat hij een Reiziger was geworden begon geleidelijk aan zijn kijk op de wereld te veranderen. Gabriel kon naar iemand kijken en de subtiele veranderingen in hun emoties waarnemen. Het voelde alsof zijn brein een nieuwe bedrading kreeg en hij het proces nog niet helemaal onder controle had. Op een middag, toen hij over Clapham Common liep, verbreedde zijn zicht zich tot een panorama van honderdtachtig graden. Hij zag de hele wereld voor zich op hetzelfde moment: de schoonheid van een gele paardenbloem, de zachte welving van een zwarte, ijzeren balustrade. En gezichten waren er ook – heel veel gezichten. Mensen kwamen uit winkels en schuifelden over straat met ogen waaruit vermoeidheid sprak en pijn en zo nu en dan ook iets van vreugde. Dit nieuwe beeld van de wereld was overweldigend, maar na een uurtje of zo vervaagde het panorama langzaam weer.

Naarmate de dagen verstreken, werd hij steeds meer opgeslokt door de voorbereidingen voor een gigantisch feest in Vine House. Gabriel had zich altijd verre gehouden van sociale bijeenkomsten, maar hij had een heel ander leven nu hij 'Halo' was – de Amerikaanse freerunner zonder verleden of toekomst. Het was gemakkelijker om zijn eigen krachten te negeren en samen met Jugger bier te gaan kopen.

De dag van het feest was koud, maar zonnig. De eerste gasten begonnen al om één uur 's middags binnen te druppelen en er arriveerden er steeds meer. De kleine kamers in Vine House waren afgeladen met mensen die niet veel anders deden dan eten en alcohol drinken. Kinderen renden door de gang. Een baby lag te slapen in een draagdoek om zijn vaders nek. Buiten in de tuin lieten ervaren renners elkaar een verscheidenheid aan sierlijke manieren zien om over een vuilnisbak te springen.

Terwijl Gabriel door het huis dwaalde, was hij verrast om te horen hoeveel mensen over de wedstrijd bij Smithfield Market gehoord hadden. De freerunners op het feest waren een losjes georganiseerde vriendengroep die probeerde buiten het Netwerk te leven. Dit was een sociale beweging die al die pratende gezichten op televisie nooit zouden opmerken – omdat hij weigerde zich te laten zien. Tegenwoordig werd rebellie in de geïndustrialiseerde wereld niet langer geïnspireerd door achterhaalde politieke filosofieën. Ware rebellie werd bepaald door je relatie met de Grote Machine.

Sebastian ging af en toe naar school, en Ice woonde nog bij haar ouders, maar de meeste freerunners hadden banen in de ondergrondse economie. Sommige mensen werkten in nachtclubs die de hele nacht open bleven en anderen tapten tijdens voetbalwedstrijden bier in kroegen. Ze repareerden motoren, verhuisden meubels en verkochten souvenirs aan toeristen. Jugger had een vriend die in Lambeth dode honden ophaalde voor de gemeente.

De freerunners kochten hun kleding op de markt en hun voedsel bij boeren. Ze gingen te voet door de stad of gebruikten vreemdsoortige fietsen die uit allerlei losse onderdelen in elkaar waren geflanst. Iedereen had een mobieltje, maar ze gebruikten prepaid nummers die moeilijk te traceren waren. Ze brachten uren door op het internet, maar sloten zich nooit aan bij een service-provider. Roland fabriceerde geïmproviseerde antennes van lege koffieblikken die hun toegang gaven tot verschillende WiFi-netwerken. Dit werd 'vissen' genoemd en onder de freerunners circuleerden lijsten van cafés, kantoorgebouwen en hotellobby's waar de bandbreedte gemakkelijk toegankelijk was.

Tegen negen uur 's avonds had iedereen die van plan was geweest om dronken te worden zijn doel bereikt. Malloy, de parttime barkeeper die aan de wedstrijd had meegedaan, hield een verhandeling over een plan van de regering om van alle kinderen onder de zestien voor wie een paspoort werd aangevraagd de vingerafdrukken af te nemen. Die vingerafdrukken en andere biometrische informatie zouden worden opgeslagen in een geheime databank.

'Volgens het ministerie van Binnenlandse Zaken zal het opslaan van de vingerafdrukken van het een of andere elfjarige meisje het terrorisme een halt toeroepen,' verklaarde Malloy. 'Zien de mensen dan niet dat het allemaal om controle gaat?'

'Ik zou mijn drankgebruik maar eens onder controle houden,' zei Jugger.

'We zijn al gevangenen!' riep Malloy. 'En nu gaan ze ook nog eens de sleutel weggooien. Dus waar blijft de Reiziger? Dat zou ik nu wel eens willen weten. Mensen hebben het voortdurend maar over "Hoop op de Reiziger," maar voorlopig is hij nog nergens te bekennen.'

Gabriel had een gevoel alsof alle feestgangers opeens wisten wie hij werkelijk was. Hij keek om zich heen door de overvolle kamer en verwachtte elk moment dat Roland of Sebastian naar hem zou wijzen. *Dat is de Reiziger. Daar staat hij. Waardeloze klootzak. Hij staat vlak voor jullie neus.*

De meeste freerunners hadden geen idee waar Malloy het over had, maar een enkeling leek de dronken man de mond te willen snoeren. Twee mensen van Malloys ploeg probeerden hem mee te lokken naar de achterdeur. Niemand besteedde er veel aandacht aan en het feest ging gewoon verder. Meer bier. Geef de chips eens door. Beneden in de gang hield Gabriel Jugger even staande. 'Waar had hij het over?'

'Dat is een soort van geheim, man.'

'Kom op, Jugger. Je kunt me vertrouwen.'

Jugger aarzelde even en knikte toen langzaam. 'Ja, dat denk ik ook wel.' Hij nam Gabriel mee naar de lege keuken en begon afval in een boodschappentasje te proppen. 'Weet je nog toen we elkaar voor het eerst ontmoetten in de kroeg en ik je over de Grote Machine vertelde? Sommige freerunners zeggen dat er een bepaalde groep, de Tabula, achter al dat toezicht houden en controleren zit. Zij proberen Engeland te veranderen in een gevangenis zonder muren.'

'Maar Malloy had het over iemand die hij een Reiziger noemde.'

Jogger gooide de vuilniszak in een hoek en trok een blikje bier open. 'Tja, daar wordt het hele verhaal een beetje eigenaardig. Er gaan geruchten dat mensen die Reizigers worden genoemd ons van die gevangenschap zouden kunnen redden. Daarom schrijven mensen in heel Londen "Hoop op een Reiziger" op muren. Ik heb het zelf ook een paar keer gedaan.'

Gabriel deed zijn best om ontspannen en achteloos te klinken. 'En hoe moet die Reiziger de dingen gaan veranderen, Jugger?'

'Al sla je me dood. Soms denk ik dat al die verhalen over Reizigers sprookjes zijn. Wat echt is, is dat ik door Londen loop en zie dat er steeds meer bewakingscamera's hangen en dat ik daar een beetje wanhopig van begin te worden. Op duizend kleine manieren wordt onze vrijheid steeds verder beperkt en dat lijkt niemand ook maar ene moer te kunnen schelen.'

Het feest was rond één uur 's ochtends afgelopen en Gabriel had geholpen de vloeren te dweilen en de rotzooi op te ruimen. Nu was het maandag en zat hij te wachten tot Roland terugkwam van het Tyburnklooster. Ongeveer een uur nadat hij zijn nieuwe kapsel had gekregen, hoorde Gabriel laarzen de trap op stommelen. Na een klopje op de deur kwam Roland het zolderkamertje binnen. De freerunner uit Yorkshire keek altijd ernstig en zelfs een beetje triest. Sebastian had eens gezegd dat

Roland net een herder was die al zijn schapen is kwijtgeraakt.

'Heb gedaan wat je wilde, Halo. Ben naar dat klooster gegaan.' Roland schudde langzaam zijn hoofd. 'Was nog nooit in een klooster geweest. M'n hele familie was presbyteriaans.'

'En hoe is het gegaan, Roland?'

'Die twee nonnen waarover je me had verteld – zuster Ann en zuster Bridget – die zijn allebei weg. Er is nu een nieuwe. Zuster Teresa. Ze zei dat zij deze week de "publieke non" was. Beetje stomme opmerking eigenlijk...'

'Het betekent dat zij deze week met vreemden mag praten.'

'Oké. Nou ja, ze heeft inderdaad met mij gepraat. Leuke meid. Ik had haar eigenlijk wel willen vragen of ze zin had om mee te gaan naar de kroeg om een biertje te drinken. Maar dat zullen nonnen wel niet doen.'

'Ik denk het ook niet.'

Roland stond bij de deur en keek hoe Gabriel zijn jas aantrok. 'Alles oké, Halo? Wil je dat ik met je meega naar Tyburn?'

'Dit is iets wat ik alleen moet doen. Maak je geen zorgen. Ik kom weer terug. Wat eten we?'

'Prei,' zei Roland langzaam. 'Verse worst. Aardappelpuree. Prei.'

Alle fietsen van Vine House hadden bijnamen en stonden in de tuinschuur. Gabriel leende een fiets die het Blauwe Monster werd genoemd en reed in noordelijke richting naar de rivier. Het Blauwe Monster had het stuur van een motorfiets, de achteruitkijkspiegel van een bestelbusje en een roestig frame dat felblauw was geverfd. Het achterwiel maakte een constant piepend geluid terwijl hij over Westminster Bridge fietste en door het drukke verkeer naar het Tyburnklooster reed. Een jonge non met bruine ogen en een donkere huid deed open.

'Ik kom de kapel bekijken,' zei Gabriel tegen haar.

'Dat kan helaas niet,' zei de non. 'We staan op het punt om te sluiten.'

'Wat jammer. Ik vlieg morgen terug naar Amerika. Denkt u dat ik misschien heel even een kijkje zou kunnen nemen? Ik wilde al zo lang een keertje komen kijken.'

'O, ik begrijp het. In dat geval...' De non opende de deur en liet hem binnen in de kooi die als voorvertrek van het klooster diende. 'Het spijt me, maar u kunt maar een paar minuten blijven.'

Ze haalde de sleutelbos uit haar zak en maakte de deur open. Gabriel stelde een paar vragen en kreeg te horen dat de non in Spanje was geboren en op haar veertiende tot de orde was toegetreden. Voor de tweede keer daalde hij langs de metalen trap af naar de crypte. De non deed het licht aan en hij bekeek de beenderen, de bebloede kledingstukken en de andere relieken van Engelse martelaren. Gabriel wist dat het gevaarlijk was hier terug te komen. Hij had maar één kans om de aanwijzing te vinden die hem naar zijn vader kon leiden.

Zuster Teresa vertelde hem iets over de Spaanse ambassadeur en de galg op Tyburn Hill. Knikkend alsof hij elk woord in zich opnam, dwaalde Gabriel langs de verschillende vitrinekasten. Botfragmenten. Een bebloed stukje kant. Nog meer botten. Hij begon te beseffen dat hij maar heel weinig af wist van de Rooms-katholieke Kerk en de Engelse geschiedenis. Het voelde alsof hij een lokaal was binnengekomen voor een belangrijk examen zonder er iets voor te hebben geleerd.

'Ten tijde van de Restauratie werd een deel van de gemeenschappelijke graven op Tyburn geopend en...'

In de loop der jaren waren de houten vitrinekasten in de crypte donker verkleurd door ouderdom en de handen van de gelovigen. Als zich hier aanwijzingen van zijn vader bevonden, moesten die verborgen zijn in iets wat van meer recente datum was. Terwijl hij door de ruimte liep, viel zijn blik op een foto in een blank grenen lijstje dat aan de muur hing. Op de onderkant was een koperen plaatje bevestigd dat glansde in het licht.

Gabriel liep ernaartoe en bestudeerde de zwart-witafbeelding. Het was een foto van een klein, rotsachtig eiland, ontstaan toen twee grillige bergtoppen uit zee waren opgerezen. Een eindje onder de top van de hoogste berg stond een groepje grijze stenen gebouwen – elk gebouwd in de vorm van een omgekeerde kegel. Van een afstandje leken het net reusachtige bijenkorven. Op het koperen plaatje stonden in gotische letters enkele woorden geschreven. SKELLIG COLUMBA. IERLAND.

'Wat staat er op die foto?'

Verschrikt hield zuster Teresa op met haar voorbereide verhaaltje. 'Dat is Skellig Columba, een eiland aan de westkust van Ierland. Er staat een klooster op van de Arme Clarissen.'

'Is dat uw orde?'

'Nee. Wij zijn benedictinessen.'

'Maar ik dacht dat alles in deze crypte over uw orde of over Engelse martelaren ging.'

Zuster Teresa keek naar de grond en haar mond verstrakte. 'God geeft niet om landen. Alleen om zielen.'

'Dat wil ik graag geloven, zuster. Maar het lijkt toch een beetje vreemd om in deze kapel een foto van een Iers klooster aan te treffen.'

'Daar heeft u wel gelijk in. Het past er eigenlijk niet bij.'

'Heeft iemand van buiten het klooster hem hier achtergelaten?' vroeg Gabriel.

De non haalde de zware ijzeren sleutelbos uit haar zak. 'Het spijt me, sir, maar u moet nu echt weg.'

Gabriel trachtte zijn opwinding te verbergen terwijl hij achter zuster Teresa aan naar boven liep. Even later stond hij weer op de stoep. De zon was ondergegaan achter de bomen in Hyde Park en het begon koud te worden. Hij haalde het Blauwe Monster van het slot en reed Bayswater Road op, in de richting van de rotonde.

Toen hij in de achteruitkijkspiegel keek die op het stuur was bevestigd, zag hij ongeveer honderd meter achter zich een motorrijder in een zwart leren jack rijden. De motorrijder had gemakkelijk gas kunnen geven en in de stad kunnen verdwijnen, maar hij bleef achter hem, vlak bij de stoep. Zijn getinte helm verborg zijn gezicht. Zijn voorkomen deed Gabriel denken aan de Tabula-huurlingen die hem drie maanden geleden in Los Angeles hadden achtervolgd.

Gabriel draaide onverwacht Edgware Road op en keek weer in zijn spiegel. De motorrijder zat nog steeds achter hem. Het was spitsuur en druk op de weg. Tussen de bussen en taxi's die in oostelijke richting reden zat slechts een paar centimeter tussenruimte. Hij sloeg af naar Blomfield Road, reed de stoep op en begon dwars door de menigte te zigzaggen die uit kantoorgebouwen tevoorschijn kwam en zich naar de ondergrondse haastte. Een oudere vrouw bleef staan en gaf hem een uitbrander. 'Fietsen horen op straat – graag!' Maar hij sloeg geen acht op de boze blikken en reed de hoek om naar Warwick Avenue.

Een slagerij. Een apotheek. Een Koerdisch restaurant. Gabriel kwam met piepende remmen tot stilstand en smeet het Blauwe Monster achter een berg lege kartonnen dozen. Toen liep hij snel terug naar het trottoir en liep door een paar automatisch openende deuren een supermarkt binnen.

Een vakkenvuller keek naar hem toen hij een boodschappenmandje pakte en een gangpad inliep. Moest hij terugkeren naar Vine House? Nee, misschien wachtten de Tabula hem daar wel op. Ze zouden zijn nieuwe vrienden even efficiënt vermoorden als de gezinnen in New Harmony.

Gabriel bereikte het einde van het gangpad, liep de hoek om en zag dat de motorrijder op hem stond te wachten. Het was een stevig ogende man met brede schouders en armen, een kaalgeschoren hoofd en een gezicht vol rokersrimpels. Hij hield de getinte helm in zijn linkerhand en een satelliettelefoon in zijn rechter.

'Niet weglopen, monsieur Corrigan. Hier. Pak aan.'

De motorrijder stak zijn hand uit en gaf hem de satelliettelefoon. 'Praat met uw vriendin,' zei de man. 'Maar vergeet niet zachte taal te gebruiken. Geen namen.'

Gabriel pakte de telefoon aan en hoorde een vaag statisch geruis. 'Met wie spreek ik?' vroeg hij.

'Ik ben in Londen met een van onze vrienden,' zei Maya. 'De man die je deze telefoon heeft gegeven is een zakenrelatie van me.'

De motorrijder glimlachte minzaam en Gabriel realiseerde zich dat hij was achtervolgd door Linden, de Franse Harlekijn.

'Kun je me verstaan?' vroeg Maya. 'Is alles goed met je?'

'Prima,' zei Gabriel. 'Fijn om je stem te horen. Ik ben er zojuist achter gekomen waar mijn vader verblijft. We moeten hem zien te vinden...'

# 18

Hollis ontbeet in een café en liep toen via Columbus Avenue naar de Upper West Side. Het was nu vier dagen geleden dat Vicki en de anderen naar Londen waren vertrokken. Inmiddels had Hollis zijn intrek genomen in een armoedig hotelkamertje en een baantje gevonden als uitsmijter in een nachtclub. In de tijd dat Hollis niet werkte voerde hij kleine stukjes informatie in in beveiligingsprogramma's die informatie doorgaven aan de Grote Machine. Elke aanwijzing was bedoeld om de Tabula ervan te overtuigen dat Gabriel zich nog steeds in de stad verborgen hield. Maya had hem een Harlekijnwoord geleerd voor waar hij mee bezig was. Het werd 'chummen' genoemd – een vissersterm voor het uitgooien van vet aas in het water om haaien te lokken.

De Upper West Side zat vol met restaurants, nagelstudio's en Starbucks-koffiehuizen. Hollis had nooit begrepen waarom zoveel mannen en vrouwen de dag bij Starbucks doorbrachten met het drinken van lattes terwijl ze naar hun laptop keken. De meesten leken te oud om nog te studeren en te jong om al met pensioen te zijn. Hij had wel eens over iemands schouder gegluurd om te kijken met welk project ze het zo druk hadden.

Hij begon te geloven dat iedereen in Manhattan precies hetzelfde filmscenario aan het schrijven was over de romantische perikelen van de stedelijke middenklasse.

Bij de Starbucks op de hoek van Eighty-sixth Street en Columbus zag hij Kevin de Visser met zijn laptop aan een tafeltje zitten. Kevin was een tengere jonge man met een bleek gezicht die bij allerlei Starbucks door de hele stad at, sliep en zo nu en dan zijn oksels waste. Starbucks was zijn enige thuis en de enige reden daarvoor was dat je bij de koffieketen toegang had tot draadloos internet. Als Kevin geen dutje zat te doen of zijn winkelwagentje naar een nieuwe Starbucks duwde, was hij online.

Hollis pakte een stoel en trok die bij het tafeltje. De Visser stak zijn linkerhand omhoog en wiebelde met zijn vingers om de aanwezigheid van een medemens te bevestigen. Terwijl zijn rechterhand bleef typen keek hij geconcentreerd naar het computerscherm. Kevin had zich illegaal toegang verschaft tot de dossiers van een castingbureau en de digitale foto's van allerlei knappe – maar onbekende – New Yorkse acteurs gedownload. Met behulp van deze foto's ontwierp hij op websites profielen voor alleenstaanden. De acteurs werden omgetoverd in artsen, advocaten of bankiers die van lange wandelingen over het strand hielden en graag wilden trouwen. Over de hele wereld zaten honderden vrouwen druk te typen en te hopen dat Kevin zijn oog op hen zou laten vallen.

'Lukt het een beetje, Kevin?'

'Rijke dame in Dallas.' Kevin had een hoge, nasale stem. 'Ze wil dat ik naar Parijs kom, zodat ik haar voor de eerste keer onder de Eiffeltoren kan ontmoeten.'

'Klinkt romantisch.'

'Ze is al de achtste vrouw die ik op internet heb leren kennen en die me in Parijs of in Toscane wil ontmoeten. Volgens mij kijken ze allemaal naar dezelfde films.' Kevin keek op van het scherm. 'Help me eens even. Wat is een goed sterrenbeeld?'

'Boogschutter.'

'Mooi. Perfect.' Kevin tikte een boodschap in en drukte op verzenden. 'Heb je weer een klusje voor me?'

De Grote Machine had een vraag gecreëerd naar een niet-traceerbare manier om internetboodschappen te kunnen verzenden en ontvangen. Wanneer iemand een computer gebruikte om e-mail te versturen of informatie op te zoeken, werd het signaal geïdentificeerd door het internetprotocol-adres van dat speciale apparaat. Elk IP-adres dat door de overheid of een groot bedrijf werd ontvangen werd voor eeuwig bewaard. Wanneer de Tabula eenmaal over een IP-nummer beschikten, verschafte dit hun een machtig middel om internetactiviteit te traceren.

Voor de dagelijkse anonimiteit konden Harlekijns gebruikmaken van internetcafés of openbare bibliotheken, maar een Visser zoals Kevin kon voor een heel ander soort veiligheid zorgen. Elk van Kevins drie computers was aangeschaft op een ruilbeurs en dat maakte ze moeilijk te traceren. Verder gebruikte de Visser speciale softwareprogramma's die ervoor zorgden dat e-mails door routers over de hele wereld werden geweigerd. Af en toe werd Kevin ingehuurd door Russische gangsters die op Staten Island woonden, maar de meerderheid van zijn klanten waren getrouwde mannen die een verhouding hadden of die speciale porno wilden downloaden.

'Heb je zin om tweehonderd dollar te verdienen?'

'Tweehonderd dollar klinkt goed. Moet ik nog meer informatie over Gabriel verzenden?'

'Ik wil dat je naar chatrooms gaat en commentaren achterlaat op weblogs. Vertel iedereen dat je Gabriel een toespraak hebt horen geven die tegen de Broeders is gericht.'

'Wie zijn de Broeders?'

'Dat hoef je niet te weten.' Hollis haalde een pen tevoorschijn en schreef wat informatie op een papieren servetje. 'Zeg dat Gabriel zijn volgelingen morgenavond ontmoet in de Mask, een nachtclub in het centrum. Ze hebben daar op de eerste verdieping een privézaaltje en daar zal hij om één uur 's morgens een toespraak houden.'

‘Geen probleem. Ik ga er meteen mee aan de slag.’

Hollis overhandigde Kevin de tweehonderd dollar en stond op. ‘Als je deze opdracht goed uitvoert, krijg je een bonus van me. Wie weet? Misschien verdien je wel genoeg om naar Parijs te kunnen vliegen.’

‘Waarom zou ik dat willen?’

‘Dan kan je die vrouw onder de Eiffeltoren ontmoeten.’

‘Daar is geen lol aan.’ Kevin keerde weer terug naar zijn computer. ‘Een echte vrouw zorgt alleen maar voor problemen.’

Hollis verliet Starbucks en hield een taxi aan. Onderweg naar South Ferry bestudeerde hij zijn exemplaar van *De Weg van het Zwaard*. Sparrows boek over meditatie was in drieën verdeeld: Voorbereiding, Gevecht, en Na de strijd. In hoofdstuk zes analyseerde de Japanse Harlekijn twee feiten die met elkaar in strijd leken. Een ervaren strijder ontwikkelde zijn strategie altijd voorafgaand aan een aanval, maar in het heetst van de strijd deed de strijder over het algemeen iets anders. Sparrow geloofde dat plannen heel nuttig waren, maar dat hun ware kracht in het feit school dat ze de geest kalmeerden en voorbereidden op het gevecht. Tegen het eind van het hoofdstuk schreef Sparrow: *Neem je voor om naar rechts te springen, ook al zul je waarschijnlijk naar links gaan.*

Hollis had het gevoel dat hij erg opviel op het ferrytochtje naar een van de zwaarst bewaakte plekken van Amerika – het Vrijheidsbeeld. De boot was afgeladen met groepen schoolkinderen, bejaarde toeristen en gezinnen op vakantie. Hij was de enige zwarte man die in zijn eentje reisde en een rugzak droeg. Toen de boot Ellis Island bereikte, probeerde Hollis op te gaan in de menigte die zich naar het grote tijdelijke bouwwerk begaf dat aan de voet van het standbeeld was neergezet.

Hij stond ongeveer twintig minuten in de rij. Toen hij aan de beurt was moest hij in een apparaat gaan staan dat hem deed denken aan een enorme CT-scanner. Een mechanische stem vertelde hem op twee groene voetafdrukken te gaan staan en vervolgens voelde hij een plotselinge luchtstroom. Hij stond in een 'snuffelaar' – een apparaat dat de chemische geuren kon waarnemen die door explosieven en munitie werden afgescheiden.

Toen er een groen lichtje ging branden, werd hij doorgestuurd naar een grote ruimte vol afsluitbare kastjes. Rugzakken waren niet toegestaan in de buurt van het standbeeld, dus werd alles opgeslagen in een metalen mandje. Toen Hollis een dollar in de gleuf stopte, verzocht een mechanische stem hem zijn rechterduim op een scanner te plaatsen. Op een bordje boven de kastjes stond de tekst: UW VINGERAFDRUK IS UW SLEUTEL. GEBRUIK BIJ TERUGKEER UW VINGERAFDRUK OM UW KASTJE TE OPENEN.

In zijn rugzak zat een mal verborgen van Gabriels rechterhand. Een paar weken eerder had Maya modelleerplastic gesmolten in een pan en had Gabriel zijn hand in de bruine smurrie gedoopt. De mal was een bioduplicaat – een fysieke reproductie van biometrische informatie – en kon worden gebruikt om de Tabula om de tuin te leiden. Hollis verborg de plastic hand in de mouw van zijn jas en drukte vervolgens de rubberachtige duim tegen het scannervenster. In minder dan een seconde werd Gabriels duimafdruk omgezet in een heel pakket digitale informatie en doorgegeven naar de computers van de Grote Machine.

'Deze kant op naar het beeld. Deze kant op naar het beeld,' riep een bewaker op verveelde toon. Hollis liet zijn rugzak achter in het kastje en volgde de andere burgers naar het stenen voetstuk van het reusachtige standbeeld. Iedereen keek vrolijk, behalve Hollis. Ze bevonden zich in het Land van de Vrijheid.

Het was al laat toen Hollis terugkeerde naar zijn hotel en hij kon nog maar een paar uur slapen. Toen hij zijn ogen opendeed, keek hij naar een strookje van vier zwart-witfoto's die Vicki en hij hadden gemaakt in zo'n doe-het-zelfhokje. Een enorme kakkerlak naderde dit privéaltaartje en begon met zijn voelsprieten te zwaaien, maar Hollis mikte het insect op de grond.

Hij pakte de foto's, hield het strookje onder het lamplicht en bestudeerde de laatste foto. Vicki had zich omgedraaid om hem aan te kijken en haar gezicht toonde zowel liefde als begrip. Ze wist alles van hem – wist van het geweld en het egoïsme die zijn verleden hadden gekenmerkt – maar accepteerde hem desondanks. Uit liefde voor haar wilde Hollis ten strijde trekken en monsters verslaan; hij had er alles voor over om haar vertrouwen te rechtvaardigen.

Om een uur of acht 's avonds kleedde hij zich aan en nam een taxi naar de wijk van de oude slachthuizen – zo'n twintig blokken industriële gebouwen ten westen van Greenwich Village. Mask, de nachtclub, was gevestigd aan West Thirteenth Street, in wat vroeger een fabriek was geweest waar kippen werden geslacht en verwerkt. De club draaide al drie jaar, een behoorlijk lange tijd in dit wereldje.

De grote centrale ruimte was in tweeën verdeeld. Het grootste deel van het gebouw werd in beslag genomen door een open ruimte waar gedanst kon worden, twee bars en een cocktailruimte. Aan de andere kant van de zaal voerde een trap naar boven, naar een apart vipgedeelte dat uitkeek over de grote dansvloer. Alleen de mooie mensen – degenen met schoonheid of geld – mochten boven komen. De begane grond was voor de brug-en-tunnelmensen, klanten die hier met de auto naartoe waren gereden of in een propvolle trein hadden gezeten om in Manhattan te komen. De eigenaren van de club werden geobsedeerd door de verhouding tussen deze twee groepen. Hoewel de brug-en-tunnels ervoor zorgden dat Mask een winstgevende zaak was, werden ze naar de club gelokt door de acteurs en fotomodellen die boven hun gratis drankjes dronken.

Zonder flitsende lichten en bonkende dansmuziek voelde Mask alsof het met gemak weer kon worden omgebouwd tot een fabriek waar dode kippen werden geplukt. Hollis ging de kleine personeelskleedkamer binnen en trok een zwart T-shirt en een zwart colbertje aan. Een handgeschreven briefje boven de spiegel waarschuwde dat elke werknemer die drugs verkocht aan klanten op staande voet zou worden ontslagen. Hollis was er al achter gekomen dat de directie er geen moeite mee had als werknemers drugs aan elkaar verkochten – meestal ging het om pepmiddelen die de beveiligingsmensen tot het einde van de avond wakker hielden.

Hollis zette een koptelefoon op die hem verbond met de andere uitsmijters. Hij keerde weer terug naar de grote zaal en liep naar boven. De werknemers van Mask beschouwden de club als een verfijnd middel om de klanten geld afhandig te maken. Een van de meest lucratieve baantjes was het bewaken van de vipruimte en die positie werd op dit moment bekleed door een man die Boodah heette. Boodah had een Afro-Amerikaanse vader en een Chinese moeder. Zijn bijnaam had hij te danken aan zijn reusachtige buik, die hem leek te beschermen tegen alle New Yorkse gekte.

Toen Hollis boven kwam was de uitsmijter net bezig de stoelen en canapétafels in zijn koninkrijkje netjes neer te zetten. 'Wat is er aan de hand?' vroeg Boodah. 'Je ziet er moe uit.'

'Dat valt wel mee hoor.'

'Denk eraan. Als er iemand langs het koord wil, moeten ze eerst naar mij toe komen.'

'Geen probleem. Ik ken de regels.'

Boodah bewaakte de hoofdingang van de vipruimte terwijl Hollis aan de andere kant bij een uitgang stond. Deze uitgang werd alleen gebruikt door gasten die beneden naar het toilet wilden of zich in de zwetende massa op de dansvloer wilden mengen. Het was Hollis' taak om alle anderen buiten te houden. Een uitsmijter deed niet veel anders dan de hele avond nee zeggen – tenzij je werd betaald om ja te zeggen.

Tot nu toe had Hollis zijn werk uitgevoerd als een gehoorzame loonslaaf, maar hij voelde dat er vanavond wel eens iets zou kunnen gebeuren. Een looppad beschermd door een balustrade liep van de vipruimte naar het privézaaltje. In dat zaaltje stonden leren banken, canapétafels en een intercom om bestellingen te doen bij de bar. Een spiegelraam bood uitzicht op de dansvloer beneden. Vanavond zou de privézaal worden gebruikt door een paar sjacheraars uit Brooklyn die graag drugs gebruikten in nachtclubs. Als de Tabula hiernaartoe kwamen om Gabriel te zoeken, stond hen een onaangename verrassing te wachten.

Hollis leunde tegen de balustrade en strekte zijn beenspieren. Toen Ricky Tolson, de assistent-manager van de club, de trap op kwam, keerde hij terug naar zijn post. Ricky was een ver familielid van een van de eigenaars. Hij zorgde ervoor dat er voldoende wc-papier in de toiletten was en bracht het grootste deel van zijn tijd door met pogingen om dronken vrouwen te versieren.

'Hoe gaat het, vriend?' vroeg Ricky. Hollis stond te laag in de clubhiërarchie om een naam te hebben.

*Ik ben je vriend niet*, dacht Hollis. Maar hij glimlachte vriendelijk. 'De privézaal is toch besproken? Ik hoorde dat Mario en zijn vrienden vanavond komen.'

Ricky keek geërgerd. 'Nee, ze hebben gebeld om af te zeggen. Maar er komt vast wel iemand anders...'

Een halfuur later begon de clubdeejay de avond met een religieuze soefimelodie, die geleidelijk overging in de bonkende beat van housemuziek. De brug-en-tunnelmensen kwamen als eersten binnen en namen onmiddellijk bezit van de paar tafeltjes bij de bar. Vanaf zijn plekje hoog boven de dansvloer zag Hollis jonge vrouwen in korte rokjes en goedkope schoenen naar de toiletten rennen om hun make-up te controleren en hun kapsel bij te werken. Hun mannelijke tegenhangers beenden met stoere tred rond en zwaaiden met biljetten van twintig dollar naar de barkeeper.

De stemmen van de andere uitsmijters fluisterden vanuit zijn koptelefoon in zijn rechteroor. Het beveiligingsteam voerde continu gesprekken over welke man eruitzag alsof hij voor problemen ging zorgen en welke vrouw de meest onthullende jurk droeg. Naarmate de uren verstreken bleef Hollis de privézaal in de gaten houden. Die was nog steeds leeg – maar misschien zou er vanavond niets meer gebeuren.

Tegen middernacht begeleidde hij twee fotomodellen naar een speciale toiletruimte waarvoor je een sleutel nodig had. Toen hij terugkeerde op zijn post zag hij Ricky met een meisje in een strak groen jurkje naar het privézaaltje lopen. Hollis liep naar Boodah en schreeuwde boven het lawaai uit: 'Wat voert Ricky daar uit?'

De grote man haalde zijn schouders op alsof de vraag nauwelijks een antwoord verdiende. 'Die heeft weer eens een meisje. Hij geeft haar wat coke en zij geeft hem het vaste recept.'

Toen Hollis omlaagkeek naar de dansvloer zag hij twee mannen in sportjasjes de club binnenkomen. In plaats van naar de vrouwen te kijken of een drankje te halen aan de bar, keken ze allebei omhoog naar het privézaaltje. De ene huurling was klein maar heel gespierd. Zijn broek leek te lang voor zijn korte, brede lijf. De andere man was lang en droeg zijn zwarte haar in een paardenstaartje.

De twee mannen liepen naar boven en de kleinste huurling stopte een paar bankbiljetten in Boodahs hand. Het was genoeg geld voor onmiddellijk respect en toegang langs het rood fluwelen koord. Even later zaten de mannen aan een tafeltje en keken naar het smalle gangpad dat naar het privézaaltje leidde. Daar was Ricky nog steeds, met zijn vriendinnetje. Hollis vloekte binnensmonds en dacht aan Sparrows advies: *Neem je voor om naar rechts te springen, ook al zal je waarschijnlijk naar links gaan.*

Een dronken vrouw begon tegen haar vriendje te schreeuwen en Boodah haastte zich naar beneden om het probleem op te lossen. Op het moment dat hij weg was, stonden de twee huurlingen op en liepen naar het privézaaltje. De lange man liep langzaam voorop terwijl zijn partner hem dekte. De lampen boven de dansvloer begonnen feller te branden en te flitsen op het ritme van de muziek. Toen de lange huurling zich omdraaide weerkaatste het licht van het lemmet van het mes dat hij stevig in zijn hand hield.

Hollis betwijfelde ten zeerste of ze een foto van Gabriel hadden. Waarschijnlijk luidden hun instructies dat ze degene die in die kamer was moesten vermoorden. Tot op dit moment had Hollis het idee gehad dat hij hetzelfde kon als Maya en de andere Harlekijns. Maar hij was niet zo. Geen van de Harlekijns zou zich druk hebben gemaakt om Ricky en het meisje, maar Hollis kon niet werkeloos toezien. *Verdomme*, dacht hij. *Als die twee sukkels daarbinnen doodgaan, kleeft hun bloed aan mijn handen.*

Met een beleefde glimlach op zijn gezicht liep hij naar de kleinste van de twee toe. 'Neemt u mij niet kwalijk, sir, maar de privéruimte is bezet.'

'Ja, door een vriend van ons. En maak nu maar gauw dat je wegkomt.'

Hollis hief zijn armen op alsof hij de indringer ging omhelzen. Toen werden zijn handen echter vuisten en bewogen naar elkaar toe, zodat hij beide zijden van het hoofd van de man tegelijk raakte. De kracht van de klap deed de kleine man wankelen en hij viel achterover. De lichten en de bonkende muziek waren zo overweldigend dat niemand merkte wat er zojuist was gebeurd. Hollis stapte over de man heen en liep verder.

De lange huurling had zijn hand al op de deurknop, maar reageerde onmiddellijk toen hij Hollis zag. Hollis wist dat iedereen die een mes in zijn hand heeft zich te veel op het wapen concentreert; elk spoortje dood en kwaadaardigheid wordt in de punt van het lemmet geperst.

Hij deed alsof hij de hand van de huurling wilde grijpen, maar sprong naar achteren toen de man een uitval deed met zijn mes. Hollis trapte met de punt van zijn schoen in de maag van de man. Toen de huurling dubbelklapte en naar adem hapte, beukte Hollis met al zijn kracht omhoog, zodat de man over de balustrade tuimelde.

Beneden begonnen mensen te gillen, maar de muziek speelde door. Hollis rende door het gangpad en forceerde een doorgang tussen de tafels. Toen hij bij de trap kwam zag hij dat drie andere huurlingen zich een weg door de menigte probeerden te banen. Een van hen was een al wat oudere man met een bril met een metalen montuur. Was dat Nathan Boone – de man die Maya's vader had vermoord? Maya zou hem onmiddellijk hebben aangevallen, maar Hollis rende verder.

De menigte golfde voor- en achteruit als een kudde dieren die wordt afgeschrikt door de geur van de dood. Hollis stapte op de dansvloer en drong naar voren, links en rechts mensen uit de weg duwend. Hij bereikte de gang aan de achterkant van het gebouw die naar de keuken en de toiletten leidde. Een groepje meisjes stond ergens om te lachen terwijl het licht in hun make-upspiegeltjes reflecteerde. Hollis liep langs hen heen en rende via een nooduitgang naar buiten.

In de steeg stonden twee huurlingen met koptelefoons. Iemand had hun over Hollis verteld en ze stonden op hem te wachten. De oudere man had een spuitbus en spoot een chemisch goedje in Hollis' ogen.

De pijn was ongelofelijk. Het leek wel of zijn ogen in brand stonden. Hollis kon niets zien en kon zich niet verdedigen toen iemands vuist zijn neus verbrijzelde. Als een drenkeling greep hij zich vast aan zijn aanvaller en verkocht de huurling een kopstoot in het gezicht.

De eerste man viel op straat, maar de tweede sloeg zijn arm om Hollis' nek en begon hem te wurgen. Hollis beet in zijn hand. Toen hij een gil hoorde, greep hij de arm van de huurling en draaide hem om tot hij iets hoorde knappen.

Blind. Hij was blind. Terwijl hij zijn handen langs de stenen muur naast hem liet glijden rende hij door zijn eigen duisternis.

# 19

Om een uur of tien 's ochtends reden Maya en de anderen door het stadje Limerick. Gabriel reed langzaam door het centrum met al zijn winkels en probeerde geen verkeersregels te overtreden. Zijn voorzichtigheid verdween op het moment dat ze de stad achter zich lieten. Hij gaf meteen vol gas. Hun kleine blauwe auto racete over de tweebaansweg, op weg naar de westkust en het eiland Skellig Columba.

Normaal gesproken zou Maya naast Gabriel zijn gaan zitten om vooruit te kijken en te anticiperen op eventuele problemen. Maar ze wilde niet dat Gabriel naar haar kon kijken en de verschillende uitdrukkingen die over haar gezicht gleden kon interpreteren. Gedurende haar kortstondige poging om een normaal leven te leiden in Londen, hadden de vrouwen bij haar op kantoor zich er vaak over beklaagd dat hun vriendjes hun wisselende stemmingen nooit aanvoelden. Nu had ze te maken met een man die dat juist heel goed kon – en daar was ze heel huiverig voor.

Voor de tocht door Ierland was Vicki voorin gaan zitten. Alice en Maya zaten achterin, van elkaar gescheiden door een boodschappentas vol crackers en flessen water. De tas was een noodzakelijke barrière. Sinds zij in Ierland waren aangekomen, wilde Alice voortdurend heel dicht bij Maya zitten. Eén keer had ze haar hand uitgestoken en de omtrekken van het werpmes aangeraakt dat Maya onder haar trui droeg. Het was allemaal veel te intiem, te dichtbij, en Maya gaf er de voorkeur aan wat meer afstand te bewaren.

Linden had de auto gehuurd met een creditcard van een van zijn lege bv's die in Luxemburg stonden geregistreerd. Hij had een goedkope digitale camera gekocht en plastic reistassen met de tekst MONARCH REIZEN – WIJ LATEN U DE WERELD ZIEN. Al deze dingen waren rekwisieten die hen op toeristen moesten doen lijken, maar Vicki vond het wel leuk om de camera te hebben. Ze riep telkens: 'Dit zou Hollis mooi vinden,' wanneer ze het raampje omlaagdraaide om weer een foto te nemen.

Na in het plaatsje Adare te zijn gestopt om te tanken, verlieten ze het groene boerenland en volgden een smalle weg over de bergen. Het boomloze landschap deed Maya aan de Schotse Hooglanden denken; ze passeerden rotsen en struikgewas en heidegrond en zelfs een grote paarse rododendronstruik.

Toen ze op een gegeven moment over een bergrug kwamen, zagen ze in de verte de Atlantische Oceaan liggen. 'Daar is hij,' fluisterde Gabriel. 'Ik weet het zeker.' Niemand had het hart hem tegen te spreken.

Maya bewaakte Gabriel nu alweer een paar dagen, maar ze hadden allebei hun best gedaan persoonlijke gesprekken te vermijden. Ze was verrast door het korte kapsel dat Gabriel in Londen was aangemeten. Zijn kortgeschoren hoofd gaf hem een intens, bijna streng uiterlijk en ze vroeg zich af of zijn krachten als Reiziger begonnen toe te nemen. Van het begin af aan leek Gabriel geobsedeerd door de ingelijste foto die hij in het Tyburnklooster had gezien. Hij had erop gestaan zo snel mogelijk naar Skellig Columba te reizen en Linden kon zijn ergernis nauwelijks verhullen. De Franse Harlekijn bleef maar naar Maya kijken alsof zij een moeder was die een onhandelbaar kind had opgevoed.

Zodra ze de reis naar Ierland waren gaan organiseren, had Gabriel een tweede eis gesteld. De afgelopen twee weken had hij bij een groepje freerunners gewoond, op de South Bank, en hij wilde afscheid nemen van zijn nieuwe vrienden. 'Maya mag met me mee, maar jij niet,' zei hij tegen Linden. 'Jij ziet eruit alsof je op het punt staat iemand te vermoorden.'

'Misschien is dat ook wel nodig,' zei Linden. Maar toen ze Bonnington Square bereikten, bleef hij in de auto zitten.

Het oude huis rook naar gebakken spek en gekookte aardappelen. In de voorkamer zaten drie jonge mannen en een stoer ogend tienermeisje met kort haar te eten. Gabriel stelde de freerunners aan Maya voor en zij knikte naar Jugger, Sebastian, Roland en Ice. Hij vertelde hun dat Maya een vriendin van hem was en dat ze de stad nog diezelfde avond zouden verlaten.

'Alles oké?' vroeg Jugger. 'Kunnen we je soms ergens mee helpen?'

'Het kan zijn dat er mensen naar me komen vragen. Vertel dan maar dat ik een meisje heb ontmoet en dat ik met haar naar Zuid-Frankrijk ben gegaan.'

'Prima. Ik heb het begrepen. Vergeet niet dat je hier altijd vrienden zult hebben.'

Met al zijn bezittingen in een kartonnen doos liep Gabriel achter Maya aan naar de auto. Ze brachten twee dagen door op een veilig adres in de buurt van Stratford terwijl Linden aan informatie over Skellig Columba probeerde te komen. Het enige wat hij via internet te weten kwam was dat het eiland oorspronkelijk de locatie was van een zesde-eeuws klooster, gesticht door de heilige Columba. De Ierse heilige, ook wel bekend als Colum Cille, was een apostel voor de heidense stammen van Schotland. In het begin van de twintigste eeuw waren de ruïnes gerestaureerd door een nonnenorde die de Arme Clarissen werd genoemd. Er was geen veerdienst naar het eiland en de nonnen hielden niet van bezoek.

Na de bergen reden ze een kustweg op die tussen een kalkstenen klif en de oceaan liep. Geleidelijk aan begon het landschap uit te waaieren in moerasland. In de verte waren turfstekers aan het werk. Ze groeven blokken uit van samengeperst gras en klaver die hier in de ijstijd hadden gegroeid.

Overal zag je meertjes en beekjes en de weg volgde een kronkelend riviertje dat uitkwam in een kleine baai. Aan de noordzijde van de baai lagen glooiende heuvels, maar zij gingen naar het zuiden, naar Portmagee, een vissersdorpje met een kade aan een lage zeedijk. Aan weerskanten van de smalle weg stonden twee dozijn huizen, die Maya stuk voor stuk aan een kindertekening van een gezicht deden denken: grijze dakleien als haar, twee bovenraampjes als ogen, een rode deur in het midden voor de neus en twee lage ramen met witte bloembakken die op een brede grijns leken.

Ze stopten bij de dorpskroeg en de barman vertelde hun dat ene Thomas Foley de enige was die op Skellig Columba voer. Kapitein Foley nam zelden zijn telefoon op, maar was 's avonds meestal wel thuis. Vicki regelde een paar kamers in de pub terwijl Maya en Gabriel de weg afliepen. Dit was de eerste keer dat ze samen waren sinds ze elkaar in Londen weer hadden ontmoet. Het leek heel natuurlijk om weer bij hem te zijn en Maya moest onwillekeurig aan hun allereerste ontmoeting in Los Angeles denken. Toen hadden ze elkaar met argusogen bekeken, onzeker als ze waren over hun verantwoordelijkheden als Reiziger en Harlekijn.

Aan de rand van het dorp vonden ze een primitief geschilderd bord met de tekst: KAPITEIN T. FOLEY – BOOTTOCHTEN. Ze liepen over een modderige oprit naar een witgepleisterd huisje, en Maya klopte aan.

'Kom binnen of hou op met dat geklop!' riep een man en zij betraden een voorkamer vol piepschuimen boeien, afgedankt tuinmeubilair en een aluminium roeiboot op een zaagbok. Het huisje leek een soort zinkput voor alle rotzooi in West-Ierland. Gabriel liep achter Maya aan door een korte gang die vol stond met stapels oude kranten en tassen vol aluminium blikjes. De muren leken op hen af te komen toen ze een tweede deur bereikten.

'Als jij dat bent, James Kelly, kan je meteen weer opsodemieteren!' riep de stem.

Maya duwde de deur open en zij betraden een keuken. In een van de hoeken stond een elektrisch fornuis en een gootsteen vol vuile borden. In het midden van de keuken zat een oude man een scheur in een visnet te repareren. Toen hij lachte zagen ze zijn scheve tanden, donkergeel verkleurd door een leven lang roken en sterke thee.

'En wie mogen jullie dan wel zijn?'

'Ik ben Judith Strand en dit is mijn vriend Richard. Wij zijn op zoek naar kapitein Foley.'

'Nou, die hebben jullie gevonden. Waar heb je hem voor nodig?'

'Wij willen graag een boot huren voor vier passagiers.'

'Dat is makkelijk zat.' Kapitein Foley keek Maya schattend aan, piekerend over het bedrag dat hij kon rekenen. 'Een tripje van een halve dag langs de kust kost driehonderd euro. Vijfhonderd voor een hele dag. En jullie moeten je eigen lunch meebrengen.'

'Ik heb foto's gezien van een eilandje met de naam Skellig Columba,' zei Gabriel. 'Denkt u dat u ons daarnaartoe kunt brengen?'

'Ik voorzie de nonnen elke twee weken van verse voorraden.' Foley zocht net zo lang tussen de rommel op de keukentafel tot hij een bruyèrepijp had gevonden. 'Maar op dat eiland kan je niet aan land gaan.'

'Wat is het probleem?' vroeg Gabriel.

'Geen probleem. Ze willen gewoon geen bezoek.' Kapitein Foley pakte een gebarsten suikerschaaltje, haalde er een snufje zwarte tabak uit, en stopte daar zijn pijp mee. 'Het eiland is eigendom van de republiek, verpacht aan de katholieke Kerk en onderverhuurd aan de Arme Clarissen. Over één ding zijn ze het allemaal eens – de overheid, de kerk en de nonnen – en dat is dat ze niet willen dat er vreemden over Skellig Columba gaan lopen struinen. Het is een beschermd gebied voor zeevogels. De Arme Clarissen vallen die vogels niet lastig, want die zijn altijd aan het bidden.'

'Maar als ik nu eens netjes toestemming aan hen zou vragen – '

'Niemand zet een voet op dat eiland zonder een brief van de bisschop en daar zie ik jullie niet mee zwaaien.' Foley stak zijn pijp aan en blies wat zoetige rook naar Gabriel. 'Einde verhaal.'

'Dan komt hier het nieuwe verhaal,' zei Maya. 'Ik betaal u duizend euro om ons naar het eiland te varen zodat wij met de nonnen kunnen praten.'

De kapitein overwoog het aanbod. 'Dat zou heel misschien mogelijk kunnen zijn...'

Maya pakte Gabriels hand en trok hem mee naar de deur. 'Ik denk dat we maar een andere boot moeten gaan zoeken.'

'Het lijkt me zelfs heel goed mogelijk,' zei Foley snel. 'Ik zie jullie morgenochtend om tien uur aan de kade.'

Ze verlieten het huis en liepen naar buiten. Maya had een gevoel alsof ze opgesloten had gezeten in een dassenhol. Het liep tegen de avond en het begon al een beetje donker te worden – vooral in de buurt van dicht struikgewas en onder de bomen.

De dorpelingen zaten veilig in hun huizen, waar ze televisiekeken en het eten klaarmaakten. Door de kanten gordijnen scheen licht naar buiten en uit sommige schoorstenen kwam rook. Gabriel trok Maya mee naar de overkant van de weg, naar een roestig parkbankje dat uitkeek over de baai. Het was eb en ze zagen een strook donker zand, bedekt met drijfhout en dood zeewier. Maya ging op het bankje zitten terwijl Gabriel naar de vloedlijn liep en uitkeek over de westelijke horizon. De ondergaande zon raakte de oceaan al aan en veranderde langzaam in een wazige lichtvlek die uitvloeide over het water.

'Mijn vader is op dat eiland,' zei Gabriel. 'Ik weet het gewoon zeker. Ik kan hem bijna horen praten.'

'Misschien is dat zo. Maar dan weten we nog steeds niet waarom hij naar Ierland is gekomen. Daar moet hij een reden voor hebben gehad.'

Gabriel wendde zich af van het water. Hij liep terug naar het bankje en kwam naast haar zitten. Ze waren helemaal alleen in de schemering, zo dicht bij elkaar dat zij hem voelde ademen.

'Het wordt donker,' zei hij. 'Waarom heb je je zonnebril nog op?'

'Macht der gewoonte.'

'Je hebt me eens verteld dat Harlekijns tegen gewoontes en voorspelbare daden waren.'

Gabriel stak zijn hand uit en zette haar zonnebril af. Hij klapte hem dicht en legde hem naast haar been. Nu keek hij haar recht in de ogen. Maya voelde zich naakt en kwetsbaar, alsof al haar wapens haar waren afgenomen.

'Ik wil niet dat je zo naar me kijkt, Gabriel. Ik word er nerveus van.'

'Maar we vinden elkaar aardig. We zijn vrienden.'

'Dat is niet waar. Wij zullen nooit vrienden kunnen zijn. Ik ben hier om jou te beschermen – om voor je te sterven, als dat nodig mocht zijn.'

Gabriel keek uit over de oceaan. 'Ik zou nooit willen dat er iemand voor mij sterft.'

'We kennen allemaal de risico's.'

'Misschien. Maar ik heb iets te maken met wat er is gebeurd. Toen wij elkaar voor het eerst ontmoetten in Los Angeles en jij me vertelde dat ik misschien een Reiziger was, wist ik nog niet hoe dat de levens van iedereen die ik tegenkom zou veranderen. Ik heb zoveel vragen voor mijn vader...' Gabriel zweeg en schudde zijn hoofd. 'Ik heb nooit kunnen accepteren dat hij is verdwenen. Toen ik klein was voerde ik 's avonds in bed soms hele, denkbeeldige gesprekken met hem. Ik dacht altijd dat ik daar wel overheen zou groeien wanneer ik ouder werd, maar het wordt alleen maar intenser.'

'Gabriel, misschien is je vader helemaal niet op dat eiland.'

'Dan blijf ik hem toch zoeken.'

'Als de Tabula te weten komen dat je je vader zoekt, hebben ze macht over je. Dan zullen ze valse aanwijzingen verspreiden – als lokaas in een val.'

'Dat risico moet ik dan maar nemen. Maar dat betekent nog niet dat jij met me mee moet gaan. Ik zou het niet kunnen verdragen als jou iets overkwam, Maya. Daar zou ik niet mee kunnen leven.'

Ze had een gevoel alsof Thorn achter het bankje stond en haar al zijn dreigementen en waarschuwingen influisterde. *Vertrouw niemand. Word nooit verliefd.* Haar vader was altijd zo sterk, zo zeker van zichzelf – de belangrijkste persoon in haar leven. *Maar verdomme,* dacht ze. *Hij heeft wel mijn stem gestolen. Ik kan niet spreken.*

'Gabriel,' fluisterde ze. 'Gabriel...' Haar stem klonk heel zacht, als die van een verdwaald kind dat de hoop heeft opgegeven ooit nog te worden gevonden.

'Het is al goed.' Hij pakte haar hand. De zon was inmiddels niet meer dan een dun streepje aan de horizon. Gabriels huid voelde warm aan en Maya had het gevoel dat ze het de rest van haar leven koud – Harlekijnkoud – zou hebben.

'Ik zal altijd aan je zijde staan, wat er ook gebeurt,' zei ze. 'Dat zweer ik je.'

Hij boog zich naar voren om haar te kussen. Maar toen Maya haar hoofd omdraaide, zag ze donkere gestalten op hen afkomen.

'Maya!' riep Vicki hun toe. 'Ben jij dat? Alice begon zich zorgen te maken. Ze wilde jullie gaan zoeken...'

Die nacht regende het. De volgende ochtend lag er vlak buiten de baai een dichte mist over de oceaan. Maya trok wat van de kleren aan die ze in Londen had gekocht – een wollen broek, een donkergroene kasjmieren trui en een leren jas met wintervoering. Na in de pub ontbeten te hebben wandelden ze naar de kade en troffen daar kapitein Foley aan, die zakken turf en plastic voorraadkratten aan boord van zijn negen meter lange vissersboot aan het laden was. Foley legde uit dat de turf voor het fornuis van het klooster was en dat de kratten voedsel en schone kleren bevatten. Het enige water op Skellig Columba kwam van regen die in stenen opvangbassins viel. De nonnen hadden voldoende water om te drinken en zichzelf mee te wassen, maar niet genoeg om hun zwarte rokken en sluiers te wassen.

De boot had een open dek voor het binnenhalen van visnetten en een dichte stuurhut die bescherming bood tegen de wind. Alice leek blij om weer op een boot te zijn. Toen ze uit de baai vertrokken liep ze het ruim in en uit en inspecteerde alles. Kapitein Foley stak zijn pijp op en blies wat rook in hun richting. 'Bewoonde wereld,' zei hij, en wees met zijn duim naar de groene heuvels in het oosten. 'En dit...' Hij wees naar het westen.

'Einde van de wereld,' zei Gabriel.

'Precies, jongeman. Toen de Heilige Columba en zijn monniken voor het eerst naar dit eiland kwamen, reisden ze naar de meest afgelegen plek in het westen op een kaart van Europa. De allerlaatste halte van de tram.'

Op het moment dat ze de beschutting van de baai verlieten, voeren ze de dichte mist in. Het was net alsof ze in een reusachtige wolk zaten. Het dek glinsterde en aan de stalen kabels die aan de radioantenne waren bevestigd hingen waterdruppels. Bij elke nieuwe golf gleed de vissersboot omlaag, om even later spetterend door de witte schuimkoppen weer omhoog te komen. Alice hield zich stevig vast aan de reling en rende toen naar Maya. Opgewonden wees ze op een zeehond die vlak naast de boot dreef. De zeehond keek naar hen op als een gladharige hond die zojuist een paar vreemden in zijn achtertuin heeft aangetroffen.

Geleidelijk aan begon de mist op te trekken en konden ze weer stukken lucht zien. Overal zag je zeevogels: pijlstormvogels en stormvogeltjes, pelikanen en witte jan-van-genten met zwarte punten aan hun vleugels. Nadat ze ongeveer een uur gevaren hadden, passeerden ze het eiland Little Skellig, dat een broedplaats was voor de jan-van-genten. De kale rotsen waren wit gekleurd en duizenden vogels cirkelden door de lucht.

Het duurde nog een uur voordat Skellig Columba uit de golven opdook. Het eiland zag er precies hetzelfde uit als op de foto die Gabriel in het Tyburnklooster had gezien; twee grillige toppen van een onderwatergebergte. Het eiland was begroeid met lage struiken en heide, maar Maya zag nergens een klooster of een ander gebouw.

'Waar gaan we aan land?' vroeg ze aan kapitein Foley.

'Geduld, juffie. We naderen vanuit het oosten. Aan de zuidkant van het eiland ligt een kleine baai.'

Op veilige afstand blijvend van de rotsen, naderde Foley een zes meter lange aanlegsteiger op stalen palen. De steiger voerde naar een betonnen plaat omringd door een gaashek. Een opvallend bord kondigde in rode en witte letters aan dat het eiland een beschermd natuurgebied was en verboden toegang voor eenieder die niet over schriftelijke toestemming van het bisdom Kerry beschikte. Aan de rand van de betonplaat stond een gesloten hek. Het bewaakte een stenen trap die omhoogvoerde langs de helling.

Kapitein Foley zette de motor af. De golven duwden zijn boot tegen de steiger en hij wierp een lus om een van de palen. Maya, Vicki en Alice klommen op het beton, terwijl Gabriel Foley een handje hielp met het uitladen van de kratten en zakken turf. Vicki liep naar het hek en voelde aan het koperen hangslot dat eraan hing. 'Wat nu?'

'Er is hier niemand,' zei Maya. 'Ik stel voor dat we gewoon om het hek heen lopen en de heuvel naar het klooster beklimmen.'

'Ik denk niet dat kapitein Foley dat een goed idee zou vinden.'

'Foley heeft ons hier gebracht. Ik heb hem nog maar de helft van het geld gegeven. Gabriel gaat hier niet weg voordat hij meer over zijn vader te weten komt.'

Alice rende over het platform en wees naar de top van de heuvel. Toen Maya een paar passen naar achteren deed, zag ze dat er vier nonnen omlaagkwamen langs de treden die naar de steiger leidden. De Arme Clarissen droegen zwarte habijten en sluiers met witte kappen en kragen. De geknoopte witte koorden om hun middel waren geïnspireerd door de franciscaanse geschiedenis van hun orde. Alle vier de vrouwen hadden zwarte wollen omslagdoeken om hun bovenlichaam gewikkeld. De wind zwiepte de punten van de omslagdoeken heen en weer, maar de vrouwen bleven lopen tot ze zagen dat er vreemden op hun eiland waren gearriveerd. Ze bleven staan – de eerste drie nonnen dicht tegen elkaar aan op de trap, terwijl de langste non een paar passen achter hen bleef.

Kapitein Foley sjouwde twee zakken turf het platform op en gooide ze neer bij het hek. 'Dat ziet er niet best uit,' zei hij. 'Die grote is de moeder-overste. Zij heeft het hier voor het zeggen.'

Een van de clarissen klom de trap weer op naar de abdis, kreeg instructies en haastte zich toen naar het hek.

'Wat is er aan de hand?' vroeg Gabriel.

'Einde verhaal, jongeman. Ze moeten je hier niet.'

Toen Foley naar het hek liep trok hij de gebreide muts van zijn kale hoofd. Hij maakte een buiging voor de non, wisselde op zachte toon enkele woorden met haar en haastte zich toen met een verbaasde blik op zijn gezicht naar Maya.

'Sorry, juffie. Ik neem alles terug wat ik heb gezegd. De moeder-overste verzoekt je om naar de kapel te komen.'

De moeder-overste was verdwenen, maar de drie andere nonnen grepen een zak turf en begonnen weer naar boven te klimmen. Maya, Gabriel en de anderen volgden, terwijl kapitein Foley bij zijn boot bleef.

In de zesde eeuw hadden de monniken onder leiding van Sint-Columba een trap aangelegd die van de oceaan helemaal naar de hoogste top van het eiland voerde. De grijze kalksteen was dooraderd met wit leisteen en was hier en daar begroeid met korstmos. Terwijl Maya en de anderen de nonnen volgden, ebde het geluid van ruisende golven weg en maakte plaats voor de klank van de wind. De wind blies langs kegelvormige rotsblokken en waaide door kort gras, distels en zuring. Skellig Columba had veel weg van de ruïnes van een reusachtig kasteel met ingestorte torens en kapotgeschoten poorten. Alle zeevogels waren verdwenen en hun plaats was ingenomen door raven, die krassend boven hun hoofden cirkelden.

Ze bereikten de top van de heuvel en daalden af naar de noordkant van het eiland. Vlak onder hen lagen drie opeenvolgende terrassen, elk zo'n vijftien meter breed. Het eerste terras werd in beslag genomen door een kleine tuin en twee opvangbassins voor het regenwater dat langs de rotsen naar beneden stroomde. Op het tweede terras stonden vier stenen gebouwen die zonder specie waren gebouwd; ze leken op enorme bijenkorven met houten deuren en ronde ramen. Op het derde terras stond een kapel. Hij was ongeveer achttien meter lang en had de vorm van een boot die op zijn kop op het strand was gelegd.

Alice en Vicki bleven bij de nonnen, terwijl Maya en Gabriel afdaalden naar de kapel en naar binnen gingen. Aan één kant voerde een eiken vloer naar een altaar: drie ramen achter een eenvoudig gouden kruis. Nog steeds in haar omslagdoek gewikkeld, stond de moeder-overste voor het altaar – met haar rug naar de bezoekers toe en haar handen gevouwen in gebed. De deur viel piepend dicht en het enige wat zij hoorden was de wind die door openingen in de stenen muren floot.

Gabriel deed een paar stappen naar voren. 'Neemt u mij niet kwalijk, ma'am. Wij zijn zojuist op het eiland aangekomen en willen graag even met u praten.'

De abdis ontvouwde haar handen en liet langzaam haar armen zakken. Het gebaar had iets sierlijks en tegelijkertijd gevaarlijks. Maya reikte onmiddellijk naar het mes dat aan haar arm bevestigd was. *Nee*, wilde ze schreeuwen. *Nee*.

De non draaide zich naar hen om en wierp een zwart stalen mes door de lucht, dat zich nog geen dertig centimeter boven Gabriels hoofd in de houten lambrisering boorde.

Maya greep haar eigen werpmes en ging voor Gabriel staan. Het lemmet plat in haar hand houdend, hief ze snel haar arm en herkende toen opeens een bekend gezicht. Een Ierse vrouw van in de vijftig. Groene ogen die verwilderd, bijna krankzinnig leken. Een plukje rood haar, dat onder de witte, gesteven nonnenkap uit piekte. Een grote mond die spottend lachte.

'Het is wel duidelijk dat je niet erg alert bent – of voorbereid,' zei de vrouw tegen Maya. 'Een paar centimeter lager en je burgervriendje zou nu dood zijn.'

'Dit is Gabriel Corrigan,' zei Maya. 'Hij is een Reiziger, net als zijn vader. En u hebt hem bijna vermoord.'

'Ik dood nooit iemand per ongeluk.'

Gabriel keek naar het mes. 'En wie bent u?'

'Dit is Moeder Blessing. Een van de laatste Harlekijns.'

'Natuurlijk, Harlekijns...' Gabriel sprak het woord vol minachting uit.

'Ik ken Maya al sinds zij nog een klein meisje was,' zei Moeder Blessing. 'Ik was degene die haar heeft geleerd in te breken in gebouwen. Ze wilde altijd net zo zijn als ik, maar zo te zien moet ze nog veel leren.'

'Wat doet u hier?' vroeg Maya. 'Linden dacht dat u dood was.'

'Ik wilde ook dat hij dat zou denken.' Moeder Blessing verwijderde de zwarte omslagdoek en vouwde hem netjes op. 'Nadat Thorn in Pakistan in een hinderlaag was gelopen, realiseerde ik me dat wij een verrader binnen onze gelederen moesten hebben. Je vader geloofde me niet. Wie was het, Maya? Weet jij het?'

'Het was Shepherd. Ik heb hem vermoord.'

'Mooi zo. Ik hoop dat hij heeft geleden. Ik ben ongeveer veertien maanden geleden naar dit eiland gekomen. Toen de abdis overleed, hebben de nonnen mij tot hun tijdelijke moeder-overste benoemd.' Ze lachte opnieuw spottend. 'Wij Arme Clarissen leiden een eenvoudig doch godvruchtig leven.'

'Dus u was een lafaard,' zei Gabriel. 'En u kwam hier om u te verbergen.'

'Wat een domme jongeman. Ik ben niet erg onder de indruk. Misschien moet je eerst de barrières nog maar eens een paar keer oversteken.' Moeder Blessing liep de hele kapel door, trok het mes uit het hout en stak het weer terug in de schede die zij onder haar mantel droeg. 'Zie je dat altaar bij het raam? Dat bevat een geïllustreerd manuscript waarvan men beweert dat het geschreven is door de Heilige Columba. Mijn Reiziger wilde dit boek lezen, dus moest ik hem wel volgen naar dit kille, kleine rotsblok.'

Gabriel knikte gretig en deed een paar stappen naar voren. 'En die Reiziger was...?'

'Jouw vader natuurlijk. Hij is hier. Het is mijn taak hem te beschermen.'

# 20

Met een plotseling gevoel van opwinding keek Gabriel de kapel rond. 'Waar is hij?'

'Rustig aan. Ik zal je bij hem brengen.' Moeder Blessing verwijderde een paar schuifspeldjes en trok de nonnensluier van haar hoofd. Ze schudde zachtjes haar hoofd om haar verwarde bos rood haar te fatsoeneren.

'Waarom hebt u Maya niet verteld dat mijn vader hier op het eiland was?'

'Ik heb al een tijdlang geen enkel contact meer met Harlekijns.'

'Mijn vader had u moeten vragen mij te gaan zoeken.'

'Nou, dat heeft hij niet gedaan.' Moeder Blessing legde de sluier op een tafeltje. Ze pakte een zwaard in een leren schede en hing de draagriem over haar schouder. 'Heeft Maya je dat niet uitgelegd? Het enige wat Harlekijns doen is Reizigers beschermen. We doen geen pogingen ze te begrijpen.'

Zonder verdere uitleg ging ze Gabriel en Maya voor naar buiten. Een van de vier nonnen, een kleine Ierse, zat op een stenen bankje te wachten. Met een houten rozenkrans in haar hand prevelde ze geluidloos haar gebeden.

'Is kapitein Foley nog bij de steiger?' vroeg Moeder Blessing.

'Ja, ma'am.'

'Ga hem dan maar vertellen dat onze gasten op het eiland zullen blijven tot ik weer contact met hem opneem. De twee vrouwen en het meisje slapen in de zitkamer. De jongeman slaapt in de voorraadschuur. En zeg tegen zuster Joan dat ze voor twee keer zoveel mensen moet koken.'

De kleine non knikte en haastte zich, nog steeds met de rozenkrans in haar hand, weg. 'Deze vrouwen weten hoe ze bevelen moeten gehoorzamen,' zei Moeder Blessing. 'Maar al dat bidden en zingen begint me wel op mijn zenuwen te werken. Voor een contemplatieve orde praten ze nog behoorlijk veel.'

Maya en Gabriel volgden Moeder Blessing via een trapje naar het middelste terras van het klooster. Het was een langgerekt stukje vlakke grond, waar de middeleeuwse monniken met behulp van blokken zandsteen vier bijenkorfhutten hadden gebouwd. Vanwege de nooit aflatende wind hadden de hutten eikenhouten deuren en kleine ronde ramen. Ze waren elk ongeveer zo groot als een Londense dubbeldekker.

Vicki en Alice waren verdwenen, maar Moeder Blessing zei dat ze waarschijnlijk in de kookhut waren. Uit een kachelpijp kwam een dun streepje rook, dat door de wind naar het zuiden werd geblazen. Ze sloegen een ongeplaveid pad in en liepen langs de slaapruimte van de nonnen en een gebouw dat door Moeder Blessing de heiligencel werd genoemd. De voorraadschuur was het laatste gebouw aan het eind van het terras. De Ierse Harlekijn bleef staan en bekeek Gabriel alsof hij een dier was in de dierentuin.

'Hij is binnen.'

'Bedankt voor het bewaken van mijn vader.'

Moeder Blessing streek een plukje haar uit haar ogen. 'Dankbaarheid is een nutteloze emotie. Ik heb een keus gemaakt en deze plicht geaccepteerd.'

Ze opende een zware deur en leidde hen de voorraadhut

binnen. Het gebouwtje had een eiken vloer en een smalle trap die naar een verdieping voerde. Het enige licht was afkomstig van drie ronde ramen die als onregelmatige patrijspoorten in de stenen muren waren geplaatst. Overal stonden voorraadkasten en verder zagen ze blikken met etenswaren en een draagbare elektrische generator. Op een rood kistje met eerstehulpspullen lagen kaarsen. De Ierse Harlekijn haalde een klein doosje lucifers tevoorschijn en gooide het naar Maya.

'Steek eens een paar kaarsen aan.'

Moeder Blessing knielde op de grond, zodat de rokken van haar nonnenhabijt wijd om haar heen vielen. Ze liet haar hand over de gladde eikenhouten planken glijden en duwde op een verkleurd houten paneel. Dat wipte open en ze zagen een handgreep van een stuk dik touw.

'Daar gaan we. Ga eens een beetje naar achteren.'

Nog steeds op haar knieën, trok ze aan de handgreep en opende een luik in de vloer. Stenen traptreden voerden naar beneden, de duisternis in.

'Wat is hier aan de hand?' vroeg Gabriel. 'Is hij hier soms een gevangene?'

'Natuurlijk niet. Pak een kaars en ga zelf maar kijken.'

Gabriel pakte een kaars van Maya aan. Hij liep om Moeder Blessing heen en daalde langs de smalle trap af naar een kelder met een kiezelvloer. Het enige wat er in de ruimte stond was een stapel grote plastic emmers met metalen hengsels. Gabriel vroeg zich af of de nonnen die gebruikten om 's zomers hun moestuin van water te voorzien.

'Hallo?' riep hij. Maar er kwam geen antwoord.

Hij kon maar één kant uit – door een tweede eiken deur. Met de kaars in zijn linkerhand duwde hij de deur open en betrad een veel kleinere ruimte. Gabriel had een gevoel alsof hij een mortuarium binnenstapte om een geliefde te identificeren. Op een stenen tafel, verborgen onder een dun katoenen laken, lag een lichaam. Hij bleef heel even bij het lichaam staan en trok toen het laken weg. Het was zijn vader.

'Wat is er gebeurd?' vroeg Gabriel. 'Wanneer is hij gestorven?'

Moeder Blessing rolde met haar ogen alsof ze geen geduld had met zoveel onwetendheid. 'Hij is niet dood. Leg je hoofd maar tegen zijn borst. Zijn hart slaat ongeveer om de tien minuten.'

'Gabriel heeft nog nooit een andere Reiziger gezien,' zei Maya.

'Nou, dan is dit de eerste. Zo zie je eruit wanneer je de oversteek maakt naar een ander rijk. Je vader ligt er al maanden zo bij. Er is iets gebeurd. Of het bevalt hem daar goed en hij heeft besloten te blijven, óf hij zit in de val en kan niet terugkomen naar onze wereld.'

'Hoe lang kan hij in deze toestand blijven?'

'Als hij in een ander rijk sterft, zal zijn lichaam gaan ontbinden. Als hij in leven blijft maar nooit meer terugkeert naar deze wereld, zal zijn lichaam sterven van ouderdom. Ik zou het niet zo erg vinden als hij in een andere wereld overlijdt.' Ze zweeg even. 'Dan kon ik tenminste weg van dit ellendige kleine eiland.'

Gabriel wendde zich bliksemsnel af van zijn vader en deed een stap in Moeder Blessings richting. 'U kunt dit eiland nu onmiddellijk verlaten. Maak dat u wegkomt.'

'Ik heb je vader beschermd, Gabriel. Ik zou bereid zijn geweest mijn leven voor hem te geven. Maar verwacht niet van me dat ik vriendschap voor hem voel. Het is mijn verantwoordelijkheid om kil en volkomen rationeel te zijn.' Moeder Blessing wierp een woedende blik op Maya en beende de kamer uit.

Gabriel had geen idee hoe lang hij in de kelder naar zijn vader had staan kijken. Hij had zo'n lange reis gemaakt en nu was het vinden van dit lege omhulsel zo'n teleurstelling dat een deel van hem weigerde te geloven dat het werkelijk was gebeurd. Hij voelde een kinderlijke neiging om alles nog eens over te willen doen – de hut binnengaan, het luik opentrekken en langs de trap naar beneden gaan, maar dan met een andere afloop.

Na enige tijd pakte Maya de punt van het katoenen laken en trok het weer over Matthew Corrigans lichaam. 'Het wordt al donker buiten,' zei ze op vriendelijke toon. 'We moesten de anderen maar eens gaan zoeken.'

Gabriel bleef bij zijn vader staan. 'Michael en ik hebben ons altijd zo verheugd op het moment dat we hem weer zouden zien. Voordat we 's avonds gingen slapen hadden we het er altijd over.'

'Wees maar niet bang. Hij komt wel terug.' Maya pakte Gabriels arm en nam hem met zachte dwang mee de kamer uit. Het was koud buiten en de zon ging nu snel onder. Ze liepen samen het pad af en gingen de kookhut binnen. Daar was het warm en knus – net alsof ze bij iemand thuis waren. Een mollige Ierse non, Joan genaamd, had net een dozijn scones gebakken en ze legde ze op een dienblad, samen met verschillende soorten zelfgemaakte jam en marmelade. Zuster Ruth, een oudere vrouw met dikke brillenglazen, liep wat door de keuken te rommelen om alle voorraden op te bergen die zij van de aanlegsteiger hadden meegenomen. Ze opende het fornuis en gooide een paar turfblokken op het vuur. De samengeperste vegetatie gloeide onmiddellijk op met een donkeroranje licht.

Vicki kwam de trap afgerend. 'En, hoe is het gegaan, Gabriel?'

'Daar hebben we het later nog wel over,' zei Maya. 'Nu hebben we trek in thee.'

Gabriel ritste zijn jack open en ging op een bankje bij de muur zitten. De twee nonnen staarden hem aan.

'Is Matthew Corrigan jouw vader?' vroeg zuster Ruth.

'Dat klopt, ja.'

'Het was een eer hem te ontmoeten.'

'Hij is een geweldige man,' zei zuster Joan. 'Een geweldige...'

'Thee graag,' snauwde Maya en iedereen hield op met praten. Even later hield Gabriel een kop gloeiende thee in zijn handen. Er viel een gespannen stilte, totdat de twee andere nonnen de hut binnenkwamen met een volle krat tussen zich in. Zuster Maura was de kleine non die buiten de kapel had zitten bidden; zuster Faustina kwam uit Polen en sprak met een zwaar accent. Terwijl zij de voorraden uitpakten en de post bekeken, vergaten de nonnen Gabriel en kwebbelden er vrolijk op los.

De Arme Clarissen bezaten niets anders dan de kruisjes die aan een kettinkje om hun nek hingen. Ze leefden zonder modern sanitair, zonder koeling of elektriciteit, maar leken veel vreugde te putten uit de kleine geneugten des levens. Op de terugweg van de steiger had zuster Faustina wat roze heide geplukt. Nu legde ze op elk blauw porseleinen bordje een takje, naast een toefje Ierse boter en een warme scone. Het zag er allemaal perfect opgemaakt uit – net als in een toprestaurant – maar dit gebaar had niets gekunstelds. In de ogen van de Arme Clarissen was de wereld mooi; dat feit ontkennen was God ontkennen.

Alice Chen kwam ook naar beneden en at drie scones die ze rijkelijk besmeerde met aardbeienjam. Vicki en Maya zaten in een hoekje tegen elkaar te fluisteren en keken zo nu en dan even in Gabriels richting. De nonnen dronken hun thee en bespraken de post die kapitein Foley voor hen had meegebracht. Ze baden voor tientallen mensen, verspreid over de gehele wereld, en praatten over die onbekenden – de vrouw met leukemie, de man met de verbrijzelde benen – alsof het goede vrienden waren. Slecht nieuws werd met ernstige gezichten aangehoord. Goed nieuws was reden voor plezier en gelach; dan leek het opeens wel of er iemand jarig was.

Gabriel kon aan niets anders denken dan aan het lichaam van zijn vader en het witte katoenen laken, dat hem deed denken aan het spinrag in een antieke graftombe. Waarom was zijn vader nog steeds in een ander rijk? Het was een vraag die hij met geen mogelijkheid kon beantwoorden, maar hij herinnerde zich wel dat Moeder Blessing hem had verteld waarom zijn vader juist naar dít eilandje was gekomen.

'Neem me niet kwalijk,' zei Gabriel. 'Ik zou graag willen begrijpen waarom mijn vader heeft besloten hiernaartoe te komen. Volgens Moeder Blessing had het iets te maken met een manuscript dat geschreven is door Sint-Columba.'

'Het manuscript bevindt zich in de kapel,' zei zuster Ruth. 'Vroeger was het in Schotland, maar zo'n vijftig jaar geleden is het teruggegeven aan het eiland.'

'En waar schreef Columba over?'

'Het is een geloofsbelijdenis. De heilige geeft een gedetailleerde beschrijving van zijn reis naar de hel.'

'Het Eerste Rijk.'

'Wij geloven niet in het systeem dat jullie hanteren en wij geloven al helemaal niet dat Jezus een Reiziger was.'

'Hij is de Zoon van God,' zei zuster Joan.

Zuster Ruth knikte. 'Christus werd verwekt door de Heilige Geest en geboren uit de maagd Maria. Hij werd gekruisigd, stierf en werd begraven – en toen stond hij op uit de dood.' Ze keek naar de andere nonnen. 'Dat zijn de grondbeginselen van ons christelijk geloof. Maar wij denken niet dat dit in tegenspraak is met de gedachte dat God sommige mensen Reizigers heeft laten worden en dat die Reizigers zieners of profeten kunnen worden – of heiligen.'

'Dus Columba was een Reiziger?'

Dat weet ik niet. Maar zijn geest ging wel naar een plaats van verdoemenis en vervolgens kwam hij terug om erover te schrijven. Jouw vader is een hele tijd bezig geweest met het vertalen van het manuscript. En wanneer hij niet in de kapel zat –'

'Dan wandelde hij het hele eiland over,' zei zuster Faustina met haar zware Poolse accent. 'Hij beklom de berg en keek naar de zee.'

'Zou ik naar de kapel kunnen gaan?' vroeg Gabriel. 'Ik wil het manuscript graag zien.'

'Er is geen elektriciteit,' zei zuster Ruth. 'Dus je zou kaarsen moeten gebruiken.'

'Ik wil alleen maar zien wat mijn vader las.'

De vier nonnen keken elkaar aan en leken toen tot een gezamenlijk besluit te komen. Zuster Maura stond op en liep naar een ladekast. 'Op het altaar staan voldoende kaarsen, maar je zult lucifers nodig hebben. Houd de deur dicht, anders waait de wind de vlammetjes uit.'

Gabriel ritste zijn jack weer dicht en verliet de kookhut. Het enige licht kwam van de sterren en een bijna volle maan. 's Avonds leken de vier bijenkorfhutten en de kapel net donkere bergen van rotsblokken en aarde, graftombes voor koningen uit de bronstijd. Terwijl hij zijn best deed om niet te struikelen op het oneffen pad, liep hij langs de slaapruimte van de nonnen en de hut die de heiligencel werd genoemd en waar Moeder Blessing woonde. Uit een raampje op de eerste verdieping van dit bouwsel scheen een flauw blauw-achtig licht. En Gabriel vroeg zich af of de Ierse Harlekijn misschien over een computer en een satelliettelefoon beschikte.

Hij liep de trap af naar het lager gelegen terras en opende de deur van de kapel, die niet op slot zat. Hij kon amper iets onderscheiden, tot hij de drie grote waskaarsen had aangestoken.

Het altaar werd gevormd door een rechthoekige kist, ongeveer zo groot als een kleine ladekast. Een groot houten kruis stond erbovenop en de rest van de kist was versierd met houtsnijwerk in de vorm van zeemeerminnen, zeemonsters en een man bij wie klimop uit zijn mond groeide. Gabriel knielde voor het altaar neer en vond een kier die wees op de aanwezigheid van een lade, maar hij kon geen handvat vinden. Hij voelde en duwde aan elk stuk houtsnijwerk, maar geen van deze heidense afbeeldingen kon de lade openen. Hij stond op het punt om het op te geven en terug te keren naar de kookhut om te vragen hoe het werkte, toen hij het houten kruis een paar centimeter naar voren schoof. Onmiddellijk klonk er een klikkend geluid en gleed de lade open.

In de lade lag een groot, in een zwarte lap stof gewikkeld voorwerp, een klein schoolschrift en twee boeken. Toen Gabriel de stof van het pakketje wikkelde trof hij een manuscript aan met een dikke kalfsleren omslag en velijnpapier. Op de eerste pagina stond een illustratie van Sint-Columba die aan de oever van een rivier stond. Hoewel het boek heel oud was, waren de kleuren nog heel helder. Op de pagina tegenover de illustratie stond het begin van de geloofsbelijdenis van de Ierse heilige, geschreven in het Latijn.

Gabriel bekeek ook de twee andere boeken. Het ene was een tot op de draad versleten woordenboek Engels-Latijn; het andere een gehavend lesboek voor eerstejaars studenten Latijn. Hij sloeg het schrift open en ontdekte zijn vaders vertaling van het manuscript. Het nauwkeurige handschrift deed Gabriel aan de boodschappenlijstjes denken die zijn vader vroeger op een prikbord in de keuken van de boerderij prikte. Zowel hij als Michael keken elke ochtend even op het lijstje om te zien of hun ouders misschien besloten hadden snoep te kopen in de winkel of iets lekkers voor het avondeten.

Gabriel hield het schrift dicht bij een kaars en begon te lezen over de belevenissen van de heilige in het Eerste Rijk.

*Vier dagen na onze viering van de hemelvaart van de Heilige Maagd verliet mijn ziel mijn lichaam en daalde ik af naar deze vervloekte plek.*

Gabriel sloeg de pagina om en las zo snel mogelijk verder.

*Zij zijn demonen in mensengedaante en leven op een eiland in het midden van een donkere rivier. Het licht is afkomstig van vuur* – hier had zijn vader het laatste woord doorgestreept en een alternatief geprobeerd. *Het licht is afkomstig van vlammen en de zon houdt zich verborgen.*

Op de laatste pagina van het schrift had Matthew enkele passages onderstreept.

*Geen geloof. Geen hoop. Niemand die de weg wijst. Maar door Gods genade vond ik de zwarte deur en keerde mijn ziel terug naar de kapel.*

Vervolgens nam Gabriel het manuscript uit de twaalfde eeuw weer voor zich en begon de velijnen pagina's om te slaan en de illustraties te bestuderen. Columba droeg een wit gewaad en had een gouden halo achter zijn hoofd om te laten zien dat hij een heilige was. Maar in deze versie van de hel kwamen geen demonen of duivels voor, alleen mannen die middeleeuwse kleding droegen en zwaarden of speren. Terwijl de heilige vanachter een ingestorte toren toekeek, martelden en vermoordden de burgers van de hel elkaar met ongebreidelde wreedheid.

Hij hoorde de deur piepend opengaan en wendde zich af van het altaar. Er kwam iemand aangelopen door de schaduwen, om vervolgens zijn kleine cirkel van kaarslicht te betreden. Maya. Ze had een van de zwarte omslagdoeken van de nonnen om haar hoofd en bovenlichaam gewikkeld. In navolging van Moeder Blessing had zij de zwart metalen zwaardkoker afgelegd en droeg zij haar Harlekijnzwaard voor iedereen zichtbaar. De draagband liep dwars over haar borst en het zwaardheft stak boven haar linkerschouder uit.

'Heb je het boek gevonden?'

'Ja. Maar dat is niet alles. Mijn vader kende geen Latijn, maar hij heeft toch een vertaling gemaakt en opgeschreven in een schrift. Het gaat helemaal over Sint-Columba die de oversteek maakt naar het Eerste Rijk. Ik denk dat mijn vader zoveel mogelijk over die plek te weten wilde komen voordat hij er zelf naartoe ging.'

Er gleed een verdrietige blik over Maya's gezicht. Zoals gewoonlijk leek zij te weten wat hij van plan was. 'Hij kan overal zijn, Gabriel.'

'Nee. Hij is in het Eerste Rijk.'

'Je hoeft er niet naartoe te gaan. Je vaders lichaam bevindt zich nog in deze wereld. Ik weet zeker dat hij uiteindelijk terug zal komen.'

Gabriel glimlachte. 'Ik weet niet of er mensen zijn die terug willen keren naar Moeder Blessing.'

Maya schudde haar hoofd en begon te ijsberen. 'Ik ken haar al sinds ik een klein meisje was. Ze is zo negatief geworden, zo geringschattend tegenover iedereen...'

'Is ze altijd al zo fel geweest?'

'Ik bewonderde haar moed en haar schoonheid. Ik weet nog dat ik een keer samen met haar met de trein naar Glasgow reisde. Het was een onverwachte reis – we hadden geen tijd gehad om voorbereidingen te treffen – en Moeder Blessing droeg geen pruik of andere vermomming. Ik herinner me hoe mannen naar haar keken; ze voelden zich tot haar aangetrokken, maar tegelijkertijd wisten ze dat ze gevaarlijk was.'

'En dat bewonderde jij?'

'Dat was heel lang geleden, Gabriel. Nu probeer ik mijn eigen weg te vinden. Ik ben geen burger en ik ben geen sloeber, maar ik ben ook niet puur Harlekijn.'

'En wat voor iemand zou je het liefst willen zijn?'

Maya bleef vlak voor hem staan en deed geen poging haar emoties te verbergen. 'Ik wil niet alleen zijn, Gabriel. Harlekijns kunnen kinderen hebben en families, maar ze zijn nooit nauw met hen verbonden. Mijn vader hield een keer mijn zwaard voor mijn neus en zei toen: "Dit is je familie, je vriend en je minnaar."'

'Weet je nog hoe we op dat bankje zaten en uitkeken over de oceaan?' Hij legde zijn handen op haar schouders. 'Je zei dat je altijd naast me zou staan, wat er ook gebeurde. Dat betekende heel veel voor me.'

Ze hadden een gesprek – woorden dreven door de koude lucht – maar opeens, bijna als bij toverslag, vond er een transformatie plaats. Het eiland en de kapel vielen weg en de wereld bestond alleen nog maar uit hen tweeën. En Gabriel zag niets heimelijks in Maya's ogen, niets onoprechts. Ze waren op de een of andere intense manier met elkaar verbonden, veel hechter dan door hun rollen als Reiziger en Harlekijn.

De wind beukte tegen de kapeldeur, stelde zijn stevigheid op de proef en probeerde binnen te dringen. Gabriel boog zich naar voren en kuste Maya, lang en diep, maar toen trok zij zich terug. Een machtige traditie was zojuist vernietigd, als een stukje papier dat in een vuur wordt gegooid. Het verlangen dat hij al zoveel maanden had gevoeld drukte al zijn andere gedachten weg. Toen hij haar aankeek, voelde het alsof er geen barrières tussen hen bestonden.

Voorzichtig nam hij het zwaard van haar schouder en legde het op een houten bank. Toen streek Gabriel het haar uit haar gezicht en kuste haar opnieuw. Maya maakte zich weer van hem los, maar nu heel langzaam. Ze fluisterde in zijn oor: 'Blijf hier, Gabriel. Blijf alsjeblieft hier...'

# 21

Een uur later lagen ze samen op de grond, gehuld in de zwarte wollen omslagdoek. Het was nog steeds koud in de kapel en ze waren slechts half gekleed. Gabriels hemd hing over de bank en Maya voelde zijn warme huid tegen haar borsten. Ze wilde hier voor altijd blijven. Hij hield haar in zijn armen en voor het allereerst in haar leven voelde het alsof iemand haar beschermde.

Zij was een vrouw die naast haar minnaar lag, maar haar Harlekijn-zelf lag op de loer als een geest in een donker huis. Opeens maakte ze zich van Gabriel los en ging rechtop zitten.

'Gabriel, doe je ogen open.'

'Waarom?'

'Je moet hier weg.'

Hij schonk haar een slaperig glimlachje. 'Er gebeurt heus niets...'

'Kleed je aan en ga terug naar de voorraadhut. Harlekijns kunnen geen relatie hebben met Reizigers.'

'Misschien kan ik eens met Moeder Blessing praten.'

'Als je dat maar uit je hoofd laat. Je mag niets tegen haar

zeggen en je moet ook niet anders doen dan voorheen. Raak me niet aan wanneer zij in de buurt is. Kijk me niet in de ogen. We hebben het hier later nog wel een keer over. Dat beloof ik je. Maar nu moet je je echt aankleden en weggaan.'

'Dit slaat helemaal nergens op, Maya. Je bent een volwassen vrouw. Moeder Blessing kan je niet voorschrijven hoe je je leven moet leiden.'

'Je beseft niet hoe gevaarlijk ze is.'

'Ik weet alleen dat ze niks anders doet dan bevelen uitdelen en mensen beledigen.'

'Doe het voor mij. Alsjeblíeft.'

Gabriel zuchtte, maar deed wat ze van hem vroeg. Langzaam trok hij zijn hemd, zijn laarzen en zijn jas aan. 'Dit doen we nog eens over,' zei hij.

'Nee, dat zal niet gebeuren.'

'Het is wat we allebei willen. Je weet dat dat waar is...'

Gabriel kuste haar op de lippen en liep de kapel uit. Toen de deur dichtviel, kon Maya zich eindelijk ontspannen. Ze zou hem terug laten gaan naar de voorraadhut, een paar minuten wachten en zich dan aankleden. Ze trok de wollen omslagdoek dicht om zich heen en ging weer op de grond liggen. Als ze zich opkrulde tot een balletje, kon ze de warmte van het lichaam van de Reiziger, dat moment van intimiteit en extase, langer bewaren. Opeens herinnerde ze zich hoe ze op de Karelsbrug in Praag eens een wens had gedaan. *Dat iemand ooit van mij zal houden en dat ik van hem zal houden.*

Ze lag net lekker weg te dromen, toen de deur krakend openging en iemand de kapel binnenkwam. Ze voelde een ogenblik van blijdschap, in de overtuiging dat Gabriel terug was gekomen, maar toen hoorde ze iemand hard en snel over de houten vloer lopen.

Sterke vingers grepen haar bij haar haren en trokken haar overeind. Een hand gaf haar een pets in haar gezicht, en nog een keer.

Toen Maya haar ogen weer opende, zag ze Moeder Blessing

boven zich staan. De Ierse Harlekijn had haar habijt uitgetrokken en droeg nu een zwarte broek en trui.

'Kleed je aan,' zei Moeder Blessing. Ze raapte Maya's blouse op en gooide hem naar haar toe.

Maya deed de omslagdoek af en trok haar blouse aan, onhandig met de knoopjes worstelend. Ze had nog niets aan haar voeten; haar schoenen en sokken lagen her en der over de grond verspreid.

'Als je tegen me liegt, op welke manier dan ook, vermoord ik je hier voor dit altaar. Begrijp je wat ik zeg?'

'Ja.'

Maya had haar blouse dichtgeknoopt en krabbelde overeind. Haar eigen zwaard lag zo'n twee meter bij haar vandaan op de bank.

'Ben jij Gabriels minnares?'

'Ja.'

'En wanneer is dat begonnen?'

'Vanavond.'

'Ik had je gezegd niet tegen me te liegen!'

'Ik zweer dat het waar is.'

Moeder Blessing deed een stap naar voren en greep met haar rechterhand Maya's kin vast. Ze bestudeerde de jongere vrouw, zoekend naar het geringste teken van leugen of misleiding. Toen duwde ze Maya weg.

'Ik heb mijn onenigheden gehad met je vader, maar ik heb hem altijd gerespecteerd. Hij was een ware Harlekijn, onze traditie waardig. Maar jij bent niets. Je hebt ons verraden.'

'Dat is niet waar.' Maya probeerde sterk en zelfverzekerd te klinken. 'Ik heb Gabriel in Los Angeles gevonden. Ik heb hem tegen de Tabula beschermd – '

'Heeft je vader je dan niets geleerd? Of wilde je gewoon niet naar hem luisteren? Wij beschermen Reizigers, maar we vormen geen band met hen. En nu ben jij je te buiten gegaan aan al deze zwakheid en sentimentaliteit.'

Met haar blote voeten op de koude vloer liep Maya een paar

stappen naar rechts om haar zwaard te pakken. Ze hing de draagriem om haar schouder, zodat de schede op haar rug rustte. 'Je hebt me gekend toen ik klein was,' zei ze. 'Jij hebt mijn vader geholpen mijn leven te verwoesten. Harlekijns worden geacht in willekeur te geloven. Nou, aan mijn kindertijd was helemaal niks willekeurigs! Ik werd geslagen en geschopt en gekoeioneerd door jou en elke andere Harlekijn die toevallig in Londen was. Ik ben getraind om zonder enige aarzeling of twijfel te moorden. Toen ik zestien was heb ik die mannen in Parijs gedood...'

Moeder Blessing lachte zachtjes en spottend. 'Arme kleine meid. Wat vind ik dat érg voor je. Is dat wat je wilt horen? Wil je medelijden – van míj? Denk je soms dat het anders was toen ik klein was? Ik heb op mijn twaalfde mijn eerste Tabula vermoord – met een geweer met een afgezaagde loop. En weet je wat ik aanhad? Een wit communiejurkje. Dat moest ik van mijn moeder aandoen zodat ik dichter bij het altaar kon komen en de trekker kon overhalen.'

In een flits zag Maya iets van pijn in de ogen van de oudere vrouw. En ze zag een klein meisje in een wit jurkje voor zich, midden in een enorme kathedraal, besmeurd met bloed. Het moment was snel voorbij en Moeder Blessing leek alleen maar kwader te worden.

'Ik ben een Harlekijn, net als jij,' zei Maya. 'En dat betekent dat je me niet kunt koeioneren...'

Moeder Blessing trok met beide handen haar zwaard, zwaaide ermee boven haar hoofd en zette vervolgens de punt op de vloer. 'Jij gaat precies doen wat ik je zeg. Je relatie met Gabriel is voorbij. Je zult hem nooit meer zien.'

Maya tilde heel langzaam haar rechterhand op, om te laten zien dat ze geen aanval in de zin had. Toen trok ze haar zwaard uit de schede en hield hem met de punt omhoog en de kling plat tegen haar borst. 'Bel morgen kapitein Foley maar dat hij ons op kan komen halen van dit eiland. Ik blijf Gabriel beschermen en jij kunt zijn vader bewaken.'

'Hier valt niet over te discussiëren. Er wordt niet geschipperd. Jij zult je onderwerpen aan mijn autoriteit.'

'Nee.'

'Je hebt met een Reiziger geslapen en nu ben je verliefd op hem. Dat soort emotie brengt hem alleen maar in gevaar.' Moeder Blessing hief haar zwaard. 'Omdat ik mijn eigen angst heb bedwongen, ben ik in staat anderen angst in te boezemen. Omdat ik niet om mijn eigen leven geef, sterven al mijn vijanden. Je vader heeft geprobeerd je dat bij te brengen, maar jij was te opstandig. Misschien kan ik je dwingen om te luisteren...'

Moeder Blessing stak haar linkerbeen uit. Het was een gracieuze, bestudeerde beweging – als het begin van een dans. En toen dreef de Ierse Harlekijn haar lichaam naar voren en viel ze aan met snelle, scherpe bewegingen van polsen en handen. Ze hakte en stak er met onbeteugelde kracht op los, terwijl Maya achteruitdeinsde en zich probeerde te verdedigen. De kaarsvlammetjes flakkerden en het geluid van kletterende zwaarden doorkliefde de stilte.

Vlak voor het altaar gooide Maya zichzelf opzij als een duiker die het water in gaat. Met een paar koprollen wist ze bij de andere Harlekijn weg te komen, waarna ze weer overeind sprong en haar zwaard optilde.

Moeder Blessing opende opnieuw de aanval en dreef Maya tegen de muur. De Ierse Harlekijn zwaaide haar zwaard naar rechts en draaide het op het laatste moment om, zodat ze Maya's zwaard uit de handen van de jongere vrouw kon slaan. Het zwaard buitelde door de lucht en kwam aan de andere kant van de kapel op de grond terecht.

'Jij zult je aan mij onderwerpen,' zei Moeder Blessing. 'En anders moet je de consequenties aanvaarden.'

Maya weigerde iets te zeggen.

Zonder enige waarschuwing sneed de punt van Moeder Blessings zwaard dwars over Maya's borst en vervolgens over haar linkerarm en haar linkerhand. De drie wonden voelden alsof iemand haar vlees had verbrand. Maya keek de andere Harlekijn in de ogen en realiseerde zich dat de volgende beweging van het zwaard een einde aan haar leven zou maken. Ze bleef zwijgen, tot er een gedachte bij haar opkwam die zo sterk was dat hij haar trots verdrong.

'Laat me Gabriel nog één keer zien.'

'Nee.'

'Ik zal je gehoorzamen. Maar ik moet afscheid van hem nemen.'

# 22

De Evergreen Foundation was gevestigd in een kantoorgebouw op de hoek van Fifty-fourth Street en Madison Avenue in Manhattan. De meeste werknemers dachten dat ze voor een nonprofitorganisatie werkten die onderzoekssubsidies verleende en schenkingen beheerde. Slechts een kleine staf van werknemers met kantoren op de bovenste acht verdiepingen hield zich bezig met de minder openbare activiteiten van de Broeders.

Nathan Boone liep door de draaideur het atrium binnen. Hij keek naar de decoratieve waterval en het kleine groepje namaaksparrenbomen vlak bij de ramen. De architecten hadden echte naaldbomen willen neerzetten, maar elke nieuwe aanplant verdorde en ging dood, met achterlating van een weinig aantrekkelijk tapijt van bruine naalden. De uiteindelijke oplossing was een groepje kunstbomen met een ingewikkeld luchtsysteem dat een flauwe dennengeur verspreidde. Iedereen gaf de voorkeur aan de imitatiesparren: ze leken echter dan iets wat in het bos groeide.

Boone liep naar de beveiligingsbalie, die in een klein geel vierkant was geplaatst, en liet de bewaker zijn ogen scannen. Zodra Boone's identiteit was geverifieerd, keek de bewaker op een computerscherm. 'Goedemiddag, Mr. Boone. U hebt toestemming om naar de achttiende verdieping te gaan.'

'Verder nog informatie?'

'Nee, sir. Meer staat er niet bij. Mr. Raymond hier zal u naar de juiste lift begeleiden.'

Boone volgde een tweede bewaker naar de laatste lift in de hal. De man hield een ID-pasje voor een sensor en stapte toen net voordat de deuren dichtgleden weer uit. Toen de lift in beweging kwam, scande een videocamera in de liftcabine Boone's gezicht en vergeleek dit met de biometrische informatie in de computer van de Evergreen Foundation.

Die ochtend had Boone een e-mail ontvangen met het verzoek om een gesprek met leden van de raad van bestuur van de Broeders. Dit was hoogst ongebruikelijk. In de afgelopen paar jaar had Boone de bestuursleden alleen ontmoet wanneer Nash de leiding had over de bijeenkomst. Voor zover hij wist, zat de generaal nog steeds op Dark Island, in de Saint Lawrence-rivier.

De liftdeuren gingen open en Boone stapte een lege wachtkamer binnen. Er zat niemand op de stoel van de receptioniste, maar er stond wel een kleine speaker op het bureau.

'Hallo, Mr. Boone.' De stem uit de speaker was afkomstig van een computer, maar klonk wel echt als een jonge vrouw – opgewekt en efficiënt.

'Hallo.'

'U wordt verzocht nog even te wachten. Wij laten u weten wanneer de vergadering begint.'

Boone ging op een suède bank zitten, vlak naast een glazen salontafel. Hij was nog nooit op de achttiende verdieping geweest en had geen idee welke apparatuur zijn reacties op dit moment analyseerde. Misschien luisterde een uiterst gevoelige microfoon naar zijn hartslag, terwijl een infraroodcamera de veranderingen van zijn lichaamstemperatuur vastlegde – mensen die boos waren of bang hadden een rood aangelopen huid en een snellere hartslag. De computer kon deze gegevens analyseren en de waarschijnlijkheid van een gewelddadige reactie voorspellen.

Er klonk een vage klik en opeens gleed er een lade in het bureau van de receptioniste open. 'Onze sensoren hebben ons erop gewezen dat u een handwapen draagt,' zei de computerstem. 'Wij verzoeken u dit wapen in de lade te leggen. Aan het eind van de vergadering krijgt u het weer terug.'

Boone liep naar het bureau en staarde naar de open lade. Hoewel hij al bijna acht jaar voor de Broeders werkte, was hem nog nooit gevraagd zijn wapen af te geven. Hij was altijd een betrouwbare en gehoorzame werknemer geweest. Begonnen ze nu opeens aan zijn loyaliteit te twijfelen?

'Dit is ons tweede verzoek,' zei de stem. 'Indien u niet meewerkt, zal dit worden beschouwd als een schending van de veiligheid.'

'Ik ga hier over de veiligheid,' zei Boone, maar realiseerde zich toen dat hij tegen een computer praatte. Hij wachtte nog een paar seconden, al was het alleen maar om nog even zijn onafhankelijkheid te benadrukken en haalde toen zijn wapen uit zijn schouderholster. Toen hij het in de la legde, omringden drie lichtstrepen het in een volmaakte driehoek. De lade gleed dicht en Boone liep weer terug naar de bank. Boone vond het niet erg om gescand te worden door een apparaat, maar het ergerde hem dat hij als een crimineel werd behandeld. Kennelijk was het programma niet afgesteld op het tonen van verschillende niveaus van respect.

Hij keek naar het grote schilderij dat tegenover hem aan de muur hing. Het was een pastelkleurige vlek met poten die nog het meest op een geplette spin leek. Aan de andere kant van de kamer bevonden zich drie deuren, elk in een andere kleur geschilderd. De enige uitgang was de lift en de computer controleerde ook dat systeem.

'De vergadering gaat beginnen,' zei de stem. 'Ga door de blauwe deur naar binnen en loop naar het einde van de gang.'

Boone stond langzaam op en probeerde zijn ergernis niet te

laten blijken. 'Een prettige dag nog verder,' zei hij tegen de machine.

Op het moment dat de sensoren zijn lichaam waarnamen, gleed de blauwe deur zachtjes in de muur. Hij liep een gang door naar een roestvrijstalen deur zonder zichtbaar slot of deurknop. Toen deze deur opengleed, betrad hij een vergaderruimte met enorme ramen die uitzicht boden over de skyline van Manhattan. Twee leden van de raad van bestuur zaten achter een lange, zwarte tafel – dr. Anders Jensen en mevrouw Brewster, de Engelse die zich sterk maakte voor het nieuwe Schaduwprogramma in Berlijn.

'Goedemiddag, Nathan.' Mevrouw Brewster deed alsof hij een soort bediende was die even langskwam in haar flat in South Kensington. 'Ik neem aan dat je dr. Jensen uit Denemarken kent.'

Boone knikte naar Jensen. 'Wij hebben elkaar vorig jaar in Europa ontmoet.'

Een derde persoon stond bij de ramen, uit te kijken over de stad. Michael Corrigan. Een paar maanden geleden had Boone Michael in Los Angeles gevangengenomen en overgebracht naar de oostkust. Hij had de jongeman bang meegemaakt en helemaal in de war, maar nu had er een transformatie plaatsgevonden. De Reiziger straalde zelfvertrouwen en autoriteit uit.

'Ik ben degene die om deze bijeenkomst heeft verzocht,' zei Michael. 'Fijn dat je zo snel hebt kunnen komen.'

'Michael werkt nu met ons samen,' zei mevrouw Brewster. 'Hij begrijpt onze nieuwe doelstellingen volkomen.'

*Maar hij is een Reiziger,* dacht Boone. *Wij proberen al duizenden jaren lang mensen zoals hij te doden.* Hij wilde mevrouw Brewster beetpakken en door elkaar schudden alsof ze zojuist een vuurtje had gestookt in haar eigen huis. *Waarom doen jullie dit? Zien jullie het gevaar dan niet?*

'En wat zijn onze nieuwe doelstellingen?' vroeg Boone. 'De Broeders hebben alles in het werk gesteld om het Panopticon te realiseren. Is die doelstelling de afgelopen paar weken opeens veranderd?'

'Het doel is nog hetzelfde, maar het wordt nu ook echt mogelijk,' zei Michael. 'Als het Schaduwprogramma in Berlijn goed werkt, kunnen we het uitbreiden over heel Europa en Noord-Amerika.'

'Je hebt het over het computercentrum,' zei Boone. 'Mijn werk houdt in dat ik de Broeders tegen aanvallen van vijanden moet beschermen.'

'En van die taak heb je je niet bepaald goed gekweten,' zei dr. Jensen. 'Ons onderzoekscentrum in Westchester is geïnfiltreerd en bijna verwoest, de voltooiing van de kwantumcomputer is vertraagd en gisteravond heeft Hollis Wilson een paar van jouw mensen aangevallen in een nachtclub in Manhattan.'

'Natuurlijk verwachten wij wel enig verloop onder onze contractwerknemers,' zei mevrouw Brewster. 'Wat ons echter het meeste dwarszit is het feit dat Hollis Wilson erin geslaagd is te ontsnappen.'

'Ik heb meer mensen nodig.'

'Gabriel en zijn mensen zijn op dit moment niet het grootste probleem,' zei Michael. 'Jij moet je concentreren op het vinden van mijn vader.'

Boone aarzelde en zei toen op behoedzame toon: 'Ik krijg de laatste tijd verschillende instructies uit verschillende bronnen.'

'Mijn broer is nooit goed geweest in het organiseren van dingen. Toen jouw mannen ons op het spoor kwamen was hij een doodgewone motorkoerier in Los Angeles. Mijn vader is zijn hele leven een Reiziger geweest en wij weten dat hij een inspiratiebron is geweest voor alternatieve woongemeenschappen. Matthew Corrigan is gevaarlijk en daarom moeten wij ons op hem concentreren. Je weet wat je te doen staat, Boone.'

Mevrouw Brewster knikte instemmend. Boone voelde zich alsof het reusachtige raam zojuist uit elkaar was gespat en de glasscherven hem om de oren vlogen. Een Reiziger, een van hun vijanden, deed het woord namens de Broeders.

‘Als dat is wat je wilt...’

Michael liep langzaam de kamer door. Hij keek Boone aan alsof hij zojuist zijn trouweloze gedachten had opgevangen. ‘Jazeker, Mr. Boone. Ik leid de zoektocht naar mijn vader en dat is wat ik wil.’

# 23

Gabriel hoorde de deur van de voorraadhut opengaan en laarzen met harde zolen de trap op stommelen. In een dikke deken gewikkeld, draaide hij zich op zijn rug en deed zijn ogen open Zuster Faustina, de Poolse non, kwam binnen met een houten dienblad. Ze zette het ontbijt op de grond en bleef toen even staan, met haar handen in haar zij.

'Slaap je nog?'

'Niet meer.'

'Je vrienden zijn al op. Na het ontbijt moet je naar de kapel komen.'

'Dank u, zuster Faustina. Ik kom eraan.'

De grote vrouw bleef bij de trap staan en bestudeerde Gabriel alsof hij een nieuw soort zeezoogdier was dat op het eiland was aangespoeld.

'Wij praten met je vader. Hij is een gelovig man.' Zuster Faustina bleef hem aankijken en haalde luidruchtig haar neus op. Gabriel had het gevoel dat hij niet door haar keuring was gekomen. 'Wij bidden elke avond voor je vader. Misschien is hij op een duistere plek. Misschien kan hij de weg naar huis niet vinden...'

'Dank u, Zuster.'

Zuster Faustina knikte en stommelde toen de trap weer af. Er was geen verwarming in de voorraadhut, dus kleedde Gabriel zich maar snel aan. De non had hem een pot thee gebracht, een homp bruin brood, boter, abrikozenjam en een dikke plak cheddarkaas. Gabriel viel er hongerig op aan en hield alleen even op met eten om een tweede kopje thee in te schenken.

Had hij gisteravond werkelijk met Maya de liefde bedreven? In de koude hut, waar het zonlicht nu door de ronde ramen naar binnen scheen, leek het moment in de kapel heel ver weg, als een droom. Hij herinnerde zich de eerste lange kus en het flakkeren van de kaarsvlammetjes toen hun lichamen bij elkaar kwamen en zich weer van elkaar losmaakten. Voor het eerst sinds zij elkaar hadden ontmoet, voelde hij dat al Maya's verdedigingsmechanismen waren weggevallen en dat hij haar duidelijk kon zien. Zij hield van hem en zijn eigen emoties vloeiden naar haar terug. Zowel de Harlekijn als de Reiziger stond buiten de gewone wereld, en nu waren deze twee puzzelstukjes op de een of andere manier bij elkaar gekomen en bleken nog te passen ook.

Hij trok zijn jas aan, liep de hut uit en volgde het stenen pad langs de andere gebouwen. De hemel was helder, maar het was een bitter koude dag met een noordwestenwind die door het stugge, lage gras en de distels blies. Rook kringelde uit de schoorsteenpijp van de kookhut, maar Gabriel gaf niet toe aan de warme gezelligheid die hem daar wachtte en liep meteen door naar de kapel.

Daar zat Maya op een bank met haar zwaard op haar schoot. Moeder Blessing, gekleed in een zwarte coltrui en een zwarte wollen broek, beende heen en weer voor het altaar. Het gesprek tussen de twee Harlekijns stopte onmiddellijk toen hij de kapel binnenkwam.

'Volgens zuster Faustina moest ik me hier melden.'

'Dat klopt,' zei Moeder Blessing. 'Maya heeft je iets te vertellen.'

Toen Maya naar Gabriel opkeek had hij een gevoel alsof hij met een mes werd gestoken. Het agressieve zelfvertrouwen van de jonge Harlekijn was verdwenen. Ze zat er verdrietig en verslagen bij, en Gabriel begreep meteen dat Moeder Blessing er op de een of andere manier achter was gekomen wat er gisteravond was gebeurd.

'Het is gevaarlijk om twee Reizigers op dezelfde plek te hebben,' zei Maya. Haar stem klonk vlak en emotieloos. 'Wij hebben via de satelliettelefoon contact opgenomen met kapitein Foley. Je vertrekt vanochtend nog met Moeder Blessing naar het vasteland. Zij zal je naar een veilige plek ergens in Ierland brengen. Ik blijf hier om je vader te bewaken.'

'Als ik hier weg moet, wil ik dat jij met me meegaat.'

'Wij hebben het besluit al genomen,' zei Moeder Blessing. 'Je hebt geen keus. Ik heb je vader zes maanden bewaakt. Nu wordt dat Maya's taak.'

'Ik snap niet waarom Maya en ik niet bij elkaar kunnen blijven.'

'Wij weten wat het beste is voor jouw veiligheid.'

Maya greep haar zwaard vast alsof het wapen haar kon redden van dit gesprek. De blik op haar gezicht was wanhopig, smekend, maar toen keek ze weer naar de vloer. 'Dit is de meest logische beslissing, Gabriel. En dat is nu eenmaal wat Harlekijns doen – weloverwogen, logische beslissingen nemen voor de bescherming van Reizigers. Moeder Blessing heeft veel meer ervaring dan ik. Zij kan aan wapens komen en aan betrouwbare huurlingen.'

'En vergeet Vicki Fraser en het kleine meisje niet,' zei Moeder Blessing. 'Zij zitten veilig op dit eiland. Het valt niet mee om te reizen met een kind erbij.'

'Dat is ons tot nu toe ook prima gelukt.'

'Jullie hebben geluk gehad.' Moeder Blessing liep naar het raam achter het altaar dat uitzicht bood over de zee. Gabriel wilde wel met de Harlekijn in discussie gaan, maar op de een of andere manier had deze Ierse van middelbare leeftijd iets erg intimiderends. In de loop der jaren had Gabriel de nodige knokpartijen meegemaakt in kroegen en op straat, waarbij dronken kerels elkaar beledigingen naar het hoofd slingerden en elkaar opfokten tot agressie. Moeder Blessing had dat punt jaren geleden al bereikt. Als je haar uitdaagde, zou ze onmiddellijk aanvallen, zonder enige terughoudendheid.

'Wanneer zie ik je dan weer?' vroeg Gabriel aan Maya.

'Misschien dat ze het eiland over een jaar of zo kan verlaten,' zei Moeder Blessing. 'Misschien ook eerder, als je vader terugkeert naar deze wereld.'

'Een jaar? Maar dat slaat nergens op!'

'Over twintig minuten is de boot hier, Gabriel. Maak je klaar om te vertrekken.'

Het gesprek was voorbij. Als versuft liet Gabriel de beide vrouwen achter en liep de kapel uit. Gabriel zag dat Vicki en Alice op de berg waren. Hij beklom de stenen trap naar het tweede terras, liep om de tuin en de regenwaterbassins heen en sloeg toen het pad in dat naar de hoogste punt van het eiland leidde.

Vicki zat op een kalksteenrots en keek uit over de donkerblauwe oceaan die hen aan alle kanten omringde. Het eiland bezorgde Gabriel het gevoel dat er niets anders meer bestond – dat ze hier helemaal alleen waren in het middelpunt van de wereld. Een meter of tien verderop klauterde Alice over de rotsen, waarbij ze telkens even bleef staan om met een stok naar de hoge begroeiing te slaan.

Vicki glimlachte toen Gabriel naar haar toe kwam en ze wees naar het meisje. 'Volgens mij speelt ze dat ze een Harlekijn is.'

'Ik weet niet of dat wel zo'n goed idee is,' zei Gabriel en kwam naast Vicki zitten. Boven hen wemelde het van de jan-van-genten en pijlstormvogels. De vogels lieten zich op onzichtbare luchtstromen mee omhoog nemen en zweefden vervolgens weer omlaag. 'Ik ga het eiland verlaten,' zei Gabriel. Toen hij haar over het gesprek in de kapel vertelde, leek de beslissing van Moeder Blessing opeens veel echter en zwaarder – als een stad die in de verte opdoemt uit de nevel. De wind wakkerde aan en de zwart-witte stormvogels begonnen hoge kreten te slaken die Gabriel een eenzaam gevoel bezorgden.

'Over je vader hoef je je geen zorgen te maken, Gabriel. Maya en ik zullen hem goed bewaken.'

'Wat als hij naar deze wereld terugkeert en ik ben er niet?'

Vicki pakte zijn hand en kneep er geruststellend in. 'Dan zullen we hem vertellen dat hij een trouwe zoon heeft die alles in het werk heeft gesteld om hem te vinden.'

Gabriel keerde terug naar de voorraadhut, stak een kaars aan en daalde af naar de kelder. Het lichaam van zijn vader lag nog steeds op de stenen tafel, bedekt met het dunne katoenen laken. Matthew Corrigans haar was lang en grijs en hij had diepe rimpels in zijn voorhoofd en mondhoeken. Toen Gabriel klein was had iedereen altijd gezegd dat hij op zijn vader leek, maar eigenlijk zag hij nu de gelijkenis pas. Gabriel had het gevoel naar zijn oudere ik te kijken – vermoeid van een leven vol kijken in de harten van anderen.

Gabriel knielde naast het lichaam neer en legde zijn oor tegen zijn vaders borst. Na een paar minuten schrok hij op van de flauwe bonk van één enkele hartslag. Het voelde alsof zijn vader vlak bij hem was en hem riep vanuit de schaduwen. Gabriel stond op, drukte een kus op zijn vaders voorhoofd en klom weer naar boven. Toen hij het luik sloot, kwam Maya de hut binnen.

'Alles in orde met je vader?'

'Geen verandering.' Gabriel liep naar de deur en omhelsde haar. Heel even gaf ze toe aan haar gevoelens en klemde zich aan hem vast terwijl hij haar haren streelde.

'Foley is net aangekomen met zijn boot,' zei ze. 'Moeder Blessing is al op weg naar de steiger. Ze heeft gezegd dat je meteen moet komen.'

'En ze weet het van gisteravond?'

'Natuurlijk weet ze het.' De wind duwde tegen de halfopen deur. Maya maakte zich van hem los en smeet de deur dicht. 'We hebben een vergissing begaan. Ik ben mijn verplichtingen niet nagekomen.'

'Houd nu eens op met praten als een Harlekijn.'

'Ik bén een Harlekijn, Gabriel. En ik kan je alleen maar beschermen als ik net zo ben als Moeder Blessing. Kil en rationeel.'

'Daar geloof ik niets van.'

'Ik ben een Harlekijn en jij bent een Reiziger. Het wordt tijd dat je je als zodanig gaat gedragen.'

'Waar heb je het over?'

'Je vader heeft de oversteek gemaakt en komt misschien niet meer terug. Je broer is overgelopen naar de Tabula. Jij bent degene op wie iedereen zijn hoop heeft gevestigd. Ik weet dat je de macht bezit, Gabriel. Nu moet je hem alleen nog gebruiken.'

'Ik heb hier nooit om gevraagd.'

'Ik heb ook niet om dit leven gevraagd, maar ik heb het toch gekregen. Gisteravond probeerden we allebei onder onze verplichtingen uit te komen. Moeder Blessing heeft gelijk. Liefde maakt je dom en zwak.'

Gabriel kwam naar voren en probeerde zijn armen om haar heen te slaan. 'Maya...'

'Ik accepteer wie ik ben. En het wordt tijd dat jij de eigen verantwoordelijkheden onder ogen ziet.'

'Wat vind je dan dat ik zou moeten doen? Aanvoerder worden van de freerunners?'

'Je zou met hen kunnen praten. Dat lijkt me een begin. Ze bewonderen jou, Gabriel. Toen we in Vine House waren, zag ik het in hun ogen.'

'Goed, ik zal met hen praten. Maar ik wil jou bij me hebben.'

Maya wendde zich af van Gabriel zodat hij haar gezicht niet kon zien. 'Zorg goed voor jezelf,' zei ze met een klein stemmetje en toen was ze de deur uit en liep met grote stappen de rotsachtige heuvel op, terwijl de wind door haar zwarte haren waaide.

Gabriel greep zijn schoudertas en daalde via de stenen trap af naar de aanlegsteiger. Kapitein Foley zat in zijn vissersboot aan de motor te prutsen. Moeder Blessing ijsbeerde over het betonnen plateau.

'Maya heeft me de sleutels gegeven van de auto die jullie in Portmagee hebben achtergelaten,' zei ze tegen Gabriel. 'We rijden naar het noorden, naar een veilig adres in County Cavan. Ik zal een paar van mijn contactpersonen moeten bellen om te vragen of zij – '

Gabriel viel haar in de rede. 'Doe wat je niet laten kunt, maar ik ga terug naar Londen.'

Moeder Blessing keek of kapitein Foley nog op zijn boot zat, te ver weg om hen te kunnen verstaan. 'Je hebt mijn bescherming aanvaard, Gabriel. Dat betekent dat ik de beslissingen neem.'

'Ik heb vrienden in de stad – freerunners – en ik wil hen spreken.'

'En als ik dat niet goedvind?'

'Ben je bang van de Tabula, Moeder Blessing? Is dat het probleem?'

De Ierse Harlekijn fronste en bracht heel even haar hand naar haar zwaardfoedraal. Ze zag eruit als een heidense koningin die zojuist beledigd is door een gewone sterveling. 'Het lijkt me overduidelijk dat zij bang zijn van mij.'

'Mooi. Want ik ga echt naar Londen. Als je mij wilt beschermen, dan zal je mee moeten.'

# 24

Voor het zolderraam van Vine House gezeten keek Gabriel uit over het kleine openbare park in het midden van Bonnington Square. Het was een uur of negen 's avonds. Na zonsondergang was er een koude mist vanaf de Theems de stad in gedreven en die baande zich nu een weg door de smalle straten van Zuid-Londen. De straatverlichting rond het plein brandde zwakjes, als kleine vlammetjes die overweldigd werden door een koudere, doordringender macht. Er was niemand in het park, maar om de paar minuten kwam er een klein groepje jonge mannen en vrouwen naar het huis toe en klopte op de deur.

Gabriel was alweer drie dagen terug in Londen en logeerde in Winston Abosa's drumwinkel in Camden Market. Hij had Jugger en zijn vrienden om hulp gevraagd en zij hadden onmiddellijk gereageerd. De boodschap was verspreid en freerunners vanuit het hele land waren op weg naar Vine House.

Jugger klopte twee keer op de deur alvorens zijn hoofd om het hoekje te steken. De freerunner leek opgewonden en een beetje nerveus. Gabriel kon de stemmen van de menigte beneden horen.

'Er komen heel veel mensen opdagen,' zei Jugger. 'We hebben ploegen uit Glasgow en Liverpool. Zelfs je oude vriend Cutter is met zijn vrienden uit Manchester gekomen. Ik snap niet hoe ze dit te weten zijn gekomen.'

'Is er voldoende plek voor iedereen?'

'Ice heeft de rol van spelcoördinator in een vakantiekamp op zich genomen – zij vertelt iedereen waar ze moeten gaan zitten. Roland en Sebastian trekken kabels door de gang, zodat we door het hele huis luidsprekers kunnen neerzetten.'

'Bedankt, Jugger.'

De freerunner frunnikte aan zijn gebreide muts en keek Gabriel met een verlegen lachje aan. 'Luister, makker. Wij zijn vrienden. Ja toch? Dat betekent dat we overal over kunnen praten.'

'Wat is het probleem?'

'Het gaat om die Ierse vrouw die jouw lijfwacht is. Het stond zwart van de mensen voor de voordeur, dus toen is Roland naar de achterkant van het huis gegaan en daar over de tuinmuur geklommen. Dat doen we wel vaker als we via de keuken naar binnen willen. Nou, voordat hij het wist zette die Ierse een automatisch pistool tegen Rolands hoofd.'

'Heeft ze hem pijn gedaan?'

'Neuh. Maar hij scheet wel bijna in zijn broek van angst, ik zweer het je, Gabriel. Misschien kan ze tijdens jouw toespraak buiten gaan staan of zo. Ik wil liever niet dat er vanavond doden vallen.'

'Maak je geen zorgen. Zodra ik mijn woordje heb gedaan zijn we hier weer weg.'

'En dan?'

'Ik wil de mensen om hulp vragen en dan zien we wel wat er gebeurt. Ik wil graag dat jij als tussenpersoon fungeert tussen mij en de mensen beneden.'

'Geen probleem. Dat kan ik wel.'

'Ik logeer in Camden Market, op een ondergrondse plek die ze de catacomben noemen. Er is daar een drumstudio waarover ene Winston de leiding heeft. Hij weet wel hoe hij mij kan bereiken.'

'Klinkt als een goed plan, makker.' Jugger knikte ernstig. 'Iedereen wil je verhaal horen, maar geef ons nog een paar minuten. Ik moet nog even een paar mensen op de juiste plek zetten.'

De freerunner verliet de zolderkamer en daalde de smalle trap weer af. Gabriel bleef in de stoel zitten en keek uit op het parkje in het midden van het plein. Volgens Sebastian had er op de plek van het parkje tijdens de Tweede Wereldoorlog een platgebombardeerd gebouw gestaan, waarna het een dumpplek was geworden voor afval en oude auto's. Langzaam maar zeker was de wijk weer in ere hersteld, was de plek opgeruimd en was er een combinatie van conventionele struiken en klimop plus wat meer exotische tropische vegetatie geplant. Palmbomen en bananenplanten groeiden er zij aan zij met Engelse theerozen. Sebastian was ervan overtuigd dat Bonnington Square een bijzondere ecologische zone was met een geheel eigen klimaat.

De freerunners hadden achter Vine House een groentetuin aangelegd en op de daken van alle gebouwen aan het plein kon je ook bomen en struiken zien groeien. Hoewel er in Londen duizenden televisiecamera's waren geïnstalleerd, bewees het nog immer levende verlangen naar een tuin dat de gemiddelde burger behoefte had aan een plekje buiten bereik van de Grote Machine. Met vrienden en lekker eten en een fles wijn, voelde zelfs een achtertuintje groot en uitgestrekt.

Een paar minuten later klopte Jugger twee keer aan en deed de deur open. 'Ben je er klaar voor?' vroeg hij.

Een aantal freerunners zat op de trap en anderen stonden dicht opeengepakt in de gang. Moeder Blessing stond in de woonkamer bij een tafel waarop een microfoontje lag. Een van haar Ierse huurlingen, een stoer ogende man met een wit litteken in zijn nek, stond buiten op wacht.

Gabriel pakte de microfoon en zette hem aan. Een snoer

leidde naar een stereo-ontvanger waarop verschillende speakers waren aangesloten. Hij haalde een keer diep adem en hoorde het geluid dat hij maakte uit de gang komen.

'Toen ik nog op school zat, kregen we op de eerste schooldag allemaal een groot geschiedenisboek uitgereikt. Ik weet nog hoe lastig het was om het 's middags in mijn rugzak te stoppen. Elk historisch tijdperk had een met een kleur gecodeerd hoofdstuk en de onderwijzer probeerde ons te doen geloven dat – op een bepaalde datum – iedereen opeens ophield met middeleeuws te doen en besloot dat ze nu in de renaissance leefden.

Zo werkt de echte geschiedenis natuurlijk niet. Verschillende wereldbeelden en verschillende technologieën kunnen heel goed naast elkaar bestaan. Wanneer er een echte vernieuwing optreedt, zijn de meeste mensen zich niet eens bewust van de invloed en de betekenis ervan voor hun eigen leven.

Eén manier om tegen geschiedenis aan te kijken is dat het 't verhaal is van een onophoudelijke strijd: een conflict tussen individuen met nieuwe ideeën en diegenen die de maatschappij willen controleren. Misschien hebben enkelen van jullie wel eens gehoord van een machtige groep mensen die zich de Tabula noemen. De Tabula hebben koningen en regeringen in de richting van hun filosofie van totale controle geleid. Zij willen de wereld veranderen in een reusachtige gevangenis waarin de gevangene er altijd vanuit moet gaan dat hij in de gaten wordt gehouden. Uiteindelijk zal elke gevangene deze toestand als realiteit accepteren.

Sommige mensen zijn zich niet bewust van wat er gaande is. Anderen kiezen ervoor om er de ogen voor te sluiten. Maar hier zijn we allemaal freerunners. De gebouwen die ons omringen boezemen ons geen ontzag in. We klimmen tegen de muren op en springen van het ene naar het andere gebouw.'

Gabriel zag dat Cutter, de aanvoerder van de freerunners uit Manchester, tegen de muur zat met een gipsarm. 'Ik heb respect voor jullie allemaal, en met name voor deze man hier,

Cutter. Een paar weken geleden werd hij tijdens een wedstrijd aangereden door een Londense taxi en nu is hij hier met zijn vrienden. Een echte freerunner accepteert geen conventionele grenzen en beperkingen. Het is geen "sport" of een manier om op televisie te komen. Het is een keuze die we hebben gemaakt in ons leven. Een manier om uitdrukking te geven aan wat er in ons hart omgaat.

Hoewel sommigen van ons bepaalde aspecten van technologie hebben afgewezen, zijn wij ons er allemaal van bewust hoezeer de computer onze wereld heeft veranderd. Dit is met recht een nieuw historisch tijdperk te noemen: het tijdperk van de Grote Machine. Bewakingscamera's en scanners zijn niet meer weg te denken. Nog even en de mogelijkheid van een privéleven zal helemaal verdwijnen. Al deze veranderingen worden gerechtvaardigd door een allesoverheersende cultuur van angst. De media roepen voortdurend moord en brand over weer een nieuwe bedreiging van ons leven. Onze gekozen leiders cultiveren deze angst en nemen ons intussen onze vrijheid af.

Maar freerunners zijn niet bang. Sommigen van ons proberen buiten het Netwerk te leven. Anderen verzetten zich op allerlei andere, kleine manieren. Vanavond vraag ik jullie om een grotere betrokkenheid. Ik denk dat de Tabula op het punt staan een belangrijke stap voorwaarts te zetten in de totstandkoming van hun elektronische gevangenis. En dan hebben we het niet over nog een paar bewakingscamera's of een verbetering van een scannerprogramma. Het is de ultieme evolutie van hun plan.

En wat houdt dat plan in? Dat is de grote vraag. Ik vraag jullie om de geruchten eens goed te bekijken en uit te zoeken wat er nu precies waar is. Ik heb mensen nodig die met hun vrienden kunnen praten, het internet kunnen afzoeken – mensen die willen luisteren naar de stemmen die worden meegevoerd door de wind.' Gabriel wees naar Sebastian. 'Deze man heeft de eerste van enkele ondergrondse websites ontworpen.

Stuur je informatie daarnaartoe zodat we een begin kunnen maken met een georganiseerd verzet.

Denk eraan dat jullie nog steeds de mogelijkheid hebben om een keuze te maken. Jullie hoeven dit nieuwe systeem van controle en angst niet te accepteren. Wij hebben de macht om nee te zeggen. Wij hebben het recht om vrij te zijn. Bedankt voor jullie aandacht.'

Niemand applaudisseerde of juichte, maar toen de Reiziger de kamer verliet had hij het gevoel dat iedereen achter hem stond. Mensen raakten Gabriels hand aan terwijl hij langs hen liep.

Buiten op straat was het koud. Moeder Blessing wenkte Brian, de Ierse huurling die op de stoep stond te wachten. 'Hij is klaar. We kunnen gaan.'

Ze stapten achter in een bestelbusje terwijl Brian achter het stuur ging zitten. Even later zette het busje zich langzaam in beweging en reed door de mist over Langley Lane.

Moeder Blessing staarde Gabriel aan. Voor het allereerst sinds hij de Harlekijn had ontmoet, behandelde ze hem niet met volkomen minachting. 'Ga je nog meer van die toespraken houden?' vroeg ze.

*Ik ben nog steeds van plan om mijn vader te gaan zoeken*, dacht Gabriel, maar dat plan hield hij voor zich. 'Misschien. Ik weet het nog niet.'

'Je doet me aan je vader denken,' zei Moeder Blessing. 'Voordat we naar Ierland gingen, heb ik hem in Portugal en Spanje een paar keer groepen horen toespreken.'

'Had hij het wel eens over zijn gezin?'

'Hij heeft me verteld dat jij en je broer als kleine jongetjes Thorn een keer hebben ontmoet.'

'Is dat alles? Je hebt mijn vader maandenlang bewaakt en hij heeft je nooit iets anders verteld?'

Moeder Blessing staarde uit het raampje terwijl ze over een brug reden. 'Hij zei dat zowel Harlekijns als Reizigers zich op een lange weg bevonden en dat het soms niet meeviel om het licht in de verte te zien.'

Camden Market was waar Maya, Vicki en Alice van de kanaalboot waren gestapt en Londen waren binnengegaan. In het victoriaanse tijdperk was het gebruikt als een laadpunt voor de kolen en het hout dat op de boten werd aangevoerd. De pakhuizen en scheepswerven waren veranderd in een uitgestrekt marktterrein vol kleine kledingwinkeltjes en etenskraampjes. Het was een plek om aardewerk en pasteitjes te kopen, antieke juwelen en tweedehands legerkleding.

Brian zette hen af op Chalk Farm Road, en Moeder Blessing liep voor hem uit de markt op. De immigranten die de etenskraampjes bestierden waren stoelen aan het opstapelen en kipcurry in vuilniszakken aan het gooien. Een paar gekleurde lichtjes die nog over waren van Kerstmis bungelden heen en weer, maar de omtrekken van de markt waren donker, en in de schaduwen zag je hier en daar ratten wegschieten.

Moeder Blessing kende de precieze locatie van elke bewakingscamera in dit gebied, maar af en toe bleef ze even staan om een cameradetector te gebruiken – een handzaam apparaatje dat ongeveer even groot was als een mobiele telefoon. Krachtige diodes in het apparaatje gaven infrarood licht af dat onzichtbaar was voor het menselijk oog. De lens van de bewakingscamera reflecteerde dit smalspectrum-UVB-licht, zodat het als een piepkleine volle maan opgloeide op het schermpje. Gabriel was ervan onder de indruk hoe snel de Ierse Harlekijn in staat was een verborgen camera te lokaliseren en buiten het bereik ervan te blijven.

De oostkant van de markt stond vol met oude stenen gebouwen die ooit dienst hadden gedaan als stallen voor de paarden die karren en omnibussen door de straten van Londen trokken. Nog meer oude stallen bevonden zich in de tunnels die catacomben werden genoemd en die onder het luchtspoor liepen. Moeder Blessing leidde Gabriel via een stenen poort de catacomben binnen en ze haastten zich langs gesloten winkels en kunstenaarsateliers. Een meter of zes van de tunnelwanden was roze geverfd. In een ander gedeelte waren de muren bedekt met aluminiumfolie. Ten slotte bereikten ze de ingang van Winston Abosa's winkel. De West-Afrikaan zat op de betonnen vloer een dierenhuid op een houten trommel te naaien.

Winston stond op en knikte zijn gasten toe. 'Welkom terug. Ik hoop dat de toespraak succesvol was.'

'Zijn er nog klanten?'vroeg Moeder Blessing.

'Nee, ma'am. Het was een hele stille avond.'

Ze liepen om de Afrikaanse drums en ebbenhouten beeldjes van stamgoden en zwangere vrouwen heen. Winston trok een stoffen spandoek uit de weg waarop een drumfestival in Stonehenge stond aangekondigd, zodat er een stalen deur in de achterwand zichtbaar werd. Hij opende de deur en zij gingen een appartement binnen dat uit vier kamers bestond, die uitkwamen op een enkele gang. In de voorkamer stond een vouwbed en twee monitors waarop het interieur van de zaak zichtbaar was en de ingang van de catacomben. Gabriel liep de gang in, langs een kleine keuken en een badkamer, naar een slaapkamer zonder ramen, maar met een stoel, een bureau en een smeedijzeren bed. Dit was de afgelopen drie dagen zijn thuis geweest.

Moeder Blessing maakte het keukenkastje open en pakte er een fles Ierse whisky uit. Winston volgde Gabriel naar de slaapkamer. 'Hebt u honger, Mr. Gabriel?'

'Nu niet, Winston. Ik neem later vanavond wel wat thee en een geroosterde boterham.'

'Alle restaurants zijn nog open. Ik kan wel ergens wat afhalen.'

'Dank je. Haal maar wat je wilt. Ik ga nu eerst even liggen.'

Winston deed de deur dicht en Gabriel hoorde hem met Moeder Blessing praten. Hij ging op bed liggen en staarde naar het enkele peertje dat aan een snoer aan het plafond hing. Het was fris in de kamer en uit een scheur in de muur sijpelde water.

De energie die Gabriel tijdens de toespraak had gevoeld was weggeëbd. Hij realiseerde zich dat hij op dit moment precies zijn vader was – beide lichamen lagen in een verborgen kamer, bewaakt door een Harlekijn. Maar een Reiziger hoefde zulke beperkingen niet te accepteren. Licht kon in een parallelle wereld op zoek gaan naar Licht. Als hij nu overging, kon hij een poging doen zijn vader te vinden in het Eerste Rijk.

Gabriel kwam overeind en ging op de rand van het bed zitten, met zijn handen in zijn schoot en zijn voeten op de betonnen vloer. *Ontspan je*, zei hij tegen zichzelf. In de eerste fase voelde het overgaan als een gebed of meditatie. Hij deed zijn ogen dicht en stelde zich een lichaam van Licht voor in zijn fysieke lichaam. Hij voelde de energie en volgde de omtrekken ervan in zijn schouders, armen en polsen.

*Adem in. Adem uit.* En opeens viel zijn linkerhand van zijn schoot en plofte op het matras neer alsof hij een ton woog. Toen hij zijn ogen weer opendeed, zag hij dat een schimmige arm en hand zich uit zijn lichaam hadden losgemaakt. De arm was zwarte ruimte met kleine lichtpuntjes, als een sterrenhemel in de nachtelijke duisternis. Zich concentrerend op deze andere realiteit, bracht hij de schimmige hand hoger, en nog een beetje hoger, en opeens brak het Licht uit zijn lichaam, als een pop die uit zijn cocon tevoorschijn komt.

# 25

Vanaf de veranda van haar twee verdiepingen tellende houten woning keek Rosaleen Magan toe hoe kapitein Thomas Foley wankelend door een smal straatje in Portmagee zwalkte. Haar vader had bij het avondeten vijf flessen Guinness achterovergeslagen, maar Rosaleen had er niets van gezegd. De kapitein had met zijn vrouw zes kinderen grootgebracht, was in alle weersomstandigheden uit vissen gegaan en had nooit gevochten in de dorpskroeg. *Als hij nog een fles wil dan gaat hij zijn gang maar,* dacht ze. *Dan vergeet hij zijn artritis een beetje.*

Ze liep naar de keuken en zette de computer aan die in een nis bij de voorraadkast stond. Haar man was in Limerick voor een cursus en haar zoon werkte als meubelmaker in Amerika. 's Zomers had ze een huis vol toeristen, maar in de koude maanden bleven zelfs de vogelaars weg. Rosaleen hield van dit rustige seizoen, ook al gebeurde er overdag nooit veel. Haar oudste zus werkte op het postkantoor in Dublin. Ze had het altijd over de nieuwste films of een toneelstuk dat ze had gezien in het Abbey Theater. Eén keer was ze zelfs zo grof geweest om Portmagee 'een slaperig dorpje' te noemen.

Vanavond had Rosaleen voldoende nieuws voor een fatsoenlijke e-mail. Er waren geheimzinnige dingen gaande op Skellig Columba, en haar vader was de enige betrouwbare informatiebron wat betreft het eiland.

Rosaleen herinnerde haar zus eraan dat een jaar geleden een oudere man, ene Matthew, naar het eiland was gegaan in gezelschap van een roodharige Ierse die vervolgens opeens moeder-overste van de Arme Clarissen was geworden. Een paar dagen geleden was er een zo mogelijk nog exotischer gezelschap in Portmagee aangekomen – een klein Chinees meisje, een zwarte vrouw, een Amerikaanse man en een jonge vrouw met een Engels accent. Eén dag nadat hij hen naar het eiland had gebracht, werd hun vader gevraagd de zogenaamde abdis en de Amerikaanse man terug te brengen naar het vasteland. *Ik weet niet wat daar gaande is, maar vreemd is het wel*, typte Rosaleen. *Dit mag dan geen Dublin zijn, we hebben wel degelijk mysteries in Portmagee.*

Diep in de computer zat een spyworm verborgen dat al miljoenen computers over de gehele wereld had besmet. De worm lag als een tropische slang te wachten op de bodem van een donkere lagune. Wanneer er bepaalde woorden of namen verschenen, nam het programma de nieuwe informatie waar, kopieerde deze en glibberde vervolgens door het internet om zijn meester te vinden.

Vicki Fraser vond het een fijn gevoel om wakker te worden in de slaapkamer van de kookhut van het klooster. Haar gezicht was altijd koud, maar de rest van haar lichaam was lekker warm onder een dekbed van ganzendons. Alice lag in de hoek te slapen en Maya lag vlak bij haar, haar Harlekijnzwaard onder handbereik.

'S Morgens was het stil in de kookhut. Toen de zon in een bepaalde hoek op het gebouwtje scheen, viel er een geelwitte straal licht door het raam naar binnen en die vervolgens langzaam over de vloer bewoog. Vicki dacht aan Hollis en probeerde zich voor te stellen dat hij naast haar lag. Zijn lichaam was bedekt met littekens die hij had overgehouden aan allerlei gevechten en confrontaties, maar wanneer ze in zijn ogen keek zag ze de tederheid die daar school. Nu ze veilig op dit eiland zaten, had Vicki de tijd om aan hem te denken. Hollis was een geweldige vechter, mar ze was bang dat zijn zelfvertrouwen hem in moeilijkheden zou brengen.

Om een uur of zes kwam zuster Joan naar de hut en begon met ketels te rammelen om thee te zetten. De drie andere nonnen kwamen een halfuur later en er werd gezamenlijk ontbeten. In het midden van de eettafel stond een grote pot honing. Alice vond het leuk om de pot met twee handen vast te pakken en grillige vormen te gieten op haar pap.

Het kleine meisje weigerde nog steeds om te praten, maar leek het wel naar haar zin te hebben op het eiland. Ze hielp de nonnen bij hun dagelijkse taken, plukte bloemen en zette ze in lege jampotten en verkende het eiland met een grote stok die een Harlekijnzwaard moest voorstellen. Eén keer leidde ze Vicki langs een smal paadje omlaag langs het klif. Het pad voerde honderd meter loodrecht omlaag naar het rotsachtige strand, waar de golven tegen de rotsen sloegen.

Aan het eind van het pad bevond zich een kleine grot. Er stond een stenen bankje, geheel met mos begroeid, en een klein altaar met een Keltisch kruis. 'Dit lijkt wel op een kluizenaarsgrot,' zei Vicki en dat leek Alice wel een mooie gedachte te vinden. Ze gingen samen voor de grot zitten en het meisje gooide steentjes naar de horizon.

Alice behandelde Vicki als een oudere zus die de leiding had over het borstelen van haar haren. Ze was dol op de nonnen, die haar avonturenverhalen voorlazen en rozijnencakejes voor haar bakten voor bij de middagthee. Op een avond lag ze zelfs op een bank in de kapel met haar hoofd in zuster Joans schoot. Maya behoorde voor het kleine meisje tot een heel andere categorie; zij was geen moeder, zus of vriendin van Alice. Soms zag Vicki hen naar elkaar kijken met een eigenaardig soort verstandhouding in hun ogen. Ze leken met elkaar gemeen te hebben dat ze eenzaam konden zijn in een kamer vol met mensen.

Twee keer per dag bezocht Maya het lichaam van Matthew Corrigan in de kamer onder de voorraadhut. Verder bracht ze veel tijd alleen door en maakte af en toe een wandeling naar het haventje om uit te kijken over de zee. Vicki durfde haar niet te vragen wat er was gebeurd, maar het was wel duidelijk dat Maya iets had gedaan wat Moeder Blessing een excuus had verschaft om Gabriel mee te nemen en Skellig Columba te verlaten.

Op hun achtste dag op het eiland werd Vicki 's ochtends in alle vroegte wakker en zag de Harlekijn op haar knieën naast zich zitten. 'Kom naar beneden,' fluisterde Maya. 'Ik moet met je praten.'

Met een zwarte omslagdoek om haar schouders ging Vicki naar beneden, naar de eetkamer, waar een lange tafel stond met twee banken. Maya had al een turfvuurtje gestookt in het fornuis, dat inmiddels een beetje warm begon te worden. Vicki ging op een van de banken zitten en leunde tegen de muur. In het midden van de tafel brandde een grote kaars en toen Maya door de keuken liep gleden er schaduwen over haar gezicht.

'Weet je nog toen we net in Portmagee waren aangekomen en Gabriel en ik kapitein Foley gingen zoeken? Nadat we zijn huis weer hadden verlaten, zijn we op dat bankje aan het water gaan zitten en toen heb ik Gabriel gezworen dat ik altijd naast hem zou staan – wat er ook zou gebeuren.'

Vicki knikte en zei zachtjes: 'Dat moet moeilijk voor je zijn geweest. Je hebt me eens verteld dat Harlekijns niet graag dingen beloven...'

'Het was helemaal niet moeilijk. Ik wilde die woorden zeggen – niets liever dan dat zelfs.' Maya liep naar de kaars en staarde in de vlam. 'Ik heb Gabriel een belofte gedaan en ik ben van plan die na te komen.'

'Wat bedoel je?'

'Ik ga naar Londen om Gabriel te zoeken. Niemand kan hem beter beschermen dan ik.'

'En Moeder Blessing dan?'

'In de kapel heeft ze me aangevallen, maar dat was alleen om mijn aandacht te krijgen. Ik ben niet van plan me nog langer door haar te laten intimideren.' Met een boze blik in haar ogen ging Maya verder met ijsberen. 'Ik zal het tegen haar of tegen Linden opnemen, of tegen wie dan ook, als ze proberen me bij Gabriel vandaan te houden. Al sinds ik klein was hebben allerlei Harlekijns mij de wet voorgeschreven, maar die tijd is nu voorbij.'

*Moeder Blessing zal je doden*, dacht Vicki. Maar ze zweeg. Maya's gezicht leek te stralen van ongekende energie.

'Als die belofte dan zo belangrijk voor je is, moet je naar Londen gaan. Over Matthew Corrigan hoef je je geen zorgen te maken. Als hij terugkeert naar deze wereld, ben ik hier altijd nog.'

'Toch zit dat me wel dwars, Vicki. Ik heb nu eenmaal beloofd bij hem te blijven en hem te bewaken.'

'Dit is een veilig eiland,' zei Vicki. 'Dat heeft Moeder Blessing zelf ook gezegd. Zij heeft hier bijna een halfjaar gezeten en ze heeft nog geen vogelaar gezien.'

'En als er nu toch iets gebeurt?'

'Dan los ik dat wel op. Ik ben net als jij, Maya. Ik ben geen klein meisje meer.'

Maya bleef staan en glimlachte zwakjes. 'Ja. Jij bent ook veranderd.'

'Foley komt morgenochtend met de voorraden, dus dan kan hij je meteen meenemen naar het vasteland. Maar hoe denk je Gabriel te vinden in Londen?'

'Hij gaat waarschijnlijk naar de freerunners. Ik ben een keer bij hen thuis geweest op de South Bank, dus ik denk dat ik eerst maar eens met Gabriels vrienden ga praten.'

'Je kunt al het geld uit mijn rugzak meenemen. Daar hebben we hier op het eiland toch niets aan.'

'Maya...' zei een trillend stemmetje, en tot haar verrassing zag Vicki Alice Chen bij de trap staan. Het was voor het allereerst sinds zij in hun leven was gekomen dat het meisje iets zei. Haar mond bewoog geluidloos, alsof ze zelf bijna niet kon geloven dat er geluid uit haar keel kon komen. Toen begon ze weer te praten. 'Ga alsjeblieft niet weg, Maya. Ik vind het fijn als je hier bent.'

Maya's gezicht veranderde in het gebruikelijke Harlekijnmasker, maar opeens verzachtte haar mond en stond zij zichzelf toe een andere emotie te voelen dan woede. Vicki had Maya de afgelopen maanden veel moedige daden zien verrichten. Maar het allermoedigst was ze nu – op dit moment – nu ze de kamer doorliep en haar armen om het kleine meisje heen sloeg.

Een van de Britse huurlingen die samen met Boone naar Ierland waren gevlogen opende de zijdeur van het laadruim van de helikopter. Boone zat op een metalen bankje op zijn laptop te werken.

'Neemt u mij niet kwalijk, sir, maar ik moest u waarschuwen als Mr. Harkness was gearriveerd.'

'Dat klopt. Dank je.'

Boone trok zijn jas aan en stapte uit de helikopter. De twee huurlingen en de piloot stonden op de landingsbaan sigaretten te roken en over aanbiedingen van werk in Moskou te praten. De afgelopen drie uur had iedereen staan wachten op een klein vliegveld even buiten Killarney. Het was al laat in de middag en de amateur-piloten die hun landingen tegen de wind in hadden geoefend hadden hun vliegtuigjes vastgelegd en waren naar huis gereden. Het vliegveldje lag midden in het Ierse landschap, omringd door omheinde weilanden. Aan de noordkant van het veld graasden schapen; ten zuiden van de nissenhutten liep melkvee. Er hing een aangename geur van vers gemaaid gras in de lucht.

Ongeveer tweehonderd meter verderop, vlak bij de toegangspoort, stond een kleine pick-up met een stalen overkapping over de laadbak geparkeerd. Toen Boone over het asfalt kwam aanlopen, stapte meneer Harkness uit de wagen. Boone had de gepensioneerde dierenverzorger in Praag ontmoet toen ze Maya's vader hadden gevangengenomen, ondervraagd en vermoord. De oude man had een bleke huid en slechte tanden. Hij droeg een tweedcolbertje en een regimentsstropdas met vieze vlekken.

Boone had al met heel wat huurlingen gewerkt, maar bij Harkness voelde hij zich slecht op zijn gemak. De oude man leek ervan te genieten met de splitsers te werken. Het was natuurlijk zijn werk, maar Harkness kon heel opgewonden vertellen over deze genetische abberaties, een schepping van de wetenschappelijke onderzoekers van de Broeders. Hij was een man zonder macht die nu iets controleerde dat extreem gevaarlijk was. Boone had altijd het gevoel met een bedelaar te maken te hebben die met een onontplofte granaat stond te jongleren.

'Goedenavond, Mr. Boone. Prettig u weer te ontmoeten.' Harkness gaf hem een respectvol hoofdknikje.

'Geen problemen op de luchthaven van Dublin?'

'Nee hoor. Alle papieren waren naar behoren gestempeld en getekend door onze vrienden in de dierentuin van Dublin. De douane heeft niet eens in de kooien gekeken.'

'Geen verwondingen tijdens de reis?'

'Alle exemplaren zien er gezond uit. Wilt u zelf even een kijkje nemen?'

Boone zei niets terwijl Harkness de achterkant van de truck openmaakte. Achterin stonden vier plastic vrachtcontainers – ter grootte van de bakken waarin honden werden vervoerd op vliegreizen. Voor de luchtgaten was stevig metalen gaas bevestigd, maar uit alle vier de bakken kwam een vieze stank van urine en bedorven voedsel.

'Ik heb ze bij aankomst op het vliegveld gevoerd, maar verder hebben ze nog niets te eten gekregen. Honger is altijd het beste voor wat hen wellicht nog te doen staat.'

Harkness gaf met zijn vlakke hand een klap op een van de

bakken. Er klonk onmiddellijk een hees blaffend geluid en de andere splitsers antwoordden. De schapen die in het nabijgelegen weiland liepen te grazen hoorden het geluid. Ze renden blatend weg.

'Valse krengen,' zei Harkness, zijn rotte tanden bloot lachend.

'Vechten ze ook wel eens onder elkaar?'

'Niet vaak. Deze dieren zijn genetisch gemanipuleerd om aan te vallen, maar verder hebben ze dezelfde algemene karaktereigenschappen als de rest van hun soort. Deze in de groene bak is de leider en de andere drie zijn zijn onderofficieren. Je valt je leider niet aan, tenzij je zeker weet dat je hem kunt doden.'

Boone zweeg even en keek Harkness strak aan. 'En u kunt hen de baas?'

'Jazeker, sir. Ik heb een stevige tang in de truck liggen en een elektrische veeprikker. Dus dat is geen probleem.'

'Wat gebeurt er wanneer we ze eruit laten?'

'Dat zal ik u vertellen, Mr. Boone...' Harkness keek even naar zijn schoenen. 'Wanneer ze hun werk eenmaal hebben gedaan is een geweer de beste optie.'

Beide mannen hielden op met praten toen een tweede helikopter vanuit het oosten aan kwam vliegen. De heli cirkelde even boven het vliegveld en landde toen op het gras. Boone liet Harkness staan en liep over het asfalt naar de nieuwkomers. De deur ging open, een huurling liet een korte ladder zakken en Michael Corrigan verscheen in de deuropening. 'Goedemiddag!' zei hij opgewekt.

Boone was er nog steeds niet uit of hij de Reiziger Michael of meneer Corrigan zou noemen. Hij knikte beleefd. 'Goede vlucht gehad?'

'Geen enkel probleem. Ben je klaar om te gaan, Boone?'

Ja, ze waren klaar. Maar het irriteerde Boone dat iemand anders dan generaal Nash die vraag kon stellen. 'Het lijkt me beter om te wachten tot het donker is,' zei hij. 'Het is gemakkelijker een doelwit te vinden als het zich in een gebouw bevindt.'

Na een lichte maaltijd van linzensoep en crackers verlieten de clarissen de warmte van de kookhut en liepen naar de kapel. Alice liep met hen mee. Sinds Maya het eiland had verlaten, had het kleine meisje haar zelfopgelegde zwijgen weer hervat, maar ze leek wel graag naar de in het Latijn gezongen gebeden te luisteren. Soms bewogen haar lippen alsof ze in gedachten met de nonnen meezong. *Kyrie eleison. Kyrie eleison. Heer, wees ons allen genadig.*

Vicki bleef achter om af te wassen. Even nadat de anderen waren vertrokken realiseerde ze zich opeens dat Alice haar jas onder de bank bij de voordeur had laten liggen. Er stond weer een stevige oostenwind en dan kon het koud zijn in de kapel. Vicki liet de borden in de stenen gootsteen staan, pakte het kinderjasje en haastte zich naar buiten.

Het eiland was een wereldje op zichzelf. Wanneer je het eenmaal een paar keer had rondgelopen, wist je dat omhoogkijken, naar de lucht, de enige manier was om je los te maken van deze realiteit. In Los Angeles hing er meestal een dichte nevel van smog voor de sterren, maar boven het eiland was de lucht schoon. Vicki stond voor de kookhut en keek omhoog naar de smalle sikkel van een nieuwe maan en naar het lichtgevende stof van de melkweg. In de verte hoorde ze hoe het krijsen van een zeevogel werd beantwoord door een andere.

Opeens verschenen er in het oosten vier rode lichtjes; het waren net twee paar koplampen aan de avondhemel. *Vliegtuigen,* dacht ze. *Nee, het zijn twee helikopters.* Binnen enkele seconden begreep Vicki wat er ging gebeuren. Zij had zich op het terrein van de kerk ten noordwesten van Los Angeles bevonden toen de Tabula daar op dezelfde manier hadden aangevallen.

Terwijl ze haar best deed om niet te struikelen over de grote brokken kalksteen, rende ze naar het lager gelegen terras en ging de bootvormige kapel binnen. Toen ze de eiken deur opende, werd het zingen onmiddellijk gestaakt. Alice stond op en keek om zich heen door de smalle ruimte.

'De Tabula komen eraan in twee helikopters,' zei Vicki. 'Jullie moeten hier onmiddellijk weg en je verbergen.'

Zuster Maura keek haar doodsbang aan. 'Waar? In de voorraadhut bij Matthew?'

'Breng ze naar de kluizenaarsgrot, Alice. Denk je dat je die in het donker kunt vinden?'

Het meisje knikte. Ze pakte zuster Joan bij de hand en trok de kokkin mee naar de deur.

'En jij dan, Vicki?'

'Ik kom daar ook naartoe. Maar eerst moet ik ervoor zorgen dat de Reiziger veilig is.'

Alice staarde Vicki een paar tellen aan en toen was ze verdwenen. Ze liep voor de nonnen uit langs de kapel, de nacht in. Vicki keerde terug naar het middelste terras en zag dat de helikopters nu veel dichterbij waren – de rode lichten hingen als boze geesten boven het eiland. Ze hoorde het doffe gedreun van de draaiende rotorbladen.

In de voorraadhut stak ze een kaars aan en trok het luik open. Vicki had bijna het idee dat Matthew Corrigan in staat was het naderende gevaar te voelen. Misschien zou het Licht nu terugkeren naar zijn lichaam en zou ze Gabriels vader rechtop zittend in zijn tombe aantreffen. Toen het luik eenmaal open was, kostte het haar maar een paar seconden om beneden te komen en te zien dat de Reiziger nog steeds bewegingloos onder het dunne katoenen laken lag.

Snel rende ze weer naar boven, liet het luik zakken en bedekte het met een plastic zeil. Ze zette een oude buitenboordmotor op het zeil en legde hier en daar wat gereedschap neer alsof er iemand bezig was geweest om de motor te repareren. 'Behoed uw dienaar Matthew,' bad ze. 'Behoed hem alstublieft voor de dood.'

Meer kon ze niet doen. Het was tijd om zich bij de anderen

in de grot te voegen. Maar toen ze buiten kwam zag ze schijnwerpers op het bovenste terras en de donkere omtrekken van Tabula-huurlingen afgetekend tegen de sterrenhemel. Vicki glipte weer naar binnen en schoof de stalen grendel voor de deur. Ze had Maya toegezegd de Reiziger te beschermen. Dat was een belofte, een verplichting. De Harlekijnbetekenis van dat woord drong opeens in volle omvang tot haar door toen ze een zware kist tegen de eikenhouten deur schoof.

Meer dan honderd jaar geleden was een Harlekijn met de naam Leeuw van de Tempel samen met de Profeet, Isaac T. Jones, gevangengenomen, gemarteld en gedood. Vicki en een kleine groep binnen haar kerk geloofden dat zij hun schuld voor dit offer nooit hadden ingelost. Waarom had God Maya en Gabriel in haar leven gebracht? Waarom zat zij hier nu op dit eiland, om een Reiziger te bewaken? *Niet ingeloste schuld*, dacht ze. *Niet ingeloste schuld.*

Drie van de bijenkorfhutten waren leeg, maar de vierde zat op slot en de huurlingen waren er nog steeds niet in geslaagd de deur te forceren. Voordat hij naar Skellig Columba was gekomen, had Boone alle beschikbare informatie over het eiland gelezen en hij wist dus dat de oude gebouwen dikke stenen muren hadden. De muren maakten het moeilijk om infraroodscanners te gebruiken, dus had Boone's team ook een draagbare backscatter meegebracht.

Toen de twee helikopters waren geland, was iedereen eruit gesprongen met het gevoel dat ze iets wilden gaan vernietigen. Nu was deze agressieve impuls weggezakt. De gewapende mannen praatten zachtjes met elkaar terwijl de lichtbundels van hun zaklampen over het rotsachtige landschap gleden. Twee mannen kwamen de helling af met de apparatuur uit de helikopter. Een deel van de backscatter leek op een refractortelescoop op een driepoot. Hij zond röntgenstralen door het doelwit, en een kleine parabolische schotel ving de resulterende fotonen op.

Röntgenapparatuur in ziekenhuizen werkte vanuit het principe dat voorwerpen met een grotere dichtheid meer röntgenstralen absorbeerden dan voorwerpen met een kleinere dichtheid. De backscatter werkte omdat röntgenfotonen op verschillende manieren door verschillende soorten materiaal gaan. Stoffen met een lager atoomgetal – zoals menselijk vlees – zorgden voor een ander beeld dan plastic of staal. De burgers binnen de Grote Machine realiseerden zich niet dat op grote luchthavens al gebruik werd gemaakt van backscatterapparatuur en dat beveiligingspersoneel daarmee dwars door de kleren van de passagiers kon kijken.

Michael Corrigan kwam met twee huurlingen aanlopen vanuit de kapel. Hij droeg een trainingsjack en hardloopschoenen – alsof hij van plan was om hier een beetje te gaan lopen joggen. 'Er is niemand in de kapel, Boone. En in dit gebouw?'

'Daar gaan we nu achter komen.' Boone verbond zijn laptop met de backscatter-receiver, zette het apparaat aan en ging op een rotsblok zitten. Michael en een paar andere mannen kwamen achter hem staan. Het duurde een paar seconden voordat het grijs-witte beeld van de backscatter zichtbaar werd. In de hut was een vrouw bezig kisten op te stapelen tegen de deur. Dat is er niet eentje van de Arme Clarissen, dacht Boone. In dat geval had de backscatter door middel van een schaduwachtige vlek het nonnenhabijt getoond.

'Kijk maar,' zei Boone tegen Michael. 'Er is één persoon in het gebouw aanwezig. Een vrouw. Op dit moment is ze bezig de deur te blokkeren.'

Michael keek boos. 'En mijn vader dan? Je zei dat ik óf Gabriel, óf mijn vader op dit eiland zou aantreffen.'

'Dat was de informatie die ik zelf heb doorgekregen.' Hij liet het beeld roteren om de kamer vanuit verschillende hoeken te kunnen bekijken. 'Dit zou Maya kunnen zijn. Zij is de Harlekijn die in New York je broer bewaakte en – '

'Ik weet wie Maya is,' zei Michael. 'Vergeet niet dat ik haar heb gezien op de avond dat zij het onderzoekscentrum heeft aangevallen.'

'Misschien kunnen we haar ondervragen.'

'Tenzij we haar kunnen dwingen om naar buiten te komen, zal ze nog eerder al je mannen en zichzelf om zeep helpen. Vraag Mr. Harkness liever hier naartoe te komen met de splitsers.'

Boone probeerde niet al te geërgerd te klinken. 'Dat lijkt me op dit moment nog niet nodig.'

'Ik beslis wat noodzakelijk is, Boone. Voordat mevrouw Brewster en ik overeenkwamen om dit te gaan doen, heb ik wat onderzoek gedaan. Deze oude gebouwen hebben ongelooflijk dikke muren. Daarom wilde ik Mr. Harkness bij dit team hebben.'

Toen de middeleeuwse monniken stenen op elkaar stapelden om de gebouwen neer te zetten, hadden ze in de bovenmuren een paar gaten opengehouden, zodat de rook eruit kon ontsnappen. Vele jaren later waren deze luchtgaten veranderd in de ramen op de eerste verdieping van de voorraadhut. De doorsnede van deze ramen bedroeg tussen de dertig en de veertig centimeter. Zelfs als de mannen van de helikopters het glas insloegen, zouden ze er niet in slagen naar binnen te klimmen.

Vicki stond in de schaduwen en hoorde de deurknop rammelen en iemand met zijn vuist op de deur bonzen. Stilte. Toen klonk er een hard bonkend geluid. De eikenhouten deur trilde onder het geweld van de zware stalen koevoet, maar de deurlijsten waren in de muren gemetseld. Vicki herinnerde zich wat de nonnen haar hadden verteld over aanvallen van de Vikingen op de Ierse kloosters in de loop van de twaalfde eeuw. Als de monniken geen tijd meer hadden om de velden in te vluchten, trokken ze zich met al hun gouden kruisen en met juwelen bezette reliekenkisten terug in een stenen toren. Daar bleven ze zitten bidden – en wachten – terwijl de Noormannen binnen probeerden te komen.

Vicki duwde nog meer kisten naar de deur en stapelde ze boven op elkaar. Het bonken begon opnieuw en hield toen weer op. Ze liep naar de trap en zag een lichtbundel naar binnen schijnen door een van de kleine ronde raampjes op de bovenverdieping.

In zijn brief uit Meridian, Mississippi, had Isaac Jones de gelovigen voorgehouden *diep in uzelf te kijken en de bron te vinden die nooit zal opdrogen. Onze harten vloeien over van moed en liefde...*

Nog maar enkele maanden geleden had Vicki op het vliegveld van Los Angeles gestaan – een kerkmeisje dat heel verlegen en angstig op een Harlekijn stond te wachten. Sinds dat moment was ze meerdere malen op de proef gesteld, maar ze was nooit weggelopen. Isaac Jones had gelijk. Ze had die moed altijd in zich gehad.

Vanboven klonk een scherp gerinkel toen iemand een raam insloeg. Glassplinters vielen op de grond. *Kunnen ze binnenkomen?* dacht Vicki. Nee, alleen een kind zou door zo'n opening naar binnen kunnen klimmen. Ze wachtte op het geluid van een schot of een explosie. In plaats daarvan hoorde ze een schorre kreet die nog het meest klonk als een vogel die wordt afgeslacht.

'Help mij, God. Red mij alstublieft...' fluisterde Vicki. Ze zocht om zich heen naar een wapen en vond twee vishengels, een zak cement en een leeg benzineblik. Wanhopig schoof ze deze nutteloze dingen opzij en ontdekte een berg tuingereedschap bij de muur. Helemaal onderop lag een met modder aangekoekte spade.

Vicki hoorde een diep grommend geluid en trok zich terug in een hoek. Er stond een gestalte boven aan de trap – een kleine dwerg met een dikke buik en brede schouders. De dwerg daalde af tot halverwege de trap en keek toen in haar richting. Dat was het moment waarop ze besefte dat het geen mens was, maar een soort dier met een zwarte hondenmuil.

Krijsend en schreeuwend sprong het beest over de trapleuning en rende op haar af. Vicki tilde de schep op tot schouderhoogte. Toen het beest zich vanaf een kist boven op haar wilde werpen, zwaaide ze zo hard ze kon met haar wapen – en raakte het midden op zijn borst. Het dier viel terug op de vloer, maar krabbelde onmiddellijk weer overeind en sprong naar voren, naar haar benen grijpend met een vijfvingerige hand.

Vicki stootte de spade omlaag en raakte de nek van het wezen. Er volgde een enorm gekrijs toen zij de schep als een knuppel gebruikte en keer op keer neer liet komen. Ten slotte rolde het dier op zijn rug en ontblootte zijn tanden. Bloed sijpelde uit zijn bek en zijn poten maakten stramme bewegingen. Het dier probeerde op te staan, maar zij bleef maar hakken met haar schep. Uiteindelijk hield het op met bewegen. Dood.

Twee van de kaarsen waren omgevallen en gedoofd. Vicki pakte de enige nog brandende kaars op en bekeek haar aanvaller. Tot haar verbazing bleek het een kleine baviaan te zijn met een geelbruine vacht. De aap had wangzakken, een langwerpige, onbehaarde snuit en gespierde armen en benen. De dicht bij elkaar staande ogen waren nog open en het leek net of het dode beest haar met een valse blik aankeek.

Vicki herinnerde zich dat Hollis haar verteld had van de dieren die hem thuis in Los Angeles hadden aangevallen. Dit was net zoiets. Hoe had Hollis de dieren genoemd? Splitsers. De chromosomen van de baviaan waren door de geleerden van de Tabula gemanipuleerd en gesplitst teneinde een genetische hybride te creëren die maar één verlangen had: aanvallen en doden.

De mannen buiten sloegen nog een tweede raam in. Vicki hield de spade met twee handen vast en liep zachtjes de kamer door. Haar linkerbeen bloedde uit een snijwond. Het bloed droop uit haar broekspijp en haar schoenen smeerden het over de vloer. Een ogenblik lang gebeurde er niets; toen begon het schijnsel van de enkele kaars zachtjes te flakkeren en kwamen er drie splitsers de trap af. Ze bleven staan, snoven de lucht op en de leider maakte een schor, blaffend geluid.

Het waren er te veel en ze waren te sterk. Vicki wist dat ze ging sterven. Gedachten schoten door haar hoofd als foto's uit een oud plakboek – haar moeder, school en vrienden – zoveel dingen die ooit zo belangrijk voor haar waren geweest begonnen nu al te vervagen. Hollis was degene die haar het helderst voor de geest stond en Vicki voelde een diepe droefheid dat zij hem nooit meer zou zien. *Ik houd van je*, dacht ze. *Onthoud dit voor altijd. Mijn liefde zal nooit verdwijnen.*

De splitsers roken haar bloed. Ze sprongen van de trap en stormden met enorme snelheid op haar af. De beesten krijsten en het lawaai vulde de kleine ruimte. Hun scherpe tanden deden haar aan wolven denken. *Geen kans*, dacht Vicki. *Geen schijn van kans.* Maar ze tilde de spade hoog op en wachtte de aanval af.

# 26

Sophia Briggs had Gabriel verteld dat elk levend wezen een eeuwige, onverwoestbare energie bevatte die het Licht werd genoemd. Wanneer mensen stierven, keerde hun Licht terug naar de energie die aanwezig was door het hele universum. Maar alleen Reizigers waren in staat hun Licht naar verschillende rijken te sturen en vervolgens weer terug te keren naar hun levende lichamen.

De zes verschillende rijken, zo had Sophia uitgelegd, waren parallelle werelden die van elkaar gescheiden waren door een reeks barrières bestaande uit water, aarde, vuur en lucht. Toen Gabriel net had geleerd die overgang te maken, had hij de verschillende doorgangen gevonden die door elke barrière voerden. En nu, terwijl zijn lichaam achterbleef in het kleine kamertje in een drumstudio in Camden Market, had hij het gevoel door de ruimte te zweven, omringd door een oneindige duisternis. Gabriel dacht aan zijn vader en opeens voelde het alsof hij naar voren werd geschoten, het onbekende tegemoet, geleid door de intensiteit van zijn verlangen om die ene persoon te vinden.

Het zwevende gevoel verdween weer; hij voelde nat zand en scherpe kiezelsteentjes onder zijn handen. Toen hij zijn ogen opendeed zag hij dat hij een meter van een brede rivier vandaan op zijn rug lag.

Hij stond snel op en keek om zich heen of er wellicht ergens gevaar dreigde. Hij stond op een modderige helling, die vol lag met autowrakken en roestige onderdelen van machines. Zo'n zes meter boven hem, aan de rand van de rivieroever, bevonden zich de zwartgeblakerde ruïnes van een aantal gebouwen. Gabriel wist niet of het dag of nacht was, want de hemel was bedekt met een laag geelgrijze wolken die hier en daar even openbraken om plaats te maken voor een iets lichtere tint asgrauw. Hij had zulke wolken een paar keer in Los Angeles gezien, toen de rook van een bosbrand in de heuvels zich had vermengd met de vervuilde lucht en voor een soort zonsverduistering had gezorgd.

Een paar honderd meter stroomopwaarts zag hij een ingestorte brug. Het leek erop dat de brug met explosieven was opgeblazen of vanuit de lucht was gebombardeerd. Het enige wat nog overeind stond in het water waren stenen pijlers en twee sierlijke bogen. Zij hielden verwrongen dwarsbalken overeind en een stuk van een weg.

Gabriel zette een paar voorzichtige stappen in de richting van de rivier en probeerde zich te herinneren wat Hollis in New York had gezegd toen hij met Naz aan het praten was, hun gids door de ondergrondse tunnels. Hollis en Vicki liepen altijd uit de brieven van Isaac Jones te citeren, en Gabriel had er niet veel aandacht aan besteed. Het was iets over een verkeerde weg die je naar een donkere rivier voerde.

*Nou, wat deze plek betreft had Isaac Jones in elk geval gelijk,* dacht hij. Deze rivier was zo zwart als olie, op enkele kleine stukjes vies wit schuim na die op het water dreven. Het water rook scherp en zurig, alsof het vervuild was met chemicaliën. Gabriel knielde en schepte wat water op met zijn hand, maar gooide het meteen weer weg toen zijn huid begon te branden.

Gabriel stond op en keek om zich heen om te zien of hij veilig was. Even wenste hij dat hij het talismanzwaard had meegenomen dat hij van zijn vader had gekregen, maar dat had Maya bij zich gehouden. Je hebt geen wapen nodig, zei hij tegen zichzelf. Je bent hier niet om iemand te doden. Hij zou heel voorzichtig zijn en proberen uit zicht te blijven. Misschien zou hij zijn vader vinden op zijn zoektocht naar een manier om veilig terug te keren naar zijn eigen wereld.

Hij was er vrij zeker van dat hij het Eerste Rijk had bereikt. In andere culturen was het ook wel bekend als de Onderwereld, Hades, Sheol – de hel. Het verhaal van Orpheus en Eurydice was een Griekse mythe die verteld werd aan schoolkinderen, maar die tevens de ervaringen liet zien van een niet met name genoemde Reiziger die deze plek ooit had bezocht. Het was belangrijk om hier niets te eten – ook al werd je iets aangeboden door een machtig leider. En wanneer je de doorgang eindelijk had gevonden, mocht je nooit achteromkijken.

In de door Gabriels vader vertaalde versie van de geloofsbelijdenis van Sint-Columba beschreef de Ierse heilige de hel als een stad met menselijke inwoners. De inwoners van de hel vertelden Columba over andere steden, die zij uit geruchten kenden of van een afstand hadden gezien. Gabriel wist dat hij hier gevangen kon worden genomen of gedood. Hij besloot vlak bij de rivier te blijven en bij de verwoeste brug vandaan te lopen. Als hij een barrière bereikte of iets zag wat gevaarlijk leek, zou hij rechtsomkeert maken en langs de rivier teruglopen naar de plek waar hij begonnen was.

De helling was steil en glibberig; het kostte hem enkele minuten om het stenen omhulsel van een verwoest gebouw te bereiken. Binnen in het gebouw flakkerde een licht en hij vroeg zich af of het misschien nog steeds brandde. Voorzichtig keek hij door het raam naar binnen. In plaats van een vuur, zag hij uit iets wat eruitzag als een kapotte gasleiding een donkeroranje vlam spuiten. Deze ruimte was ooit een keuken geweest, maar het fornuis en het aanrecht waren nu bedekt met een dikke laag roet, en het enige meubilair werd gevormd door een houten tafel met nog maar één poot. Schoenen maakten een schuifelend geluid. Voordat hij iets kon doen, greep een arm hem van achteren vast terwijl een hand een mes tegen zijn keel drukte.

'Geef me je eten,' fluisterde een man. De stem klonk hijgend en een beetje aarzelend, alsof de spreker zijn eigen woorden amper kon geloven. 'Geef me al het eten dat je bij je hebt en ik laat je leven.'

'Goed,' zei Gabriel, en wilde zich omdraaien.

'Verroer je niet! Kijk me niet aan!'

'Ik probeer je helemaal niet aan te kijken,' zei Gabriel. 'Mijn eten ligt daar bij de brug. Ik heb het op een geheime plek verborgen.'

'Niemand heeft geheimen voor *míj*,' zei de stem met iets meer zelfvertrouwen. 'Breng me ernaartoe. En gauw een beetje.'

Met het mes nog steeds tegen zijn nek gedrukt, liep Gabriel langzaam weg van het gebouw. Toen hij boven aan de steile oever stond, nam hij een paar stappen naar beneden zodat hij iets lager stond dan zijn aanvaller.

Gabriel greep de man bij zijn pols, trok die naar voren en draaide hem naar rechts. De man gilde van de pijn, liet het mes los en viel voorover op de oever. Gabriel raapte het mes op. Het was een geïmproviseerd wapen dat eruitzag als een stalen haak waaraan met een steen een punt was geslepen.

Gabriel stond over een onmogelijk magere man gebogen die zich zo klein mogelijk maakte op de grond. De man had vettig haar en een onverzorgde zwarte baard. Hij droeg een gescheurde broek – een lor bijna – en een gerafeld tweedjasje. De magere vingers van zijn linkerhand streken voortdurend zijn vuile groene stropdas glad, alsof dit belachelijke kledingstuk hem op de een of andere manier het leven kon redden.

'Het spijt me verschrikkelijk,' bracht de magere man uit. 'Dat had ik niet moeten doen.' Hij vouwde zijn magere armpjes voor zijn borst en liet zijn hoofd zakken. 'Kakkerlakken doen zulke dingen niet! Kakkerlakken behoren zich niet te gedragen als wolven.'

Gabriel hief het mes. 'Je gaat mij wat dingen vertellen. Begrepen? Dwing me niet dit te gebruiken...'

'Ik begrijp het, sir. Kijk maar!' De man stak zijn smoezelige handen in de lucht en bleef als bevroren liggen. 'Ik beweeg me niet!'

'Hoe heet je?'

'Hoe ik heet, sir? Pickering. Ja, mijn naam is Pickering. Vroeger had ik ook nog een voornaam, maar die ben ik vergeten. Ik had hem beter op kunnen schrijven.' Hij lachte zenuwachtig. 'Het was Thomas, of Theodore – iets met een T in elk geval. Maar Pickering klopt echt. Geen twijfel over mogelijk. Het is altijd "Kom hier, Pickering. Doe dit, Pickering." En gehoorzamen kan ik, sir. Dat kunt u aan iedereen vragen.'

'Goed, Pickering. En waar zijn we? Hoe heet het hier?'

Pickering leek verbaasd dat iemand hem zo'n vraag stelde. Zijn ogen schoten nerveus van links naar rechts. 'We zijn op het eiland. Zo noemen we het. Het Eiland.'

Gabriel keek stroomopwaarts naar de verwoeste brug. Om de een of andere reden had hij gedacht dat hij deze plek kon verlaten en een veilige plek kon vinden om zich te verbergen. Als dat de enige brug was – of als de andere ook allemaal waren verwoest – dan zat hij vast op dit eiland tot hij een doorgang had gevonden. Was dát soms met zijn vader gebeurd? Dwaalde hij door deze schaduwwereld, op zoek naar een manier om naar huis te gaan?

'U moet een bezoeker zijn, sir.' Pickering dacht even na en zei toen op hoge, bijna ademloze toon: 'Dat wil zeggen...Ik wil niet insinueren dat u geen wolf bent, sir. Absoluut niet! Zo te zien bent u juist een hele sterke wolf. Geen kakkerlak. Helemaal niet.'

'Ik geloof niet dat ik je helemaal begrijp. Ik ben een bezoeker. En ik ben op zoek naar een andere bezoeker – een oudere man.'

'Misschien kan ik u helpen,' zei Pickering. 'Ja, natuurlijk. Ik ben de aangewezen persoon om u te helpen.' Hij stond op en streek zijn groene stropdas glad. 'Ik ben het hele Eiland al over geweest. Ik heb alles gezien.'

Gabriel stak het zelfgemaakte mes in zijn riem. 'Als je me helpt, zal ik je beschermen. Dan zal ik je vriend zijn.'

Pickerings lippen trilden toen hij in zichzelf fluisterde: 'Een vriend. Ja, natuurlijk. Een vriend...' Het klonk alsof hij het woord voor het eerst uitsprak.

In de stad explodeerde iets – een dof, dreunend geluid – en Pickering begon langs de helling omhoog te klauteren. 'Met alle respect, sir – we kunnen hier niet blijven. Er is een patrouille in aantocht. Hoogst onaangenaam. Volgt u mij maar.'

Pickering had zichzelf een 'kakkerlak' genoemd en bewoog zich zo snel als een insect dat zojuist is opgeschrikt door een fel licht. Hij ging een van de verwoeste gebouwen binnen en liep door een doolhof van kamers vol afgedankt meubilair en bergen puin. Op een gegeven moment realiseerde Gabriel zich opeens dat hij zojuist op een paar botten was gestapt van een menselijk skelet. Hij had geen tijd om uit te zoeken wat hier was gebeurd. 'Kijk uit waar u loopt, sir. Maar niet blijven staan. We mogen niet blijven staan!' En Gabriel volgde de magere man door een deuropening de straat op.

Hij schrok van het licht van een enorme gasvlam die omhoogspoot uit een scheur in het plaveisel. De oranje vlam zinderde heen en weer als een boosaardige geest. De rook van dit vuur liet een kleverige zwarte laag achter die zowel de muren van de omringende gebouwen als het wrak van taxi bedekte.

Midden op straat bleef Gabriel staan. Pickering stond inmiddels al aan de overkant. Hij wapperde wanhopig met zijn handen, als een moeder die haar kind naar zich toe wenkt. 'Sneller, mijn vriend. *Alstublieft*. Er komt een patrouille aan. We moeten ons verstoppen.'

'Wat voor patrouille?' vroeg Gabriel nog, maar Pickering was al ergens naar binnen gegaan. De Reiziger rende zijn gids achterna en volgde hem door lege kamers naar weer een andere straat. Hij probeerde zich voor te stellen hoe de stad er moest hebben uitgezien voordat hij werd verwoest. De witte gebouwen telden drie of vier verdiepingen, met platte daken en balkonnetjes voor veel van de ramen. Een verwrongen stalen luifel bedekte de kapotte tafels van wat ooit een caféterras was geweest. Gabriel had zulke steden in films en tijdschriften gezien. De stad leek op de provinciehoofdstad van een tropisch land – zo'n plek waar mensen overdag naar het strand gaan en 's avonds laat pas ergens gaan eten.

Nu was er geen raam meer heel en waren de meeste deuren uit hun scharnieren gerukt. Vastgezet met een paar stalen bouten klemde een sierlijk ijzeren balkon, als een levend wezen dat probeert niet op straat te vallen, zich vast aan de zijkant van een gebouw. Alle muren stonden vol met graffiti. Gabriel zag cijfers, namen en woorden in blokletters op de muren staan. Grof getekende pijlen die naar een onbekende bestemming wezen.

Pickering dook weer een nieuw gebouw binnen en liep er voorzichtig doorheen. Een paar keer bleef hij staan om te luisteren, zich niet verroerend tot hij zeker wist dat ze alleen waren. Gabriel volgde zijn gids via een marmeren trap naar boven, een gang in, naar een kamer waar een half verkoold matras rechtop tegen een muur stond. Pickering duwde het matras opzij, zodat er een verborgen deuropening zichtbaar werd. Ze gingen een kamer binnen waarvan twee ramen waren dichtgetimmerd met triplex platen. Het enige licht kwam van een kleine gasvlam aan het uiteinde van een koperen leiding die uit de muur was gerukt.

Terwijl Pickering het verbrande matras weer terugschoof voor de deuropening, keek Gabriel om zich heen. De kamer stond vol rotzooi die Pickering tijdens zijn strooptochten door de stad had verzameld. Hij zag lege flessen, een stapel mottige dekens, een groene leunstoel met twee poten en verscheidene gebarsten spiegels. Gabriel dacht dat het behang aan het afbladderen was, maar besefte toen dat Pickering illustraties uit een patronenboek voor dameskleding aan de muren had geprikt. De vrouwen op de verbleekte afbeeldingen droegen de enkellange jurken en hooggesloten blouses van honderd jaar geleden.

'Woon je hier?'

Pickering keek naar de tekeningen aan de muur en zei zonder een spoortje ironie: 'Ik hoop dat u het hier naar uw zin heeft, sir. Hier woon ik.'

'Heb je altijd in dit gebouw gewoond? Ben je hier geboren?'

'Wat is uw naam, vriend? Kunt u mij dat vertellen? Vrienden horen elkaar bij hun naam te noemen.'

'Gabriel.'

'Neem plaats, Gabriel. Je bent mijn gast. Ga toch zitten.'

Gabriel ging in de leunstoel zitten. De groene bekleding rook muf en schimmelig. Pickering leek tegelijkertijd blij en nerveus omdat hij een gast had. Hij liep als een druk baasje door de kamer, raapte hier en daar wat rommel op en ordende alles in keurige stapeltjes.

'Niemand is op het Eiland geboren. We zijn hier op een ochtend allemaal wakker geworden. Eerst hadden we appartementen en kleren en etenswaren in onze koelkasten. Wanneer we op een knopje drukten, ging het licht aan. Wanneer we de kraan opendraaiden, kwam er water uit. We hadden ook werk. Op de ladekast in mijn slaapkamer lagen de sleutels van een winkel hier een paar straten vandaan.' Pickering glimlachte gelukzalig, bijna overweldigd door de herinnering. 'Ik was mijnheer Pickering, en ik had een modeatelier voor dameskleding. Ik had een winkel vol exclusieve stoffen Ik was niet zomaar een kleermaker. Dat is wel duidelijk.'

'Maar vroeg je je dan niet af waarom je opeens hier was?'

'Die eerste ochtend was een magisch moment omdat iedereen toen een paar uur lang dacht dat we op een heel speciale plek terecht waren gekomen. Mensen gingen het hele Eiland verkennen en bekeken de verschillende gebouwen en de verwoeste brug.‘ Voor het eerst bespeurde Gabriel een vleugje gevoeligheid en intelligentie achter de angst. ‘Dat was zo’n gelukkige dag, Gabriel. Je kunt je niet voorstellen hoe gelukkig. Omdat we allemaal geloofden dat we op een prachtige plek waren. Sommigen opperden zelfs dat we in de hemel waren beland.’

‘Maar kon je je dan je ouders of je kindertijd niet meer herinneren?’

‘Er zijn geen persoonlijke herinneringen van vóór die eerste dag. Een paar dromen. Meer niet. Iedereen hier kan woorden schrijven en getallen optellen. We kunnen gereedschappen gebruiken en autorijden. Maar niemand herinnert zich hoe hij al die dingen heeft geleerd.’

‘Dus de stad is die allereerste dag verwoest?’

‘Natuurlijk niet.’ Pickering pakte een paar lege wijnflessen op en zette ze tegen de muur. ‘Er was elektrisch licht. Alle auto’s hadden benzine. Die middag hadden mensen het over het organiseren van een regering en het repareren van de brug. Als je op een dak ging staan, kon je zien dat het Eiland zich midden in een enorme rivier bevond. De andere oever lag maar een paar kilometer van ons verwijderd.’

‘En wat gebeurde er toen?’

‘Het vechten begon nog diezelfde avond – een paar mannen die elkaar begonnen te trappen en te slaan terwijl de rest van ons stond toe te kijken als een stelletje kinderen die een nieuw spelletje leren. Tegen de ochtend van de volgende dag begon iedereen te moorden.’ Pickering leek bijna trots op zichzelf. ‘Zelfs ik vermoordde een man die in mijn winkel probeerde in te breken. Ik gebruikte mijn schaar.’

‘Maar waarom verwoestten de mensen hun eigen huizen?’

‘De stad werd verdeeld in sectoren, waar verschillende krijgsheren het voor het zeggen hadden. Er waren controleposten en grenzen en verboden zones. Dit is heel lang de Groene Sector geweest. Onze krijgsheer was een man die Vinnick heette, totdat zijn luitenant hem vermoordde.’

‘En hoe lang hebben die gevechten geduurd?’

'Er zijn geen kalenders op het Eiland en alle klokken zijn vernietigd. Eerst telden de mensen de dagen nog, maar toen kwamen er weer nieuwe groepen met andere cijfers en begonnen ze er natuurlijk weer om te vechten wie er nu gelijk had. Onze Groene Sector heeft nog een tijdlang een verdrag gehad met de Rode Sector, maar toen hebben we een geheime alliantie gevormd en hen verraden aan de Blauwen. In het begin waren er nog pistolen en geweren, maar toen raakten de kogels op en moesten de mensen hun eigen wapens maken. Uiteindelijk werden de krijgsheren vermoord en verdwenen hun legers. Nu hebben we een commissaris die patrouilles op pad stuurt.'

'Maar waarom konden jullie niet tot een gezamenlijke overeenkomst komen?'

Pickering begon onwillekeurig te lachen, maar keek toen meteen weer bang. 'Het is niet mijn bedoeling u te beledigen, sir. Mijn vriend Gabriel. Niet boos zijn. Je vraag kwam gewoon een beetje... onverwacht.'

'Ik ben niet boos.'

'Ten tijde van de krijgsheren begonnen mensen te beweren dat het vechten door zou gaan tot er een bepaald aantal mensen over was. We kregen ruzie over het aantal. Ging het om negenennegentig overlevenden of dertien of drie? Niemand die het weet. Maar wij geloven dat deze overlevenden een manier zullen vinden om hier weg te komen en dat alle anderen herboren zullen worden om opnieuw te lijden.'

'En hoeveel mensen zijn er nu over?'

'Misschien tien procent van de oorspronkelijke bevolking. Sommigen van ons zijn kakkerlakken. Wij verbergen ons in de muren en onder vloeren – en weten zo te overleven. Mensen die zich niet verbergen worden wolven genoemd. Zij lopen door de stad met hun patrouilles en vermoorden iedereen die ze zien.'

'En daarom houd jij je verborgen?'

'Ja!' Pickering klonk vol overtuiging. 'Ik kan je met heel

mijn hart verzekeren dat de kakkerlakken het langer zullen uithouden dan de wolven!'

'Luister, ik maak geen deel uit van deze oorlog en ik wil geen partij kiezen. Ik ben op zoek naar een andere bezoeker. Dat is alles.'

'Ik begrijp het, Gabriel.' Pickering tilde een gebarsten wasbak op en zette hem in een hoek van de kamer. 'Accepteer alsjeblieft mijn gastvrijheid. Blijf hier terwijl ik naar die bezoeker ga zoeken. Neem geen onnodige risico's, vriend. Als je een patrouille tegenkomt zullen de wolven je midden op straat vermoorden.'

Voordat Gabriel nog iets kon zeggen, had Pickering het verbrande matras opzijgeschoven, was door de opening naar buiten geglipt en had het ding weer teruggeschoven. Gabriel bleef in de leunstoel zitten nadenken over alles wat hij had gezien sinds hij aan de oever van de rivier was opgestaan. De gewelddadige zielen in dit rijk zaten hier voor eeuwig gevangen in een eindeloze cyclus van razernij en verwoesting. Maar er was niets ongewoons aan de hel. Zijn eigen wereld had er reeds hier en daar een glimp van opgevangen.

De gasvlam die uit de koperen leiding brandde leek alle zuurstof in de kamer te gebruiken. Gabriel zweette en zijn mond was kurkdroog. Hij wist dat hij hier niets mocht eten, maar hij moest wel wat water zien te vinden.

Gabriel stond op, schoof het matras weg en verliet Pickerings schuilplaats. Toen hij het gebouw begon te verkennen, zag hij dat het ooit in twee kantoren was verdeeld. Overal stonden bureaus en stoelen, dossierkasten en ouderwetse typemachines en inmiddels was alles bedekt met een laagje fijn wit stof. Wie had hier gewerkt? Hadden zij die eerste ochtend hun appartementen verlaten en waren ze naar hun werk gegaan met een vaag gevoel dat dit alles niets anders was dan een voortzetting van hun dromen?

Nog steeds op zoek naar water, vond hij een kapot raam en keek omlaag de straat in. Twee met roet overdekte auto's waren op elkaar ingereden, hun motorkappen in elkaar gedeukt als geplette kartonnen dozen. Opeens zag hij Pickering de hoek om komen en Gabriel trok zich snel terug in de schaduwen. De magere man bleef staan en keek achterom alsof hij op iemand wachtte.

Een paar tellen later verschenen er vijf mannen. Als Pickering zichzelf een kakkerlak noemde, dan waren deze mannen duidelijk de wolven. Ze droegen een eigenaardige verzameling kleren die ze kennelijk overal vandaan hadden gehaald. Een blonde man met gevlochten haar droeg een tropenbroek en een zwart smokingjasje met satijnen revers. Hij liep naast een zwarte man die gekleed was in een witte laboratoriumjas. De wolven waren bewapend met zelfgemaakte wapens – knuppels, zwaarden, bijlen en messen.

Gabriel liep onmiddellijk de kamer uit, rende de verkeerde kant op en kwam opnieuw in een suite van verlaten kantoren terecht. Tegen de tijd dat hij de marmeren trap had gevonden, hoorde hij op de begane grond Pickerings hijgende stem al.

'Deze kant op, allemaal. Deze kant op.'

Gabriel liep de trap op naar de tweede verdieping. Toen hij door het trapgat naar beneden keek zag hij een oranje lichtflits. Een van de wolven had zojuist een toorts aangestoken, gemaakt van een tafelpoot met in teer gedrenkte lappen eromheen.

'Ik heb niet gelogen,' zei Pickering. 'Hij was hier echt. Kijk, hij is naar boven gegaan. Zien jullie wel?'

Gabriel realiseerde zich dat hij voetafdrukken had achtergelaten in het fijne witte stof dat ook de hele trap bedekte. Ook de gang achter hem was bedekt met stof. Waar hij ook liep, de wolven zouden hem altijd kunnen volgen.

*Ik kan hier niet blijven*, dacht hij en liep nog verder de trap op. De trap eindigde op de vierde verdieping. Hij liep door een stalen branddeur die nog aan één scharnier hing het dak op. De geelgrijze wolken aan de hemel waren donker en dreigend geworden, alsof het op het punt stond heel hard te gaan regenen. Uitkijkend over de skyline kon hij de verwoeste brug en de zwarte streep van de rivier zien.

Gabriel liep naar het lage muurtje dat voor de veiligheid om de rand van het dak was gebouwd. Een vierenhalve meter breed gat scheidde hem van het volgende gebouw. Als hij mis sprong zou hij nooit meer terugkeren naar zijn eigen wereld. Zou Maya dan ooit zijn dode lichaam zien? Zou ze haar oor tegen zijn borst drukken en beseffen dat zijn hart echt niet meer klopte? Hij liep één, twee keer het hele dak rond en keerde toen weer terug naar zijn oorspronkelijke positie. Vanwege het muurtje kon hij geen aanloop nemen en zichzelf naar voren werpen.

Op dat moment werd de stalen deur uit de muur gerukt en van de trap gesmeten. Pickering en de patrouille stapten het dak op. 'Zien jullie nu wel? Ik had het toch gezegd?' zei Pickering.

Gabriel stapte op het betonnen muurtje en keek naar het volgende gebouw. *Het is te ver,* dacht hij. *Veel te ver.*

De wolven hieven hun wapens en kwamen op hem af.

# 27

Twee van de Tabula-huurlingen liepen de heuvel op naar de helikopters en keerden terug met een draagbare stroomgenerator. De generator werd naast de voorraadhut gezet en aangesloten op een natriumlamp. Michael keek omhoog. De duizenden sterren die zichtbaar waren aan de nachtelijke hemel leken op kleine stukjes ijs. Het was nu heel erg koud en het vocht uit ieders longen vormde een vage nevel in de lucht.

Michael was teleurgesteld dat noch zijn vader, noch Gabriel op het eiland was, maar de operatie was niet helemaal voor niets geweest. Misschien zou het team documenten vinden of informatie op een computer die hem naar een veelbelovender doelwit zou leiden. Mevrouw Brewster zou te horen krijgen dat hij de splitsers had laten overkomen en een agressieve benadering had geëist wat betreft het doorzoeken van de hutten. De Broeders hielden van mensen die het voortouw namen.

Hij ging op een blok kalksteen zitten en keek hoe Boone zijn mannen instructies gaf. Toen de backscatter hen liet weten dat de persoon in de hut was uitgeschakeld, viel een man met een bijl op de zware eikenhouten deur aan. Boone zei de huurling op te houden toen hij een gapend gat van meer dan een halve meter in het vierkant had geslagen. Even later kwam een van de bavianen als een nieuwsgierige hond om een hoekje gluren. Boone schoot het beest een kogel door zijn kop.

De twee overgebleven splitsers in de hut begonnen naar elkaar te roepen. Ze waren slim genoeg om het gevaar te bespeuren en weg te blijven van het gat. De man met de bijl hervatte zijn werk. Een kwartier later had hij de hele deur eruit geslagen. Boone's mannen waren heel voorzichtig, duwden kratten weg en hielden hun geweren in de aanslag alvorens naar binnen te gaan. Michael hoorde nog een paar kreten en schoten.

Een van Boone's mannen had een vuurtje gemaakt in de kookhut en kwam de anderen bekers thee brengen. Michael gebruikte de beker om zijn koude handen te warmen, terwijl hij intussen op nieuwe informatie wachtte. Tien minuten later kwam Boone door de verwoeste deur naar buiten. Boone glimlachte en maakte een zelfverzekerde indruk, alsof hij op de een of andere manier zijn macht weer had hersteld. Hij nam een beker thee aan en liep op zijn gemak naar Michael toe.

'Is de Harlekijn dood?' vroeg Michael.

'Maya bevond zich niet in het gebouw. Het was een jonge vrouw uit Los Angeles, Victory From Sin Fraser genaamd.' Boone grinnikte. 'Ik heb dat altijd een grappige naam gevonden.'

'En zij was de enige persoon in het gebouw?'

'O, er was nog iemand anders. Beneden in de kelder.' Boone aarzelde even, genietend van de gespannen trek op Michaels gezicht. 'Wij hebben zojuist je vader gevonden. Dat wil zeggen... het lichaam van je vader.'

Michael pakte een zaklamp uit de hand van een van de huurlingen en volgde Boone de voorraadhut in. De vloer en de muren waren besmeurd met helderrood, glinsterend bloed. De vier dode splitsers waren bedekt met een plastic zeil. Een tweede zeil bedekte het lichaam van Victory Fraser, maar Michael zag nog wel de versleten zolen van haar schoenen.

Ze liepen een trap af naar een kelder met een vloer van kiezelzand en gingen via een deur een zijkamer in. Matthew Corrigan lag op een stenen tafel met een dun katoenen laken over zijn benen. Toen Michael op het lichaam neerkeek werd hij plotseling en met onverwachte intensiteit overweldigd door beelden uit het verleden. Hij herinnerde zich hoe zijn vader de tuin achter de boerderij had staan wieden, hoe hij achter het stuur van hun pick-up had gezeten en hoe hij een vleesmes had staan slijpen voor een kerstkalkoen. Hij herinnerde zich hoe zijn vader hout hakte op een winterse dag en hoe de sneeuwvlokken aan zijn lange bruine haar bleven plakken terwijl hij de bijl hoog boven zijn hoofd hief. Die kinderjaren kwamen nooit meer terug. Die waren voorgoed verdwenen. Maar de herinneringen waren nog steeds sterk genoeg om Michael te kunnen ontroeren – en dat maakte hem boos.

'Hij is niet dood,' legde Boone uit. 'Ik heb een stethoscoop bij me en ik heb een hartslag gehoord. Zo zie je eruit wanneer je overgaat naar een andere wereld.'

Michael ergerde zich aan Boones arrogante glimlachje en de insinuerende klank van zijn stem. 'Goed, je hebt hem gevonden,' zei hij. 'En nu wil ik dat je weggaat.'

'Waarom?'

'Dat hoef ik jou niet te vertellen. Als je je baantje wilt behouden, raad ik je aan wat meer respect te tonen voor een vertegenwoordiger van de raad van bestuur. Ga naar boven en laat me alleen.'

Boone's mond verstrakte, maar hij knikte en verliet de kelder. Michael hoorde de andere mannen door de hut lopen en kisten tegen de muur schuiven. Met zijn zaklamp in zijn linkerhand keek hij neer op Matthew Corrigan. Toen Michael opgroeide in South Dakota, zeiden de mensen altijd dat Gabriel sprekend op zijn vader leek. Hoewel Matthews haar inmiddels grijs was en zijn gezicht diepe rimpels vertoonde, kon Michael de gelijkenis nu goed zien. Hij vroeg zich af of er iets waar was van de geruchten die waren opgevangen door de

Tabula-computers. Was Gabriel op dit eiland geweest en had hij het lichaam gevonden?

'Kan je me horen?' vroeg Michael aan zijn vader. 'Kan... je... me... horen?'

Geen reactie. Hij voelde aan zijn vaders hals en drukte er hard op. Heel even meende hij een hartslag te voelen. Als hij zijn zaklamp weglegde kon hij de keel met beide handen dichtknijpen. Ook al reisde je Licht door een ander rijk, dat wilde nog niet zeggen dat je lichaam in deze wereld niet kon doodgaan. Niemand zou hem ervan weerhouden Matthew te doden. Niemand zou zijn besluit ondermijnen. Mevrouw Brewster zou het alleen maar beschouwen als een nieuw bewijs van zijn loyaliteit aan de goede zaak.

Michael legde de zaklamp op een richel in de muur en ging nog wat dichter bij het lichaam van zijn vader staan. Zijn adem verscheen en verdween weer in de koude lucht. Hij had zich zijn hele leven nog niet zo geconcentreerd gevoeld als nu, op dit moment. *Doe het,* dacht Michael. *Hij is er vijftien jaar geleden vandoor gegaan. Dan mag hij nu voorgoed verdwijnen.*

Hij stak zijn hand uit en trok zijn vaders ooglid omhoog. Een blauw oog staarde hem aan, zonder een teken van leven in de donkere pupil. Michael had het gevoel dat hij naar een dode man stond te kijken – en dat was het probleem. Hij wilde, hetzij in deze wereld, hetzij in een andere, heel graag de confrontatie met zijn vader aangaan en hem dwingen toe te geven dat hij zijn gezin in de steek had gelaten. Dit lege omhulsel doden betekende helemaal niets; het zou hem geen enkele voldoening schenken.

Opeens schoot hem een herinnering te binnen aan een vechtpartij op het schoolplein toen hij een tiener was in South Dakota. Nadat Michael zijn tegenstander in elkaar had geschopt en geslagen, was de andere jongen op de grond gevallen en had zijn handen voor zijn gezicht geslagen. Maar dat was niet genoeg. Dat was niet wat hij wilde. Hij wilde volkomen overgave. Angst.

Hij pakte zijn zaklamp weer op en liep naar boven, naar de met bloedspetters besmeurde kamer, waar Boone en twee huurlingen op hem stonden te wachten. 'Laad het lichaam in een van de helikopters,' zei Michael tegen hen. 'We nemen hem mee van dit eiland.'

# 28

De wolven wachtten tot Gabriel terugstapte op het dak en toen grepen ze hem. Zijn armen werden achter zijn rug getrokken, zijn polsen vastgebonden met een elektriciteitssnoer, en zijn ogen geblinddoekt met een gescheurd T-shirt. Toen de Reiziger zich niet langer kon verdedigen, gaf een van de wolven hem een stoot tegen zijn keel. Gabriel viel op het geteerde dak en probeerde zich zo klein mogelijk te maken terwijl de wolven hem tegen zijn borst en in zijn buik begonnen te schoppen. Hij was blind en wanhopig en hapte naar lucht.

Iemand zwaaide een knuppel tegen zijn ruggengraat en een golf van pijn stroomde door elk deel van zijn lichaam. Gabriel hoorde stemmen over een school praten. *Breng hem naar de school.* Handen trokken hem overeind en sleepten hem de marmeren trap af. Eenmaal op straat struikelde hij voortdurend over stukken puin. Hij probeerde te onthouden waar ze naartoe gingen. Linksaf. Rechtsaf. Stop. Maar de pijn maakte het moeilijk om zijn hoofd erbij te houden. Ten slotte werd hij weer een trap op geduwd en een kamer binnengebracht met een gladde tegelvloer. Het elektriciteitssnoer werd losgemaakt en vervangen door handboeien. Vervolgens kreeg hij een ijzeren ring om zijn nek en werd hij vastgeketend aan een stalen ring die vastzat aan de vloer.

Het hele lichaam van de Reiziger deed pijn en hij voelde geronnen bloed op zijn gezicht en handen. Beelden van de rivier, de verwoeste brug, de gasvlammen die tussen de ingestorte gebouwen brandden, drongen zich aan hem op. Na een tijdje viel hij in een onrustige slaap, waaruit hij wakker schrok toen hij het gerammel hoorde van een deur die openzwaaide. Handen trokken de blinddoek van zijn hoofd en meteen keek hij in de gezichten van de zwarte man in de witte laboratoriumjas en de man met het gevlochten blonde haar. 'Je kunt hier niet weg,' zei de blonde man tegen hem. 'Je hebt geen leven – tenzij wij het je teruggeven.'

Toen de wolven zijn ketenen losmaakten, keek Michael om zich heen. Hij zag een lerarentafel en een ouderwets schoolbord. Aan de muur hing een kartonnen alfabet, maar een aantal van de verkleurde groene letters bungelde ondersteboven, nog slechts vastgehouden door een laatste punaise.

'Je gaat met ons mee,' zei de zwarte man. 'De commissaris wil je zien.'

De twee wolven pakten Gabriel bij zijn armen en trokken hem mee naar de gang. Het gebouw had twee verdiepingen, stenen muren en kleine ramen met luiken ervoor. Op een bepaald moment tijdens de onafgebroken gevechten hadden de wolven de school omgebouwd tot fort, slaapzaal, opslagplaats en gevangenis. Wie was die commissaris, vroeg Gabriel zich af. Hij moest wel groter, sterker en zelfs gemener zijn dan deze mannen, die met knuppels en messen aan hun riem met grote stappen door de gang beenden.

Ze gingen een hoek om, gingen een paar klapdeuren door en liepen een grote ruimte binnen die ooit waarschijnlijk als schoolaula had gefungeerd. In een halve cirkel opgestelde houten stoelen stonden tegenover een podium. Over het podium heen liep een stalen pijp die de gastoevoer verzorgde naar een

L-vormige leiding, waar een heldere vlam uitkwam. Tegen de muur waren twee banken geplaatst; daar zaten de wolven, als smekelingen voor de deur van een koning.

Midden op het podium stond een grote tafel die vol lag met stapels bruine enveloppen en zwarte grootboeken. De man achter de tafel droeg een donkerblauw kostuum, een wit overhemd en een rood vlinderstrikje. Hij was mager en kaal en zijn gezicht straalde zelfgenoegzaamheid uit. Van een afstandje voelde Gabriel al dat dit een man was die alle regels kende en bereid was ze op alle mogelijke manieren af te dwingen. Hier was geen ruimte voor onderhandelen of concessies. Iedereen was schuldig – en werd gestraft.

Gabriels twee bewakers bleven halverwege het gangpad staan en wachtten tot de commissaris klaar was met zijn gesprek met een grote man die een jutezak bij zich had die droop van het bloed. Een van de assistenten van de commissaris telde de voorwerpen in de zak en fluisterde een getal.

'Heel goed.' De stem van de commissaris klonk krachtig en doelbewust. 'Jij krijgt je voedseltoelage.'

De man met de zak verliet het podium terwijl de commissaris iets in een zwart grootboek noteerde. Zonder acht te slaan op de andere wachtenden leidden de twee wolven Gabriel het podium op en dwongen hem op een houten stoel voor het bureau te gaan zitten. De commissaris sloeg zijn grootboek dicht en keek op naar zijn nieuwe probleem.

'Kijk eens aan, daar hebben we onze bezoeker van ergens anders. Ik heb vernomen dat je Gabriel heet. Is die informatie correct?'

Gabriel zweeg, tot de blonde man hem in zijn rug porde met zijn knuppel.

'Die is inderdaad correct. En wie ben jij?'

'Mijn voorgangers waren dol op indrukwekkende en betekenisloze titels als generaal-majoor of iets dergelijks. Eén man benoemde zichzelf zelfs tot president voor het leven. Hij hield het maar vijf dagen uit. Na ampele overweging heb ik voor een meer bescheiden titel gekozen. Ik ben commissaris van de wacht in deze sector van de stad.'

Gabriel knikte, maar zei niets. De gasvlam achter hem maakte een sissend geluid.

'We hebben wel vaker bezoekers van buitenaf gehad, maar zelf had ik er nog nooit eerder een gezien. Dus wie ben je en hoe ben je hier gekomen?'

'Net als iedereen,' zei Gabriel. 'Ik deed mijn ogen open en lag aan de oever van de rivier.'

'Dat geloof ik niet.' De commissaris van de wacht stond op vanachter zijn bureau. Gabriel zag dat hij een revolver in zijn riem droeg. Toen hij met zijn vingers knipte kwam een van zijn assistenten aansnellen met een tweede stoel. De commissaris ging vlak voor Gabriel zitten, leunde naar voren en begon te fluisteren.

'Sommigen beweren dat een goddelijke macht de laatste groep overlevenden zal komen redden. Vanzelfsprekend heb ik er belang bij dergelijke hoopvolle fantasieën in stand te houden. Maar zelf geloof ik dat we ertoe zijn veroordeeld elkaar steeds opnieuw af te slachten, tot het einde der tijden. Dat betekent dat ik hier nooit meer wegkom, tenzij ik een uitweg vind.'

'Is dit de enige stad in deze wereld?'

'Natuurlijk niet. Voordat de hemel donker werd kon je verder in de rivier nog meer eilanden zien liggen. Maar ik vermoed dat dat alleen maar andere hellen waren, misschien met bewoners van andere culturen of uit verschillende historische tijdperken. Maar alle eilanden zijn hetzelfde – plekken waar zielen gedoemd zijn voor eeuwig deze zelfde cyclus te herhalen.'

'Als je mij het Eiland laat verkennen, kan ik een doorgang voor je zoeken.'

'Ja, dat zou je wel willen, hè?' De commissaris stond op en knipte opnieuw met zijn vingers. 'Breng de speciale stoel hier.'

Een van de assistenten rende weg en kwam terug met een ouderwetse rolstoel – een ingewikkelde constructie gemaakt van buighout, een rieten zitting en rubberbanden. Gabriel werd ontdaan van zijn handboeien. Met behulp van nylon koord en een elektrisch snoer bonden de wolven Gabriels armen en benen aan de stoel vast. De commissaris van de wacht keek toe en gaf een van de mannen zo nu en dan opdracht een paar extra knopen aan te brengen.

'Jij bent hier de leider,' zei Gabriel. 'Waarom kun je dan geen eind maken aan het moorden?'

'Ik kan geen eind maken aan de woede en de haat. Ik kan het alleen in verschillende banen leiden. Ik leef nog omdat ik in staat ben onze vijanden te benoemen – de gedegenereerde levensvormen die uitgeroeid moeten worden. Op dit moment jagen we op de kakkerlakken die zich schuilhouden in de duisternis.'

De commissaris liep het podium af. De blonde man volgde hem, Gabriel in de rolstoel voor zich uit duwend. Ze liepen weer door de gangen van de school. De wolven die daar stonden te wachten lieten hun hoofden een beetje zakken toen de commissaris van de wacht hen passeerde. Als hij ook maar een spoortje ontrouw in hun ogen meende te lezen, zouden zij onmiddellijk zijn vijanden worden.

Aan het einde van de gang haalde de commissaris een sleutel uit zijn zak en opende een zwarte deur. 'Blijf hier,' zei hij tegen de blonde man, waarna hij Gabriel zelf naar binnen duwde.

Ze bevonden zich nu in een grote kamer, die helemaal vol stond met rijen groen metalen dossierkasten. Enkele lades waren opengetrokken en de inhoud was op de grond gegooid. Toen Gabriel omlaagkeek zag hij rapportcijfers, proefwerkcijfers en lerarencommentaren. Sommige van de dossiers zaten onder het bloed.

'Al deze kasten bevatten leerlingendossiers,' legde de commissaris uit. 'Er zijn geen kinderen op het Eiland, maar toen wij die eerste ochtend wakker werden, was dit een echte school. Er was krijt voor het schoolbord, papier en potloden en blikken etenswaren in de schoolkantine. Dergelijke kleine details maken het allemaal nog veel wreder. Wij hebben niet zomaar een denkbeeldige stad verwoest, maar een echte stad met stoplichten en winkels waar je een ijsje kon eten.'

'Heb je me daarom hiernaartoe gebracht?'

De commissaris van de wacht duwde Gabriel langs de dossierkasten. Uit twee leidingen die uit de muren kwamen brandden gasvlammetjes, maar het licht werd bijna gesmoord door de schaduwen in de kamer. 'Er is een reden waarom ik deze school heb uitgekozen als mijn hoofdkwartier. Alle verhalen over bezoekers houden verband met deze ruimte. Er is iets bijzonders aan deze locatie, maar ik heb het geheim nog niet kunnen ontdekken.'

Ze bereikten een centraal werkgedeelte met tafels, papierbakjes en metalen stoelen. Gabriel zat vast in zijn stoel, maar draaide zijn hoofd om, op zoek naar het stukje oneindig zwarte ruimte dat hem een doorgang zou verschaffen om terug te keren naar het Vierde Rijk.

'Als bezoekers naar deze wereld kunnen reizen, dan moet er ook een uitgang zijn. Waar is die uitgang, Gabriel? Dat moet jij me vertellen.'

'Dat weet ik ook niet.'

'Dat is geen acceptabel antwoord. Je moet goed naar me luisteren. Op dit moment zie ik maar twee mogelijkheden. Of jij bent mijn enige hoop op ontsnapping, of je bent een bedreiging voor mijn overleving. Ik heb geen tijd, en ook geen zin, om te moeten raden welke mogelijkheid de juiste is.' De commissaris trok zijn revolver en richtte hem op Gabriels hoofd. 'Er zitten drie kogels in deze revolver – waarschijnlijk de drie allerlaatste kogels op dit hele eiland. Dwing me niet om er één aan jou te verspillen.'

# 29

Maya droeg nog steeds de revolver met extra korte loop bij zich die ze in New York had aangeschaft. Het wapen bepaalde haar vervoerskeuze. Omdat ze luchthavens moest vermijden, maakte ze gebruik van een streekbus, een veerboot en een trein om van Ierland naar Londen te reizen. Midden in de nacht en zonder een duidelijk idee te hebben hoe ze Gabriel moest vinden, kwam ze aan op Victoria Station. Voordat hij van Skellig Columba was vertrokken, had hij beloofd met de freerunners te gaan praten, dus besloot Maya eerst maar eens bij Vine House langs te gaan, op de South Bank. Misschien konden Jugger en zijn vrienden haar vertellen of Gabriel nog in de stad was.

Ze stak de Theems over en liep via Langley Lane in de richting van Bonnington Square. Op dit late tijdstip waren de straten verlaten, maar ze zag wel de gloed van televisietoestellen in verduisterde woonkamers. Maya passeerde een aantal gerenoveerde terraswoningen en een roodstenen school uit het victoriaanse tijdperk die was omgetoverd tot een duur appartementengebouw. In deze omgeving leek Vine House een arme oude zwerver, omringd door goedgeklede bankiers en advocaten.

Toen Maya de bijna twee meter hoge muur bereikte die de tuin van Vine House omringde, rook ze een doordringende stank die haar aan een vuilverbranding deed denken. De Harlekijn bleef staan en gluurde om een hoekje van het huis. Er liep niemand op de stoep en ook in het parkje midden op het plein was niemand te zien. De buurt leek veilig, totdat ze twee mannen zag die in een bestelbusje van een bloemist zaten dat aan het eind van de straat stond geparkeerd. Maya kon zich niet voorstellen dat iemand een dozijn rode rozen had besteld en had gevraagd of die 's ochtends om één uur konden worden bezorgd.

Vanuit Langley Lane was er geen ingang naar de achtertuin, dus greep ze zich vast aan de rand van de stenen muur en hees zichzelf eroverheen. De brandlucht werd steeds sterker, maar ze zag nog steeds nergens vlammen. Het licht kwam van een straatlantaarn en de maan aan de westelijke hemel. Zo geruisloos mogelijk liep ze het tuinpad op naar de achterzijde van het huis, voelde dat de deur niet op slot was en duwde hem zachtjes open.

De rook stroomde uit de open deur en verspreidde zich om haar heen als een vloedgolf smerig grauw water. Hoestend en met haar handen wapperend deinsde Maya terug. Vine House stond in brand en de achttiende-eeuwse eiken balken en vloerdelen gaven evenveel rook af als een kolenmijn die onder de grond in brand staat.

Waar waren de freerunners? Waren ze het huis ontvlucht of waren ze dood? Maya viel op haar handen en knieën en kroop de gang in. Een deur aan haar linkerhand leidde naar de verlaten keuken. Een deur rechts gaf toegang tot een slaapkamer met een enkele elektrische lamp die nog een heel klein beetje licht gaf in de duisternis.

In het midden van de kamer lag een man – half op de grond en half op een matras, alsof hij te moe was geweest om zijn bed nog te halen. Maya greep de man bij zijn armen en sleepte hem naar buiten, de tuin in. Ze hoestte verschrikkelijk en de tranen stonden in haar ogen, maar ze zag wel dat de bewusteloze man Gabriels vriend Jugger was. Ze ging schrijlings boven op hem zitten en gaf hem een harde klap in het gezicht. Juggers ogen gingen open en hij begon te hoesten.

'Luister naar me!' zei Maya. 'Is er nog iemand anders in het huis?'

'Roland. Sebastian...' Jugger begon weer te hoesten.

'Wat is er gebeurd? Zijn ze dood?'

'Twee mannen in een bestelbus. Geweren. Duwden ons op de vloer. Gaven ons injecties...'

Ze liep weer terug naar het huis, haalde een keer diep adem en stapte naar binnen. Kruipend als een dier ging ze de gang door en de smalle trap op. Terwijl haar longen worstelden om adem te halen, was één deel van haar geest heel helder. De freerunners met geweren of messen doden zou te veel aandacht hebben getrokken van de autoriteiten. In plaats daarvan hadden de Tabula de drie mannen een verdovend middel toegediend en vervolgens het vervallen huis in brand gestoken. Nu hielden ze de voordeur en de ingang naar de tuin in de gaten om zich ervan te overtuigen dat niemand ontkwam. De volgende ochtend zouden brandweermannen in de smeulende resten vinden wat er nog over was van de lichamen. De gemeente zou de grond aan een speculant verkopen en ergens achter in de krant zou een artikel verschijnen: *Drie doden in kraakwoning*.

Maya vond Sebastian in een kamer op de eerste verdieping. Ze pakte zijn armen en sleepte hem de trap af naar de tuin. Toen ze voor de derde keer terugging, zag ze de vlammen opflakkeren in de duisternis, de vloer onder een stoel verbranden en langs de muren omhoogkruipen naar de trapspijlen. Boven aan de trap hing een dichte zwarte rook en ze zag helemaal niets toen ze al voelend Rolands lichaam aantrof in de zolderkamer. Trekken en stilstaan. Trekken en weer stilstaan. Zicht en geluid verdwenen en ze werd een piepklein stukje bewustzijn dat door de rook strompelde.

Maya stortte zich door de achterdeur naar buiten, liet Rolands lichaam los en liet zich in de modderige aarde van de tuin vallen. Na een paar minuten hoesten en naar lucht happen ging ze zitten en wreef in haar ogen. Jugger was nog bij bewustzijn en praatte met een dikke tong over de injecties. Maya legde haar hand op de borst van de twee andere freerunners en voelde hun ademhaling. Ze leefden nog.

Ze had haar revolver, maar het zou gevaarlijk zijn die in deze buurt te gebruiken. Hollis had haar eens verteld dat er in Los Angeles zoveel handwapens waren dat oud-en-nieuwvieringen er klonken als een vuurgevecht in een oorlogsgebied. In Londen was het geluid van een schot een ongewone gebeurtenis. Als ze hier een schot loste zou de halve buurt het horen en onmiddellijk de politie waarschuwen.

Het huis bleef branden en ze zag een oranje gloed toen de gordijnen van Juggers slaapkamer vlam vatten. Toen Maya opstond en naar de achterdeur liep voelde ze een golf van hitte in de koude nachtlucht. Tegen de tijd dat haar ademhaling weer enigszins was genormaliseerd herinnerde ze zich een gesprek dat haar vader eens had gevoerd met Moeder Blessing over geluiddempers. Geluiddempers op vuurwapens waren in Europa verboden, moeilijk te krijgen en lastig mee te nemen. Soms was het gemakkelijker om een alternatief te improviseren.

Maya doorzocht de achtertuin en trof vlak bij de muur een paar overvolle vuilnisbakken aan. Ze rommelde net zo lang tussen het afval tot ze een waterfles vond en een prop rubberachtig roze materiaal dat eruitzag als de onderlaag van tapijt. Maya stopte stukjes van het tapijt in de fles en schoof vervolgens de loop van haar revolver in de opening. Bij de achterdeur lag een oude rol plakband, dat ze strak om het wapen en de plastic flessenhals wond. Jugger was intussen gaan zitten en keek van de andere kant van de tuin toe wat ze deed.

'Wat... wat doe jij nou?'

'Maak je vrienden wakker. We moeten hier weg.'

Ze greep haar geïmproviseerde wapen, klom weer over de

tuinmuur, rende een steegje uit en liep naar de achterkant van de bestelwagen. Een zijraampje was half omlaaggedraaid om sigarettenrook naar buiten te laten, en ze hoorde de twee mannen praten.

'Hoe lang moeten we hier blijven wachten?' vroeg de bestuurder. 'Ik begin honger te krijgen.'

De andere man lachte. 'Dan moet je even teruggaan naar dat huis. Daar ligt aardig wat vlees gaar te worden...'

Maya ging voor het raampje van de bestuurder staan, tilde haar revolver op en schoot. De kogel schoot door de bodem van de plastic fles en dwars door het glas. De revolver maakte een geluid als handgeklap – twee snelle schoten, en toen was het stil.

# 30

Een uur voordat zijn vlucht luchthaven Heathrow bereikte, ging Hollis naar een van de vliegtuigtoiletten en kleedde zich om in de kleine ruimte. Toen hij in een marineblauw overhemd en broek terugliep naar zijn stoel had hij het gevoel dat iedereen naar hem keek, maar de mensen waren suf van de nachtvlucht en het leek niemand op te vallen. Zijn oude kleren had hij in een klein tasje gepropt dat hij in het vliegtuig zou achterlaten. Alles wat hij nodig had om ongemerkt Engeland binnen te komen zat in een grote gele envelop die hij onder zijn arm droeg.

Op een van zijn laatste dagen in New York had Hollis een e-mail van Linden ontvangen waarin deze hem vertelde dat zijn werk erop zat en dat het tijd was om naar Engeland te komen. De Franse Harlekijn kon geen koopvaardijschip vinden dat Hollis illegaal naar Europa wilde brengen. Het was mogelijk dat de Tabula Hollis' biometrische gegevens hadden ingevoerd in een databank die douanebeambten over de gehele wereld van informatie voorzag. Wanneer Hollis op Heathrow arriveerde, was het mogelijk dat er een beveiligingsalarm afging en dat de autoriteiten hem vasthielden. Linden vertelde

Hollis dat er nog een andere manier was – een manier waarbij je buiten het Systeem bleef – om Engeland binnen te komen, maar dat vergde wel wat slinkse kunstgrepen op de luchthaven.

De vlucht van American Airlines landde keurig op tijd op Heathrow en de mensen om Hollis heen begonnen hun mobieltjes weer aan te zetten. Beveiligingsmedewerkers hielden alles goed in de gaten toen de passagiers over het asfalt liepen en in luchthavenbussen werden geladen om naar vertrekhal vier te worden gebracht.

Aangezien Hollis niet zou overstappen op een andere vlucht, moest hij een andere bus nemen, naar de paspoortcontrole bij aankomsthal één. Hij ging enkele minuten een herentoilet binnen, kwam toen weer naar buiten en mengde zich tussen passagiers die met verschillende vluchten waren aangekomen. Geleidelijk aan begon hij de slimme eenvoud van Lindens plan door te krijgen. Hij werd niet langer omringd door mensen die wisten dat hij zojuist vanuit New York was aangekomen. De andere passagiers waren moe en passief en klaar om de luchthaven te verlaten.

Hij stapte in een andere transitbus die naar aankomsthal één ging. Toen de bus vol was, haalde hij een felgeel veiligheidsvest uit de envelop en trok het aan. Het blauwe overhemd, de broek en het vest maakten dat hij sprekend op een luchthavenmedewerker leek. In een hoesje dat om zijn nek bungelde zat een vals legitimatiebewijs, maar dat was eigenlijk niet eens nodig. De sloebers die op het vliegveld werkten keken maar heel oppervlakkig en zochten naar snelle aanwijzingen om elke vreemdeling in een categorie te kunnen onderbrengen.

Toen de bus aankomsthal één bereikte, stapten de andere passagiers uit en haastten zich door de elektrische deuren. Hollis stond op het smalle trottoir bij het bagagegedeelte en deed net of hij in zijn mobieltje praatte. Toen knikte hij naar de verveelde beveiligingsmedewerker die binnen achter een bureau zat, draaide zich om en wandelde weg. Hij verwachtte half en half dat er allerlei sirenes af zouden gaan terwijl er politiemannen zwaaiend met pistolen naar buiten kwamen rennen, maar niemand hield hem tegen. Het ultramoderne beveiligingssysteem van de luchthaven was verslagen door een reflecterend vest dat voor acht dollar in een fietsenwinkel in Brooklyn was gekocht.

Twintig minuten later zat Hollis naast Winston Abosa, een mollige jongeman uit Nigeria met een rustige stem en prettige omgangsvormen, in een bestelbusje. Toen ze Londen binnenreden staarde Hollis uit het raam. Hoewel hij heel Mexico en Latijns-Amerika had rondgereisd, was Hollis nog nooit in Europa geweest. Engelse wegen hadden heel veel rotondes en voetgangerspaden met zebrastrepen. De meeste huizen hadden achtertuintjes. Overal stonden bewakingscamera's gericht op de kentekenplaten van elk passerend voertuig.

De nieuwe omgeving deed Hollis denken aan een passage uit Sparrows boek, *De Weg van het Zwaard*. Volgens de Japanse Harlekijn was een strijder sterk in het voordeel als hij de stad die zijn strijdperk zou worden kende. Wanneer de strijder opeens in een nieuwe omgeving moest vechten, was het net alsof je 's ochtends wakker werd in een kamer die je nog nooit had gezien.

'Ken jij Vicki Fraser?' vroeg Hollis.

'Natuurlijk.' Winston reed heel voorzichtig, met beide handen aan het stuur. 'Ik ken al uw vrienden.'

'Zijn ze in Engeland? Dat kon ik nooit opmaken uit mijn e-mails.'

'Miss Fraser, Miss Maya en het kleine meisje zijn in Ierland. Mr. Gabriel is...' Winston aarzelde even. 'Mr. Gabriel is in Londen.'

'Wat is er gebeurd? Waarom zijn ze niet meer bij elkaar?'

'Ik ben maar een werknemer, sir. Mr. Linden en Madam betalen me goed en ik doe mijn best hun beslissingen nooit in twijfel te trekken.'

'Waar heb je het over? Wie is *Madam?*'

Winston kreeg een gespannen trek op zijn gezicht. 'Ik weet helemaal niets, sir. Mr. Linden zal al uw vragen beantwoorden.'

Winston parkeerde de wagen in de buurt van Regent's Canal en bracht Hollis via enkele achterafstraatjes naar de drukke hallen en binnenplaatsen van Camden Market. Na een zigzaggende route te hebben gevolgd om de camera's te ontwijken, bereikten ze de ingang van de catacomben onder het luchtspoor. Een bejaarde Engelse dame die haar haar in een witroze kleur had geverfd zat naast een bord waarop haar diensten als tarotlezeres werden aangeprezen. Winston liet een biljet van tien pond op haar tafeltje vallen. Toen zij haar hand naar het geld uitstak, zag Hollis dat zij in haar rechterhand een piepklein radiootje verborgen hield. Deze oude vrouw vormde de eerste verdedigingslinie tegen ongewenste bezoekers.

Winston liep een tunnel in en ze betraden een winkel vol trommels en Afrikaanse beeldjes. Achter een spandoek aan één kant van de winkel ging de stalen deur naar een verborgen appartement schuil. 'Zeg maar tegen Mr. Linden dat ik hier in de winkel ben,' zei Winston. 'Als u iets nodig hebt, moet u het me maar even laten weten.'

Hollis stond in een gang die naar vier kamers leidde. De eerste kamer was verlaten, maar in de keuken zat Linden koffie te drinken en een krantje te lezen. Hollis maakte een snelle inschatting van de Franse Harlekijn. Sommige van de grote kerels tegen wie Hollis het in Brazilië had opgenomen waren halve reuzen, die maar al te graag hun omvang gebruikten tegen hun kleinere tegenstander. Linden woog op z'n minst honderdtwintig kilo, maar uit zijn houding of gedrag sprak niets snoeverigs. Hij was een kalme, stille man wiens ogen alles leken te zien.

'Goedemorgen, monsieur Wilson. Ik neem aan dat alles naar tevredenheid is verlopen op de luchthaven?'

Hollis haalde zijn schouders op. 'Het duurde even voordat ik de personeelsuitgang had gevonden. Daarna was het een eitje. Winston stond me buiten al op te wachten met het busje.'

'Kan ik u misschien blij maken met een kopje koffie of thee?'

'Ik wil Vicki zien. Winston zei dat ze in Ierland is.'

'Ga eerst maar eens zitten.' Linden gebaarde naar de stoel tegenover hem. 'Er is de afgelopen tien dagen heel veel gebeurd.'

Hollis legde de grote bruine envelop neer waarin zijn vermomming had gezeten en ging zitten. Linden stond op, zette een elektrische ketel aan en mat wat koffie af in een Frans espressopotje. Hij bleef naar Hollis kijken alsof hij een bokser was die een nieuwe opponent aan de andere kant van de ring van top tot teen bekijkt.

'Bent u moe van de vlucht, monsieur Wilson?'

'Nee hoor. Dit land is niets anders dan "een andere kamer". Meer niet. Ik moet me even aanpassen aan de veranderingen.'

Linken keek verrast op. 'Hebt u Sparrows boek gelezen?'

'Maar natuurlijk. Is dat tegen de Harlekijnregels?'

'Absoluut niet. Ik heb het boek in het Frans laten vertalen en laten uitgeven door een kleine drukkerij in Parijs. Maya's vader heeft Sparrow in Tokio ontmoet. En ik heb zijn zoon ontmoet, vlak voordat hij door de Tabula werd vermoord.'

'Ja, dat weet ik. Daar hebben we het later nog wel eens over. Wanneer krijg ik Vicki, Maya en Gabriel te zien? In uw e-mail schreef u dat u al mijn vragen zou beantwoorden zodra ik hier was.'

'Vicki en Maya bevinden zich op een eilandje vlak voor de westkust van Ierland. Maya bewaakt daar Matthew Corrigan.'

Hollis lachte en schudde zijn hoofd. 'Dat is nog eens een verrassing. Waar had Gabriels vader zich al die jaren verborgen gehouden?'

'Het is alleen maar zijn omhulsel – zijn lege lichaam. Matthew heeft de overgang gemaakt naar het Eerste Rijk en daarbij is er iets misgegaan. Hij is niet teruggekeerd.'

'Wat is het Eerste Rijk? Dat soort dingen weet ik allemaal niet.'

'*L'enfer*,' zei Linden en besefte toen dat Hollis geen Frans sprak. 'De onderwereld. De hel.'

'Maar met Vicki is alles goed?'

'Daar ga ik van uit. Moeder Blessing, een Ierse Harlekijn, heeft een satelliettelefoon bij Maya achtergelaten. We proberen hen nu al een paar dagen te bellen, maar er wordt niet opgenomen. Daar was Madam behoorlijk boos over. Op dit moment is zij weer op weg naar het eiland.'

'Maya heeft me over Moeder Blessing verteld. Ik dacht dat ze dood was.'

Linden schonk water in de espressopot. 'Ik kan u verzekeren dat Madam springlevend is.'

'En Gabriel? Kan ik hem zien? Winston zei dat hij in Londen was.'

'Moeder Blessing heeft Gabriel naar Londen gebracht en toen is hij verdwenen.'

Hollis draaide zich om in zijn stoel om Linden aan te kijken. 'Waar hebt u het over?'

'Onze Reiziger is op zoek gegaan naar zijn vader in het Eerste Rijk. Hij leeft nog, maar hij is net als zijn vader niet teruggekeerd.'

'Waar is zijn lichaam dan?'

'Waarom drinkt u niet eerst een kopje koffie?'

'Ik wil verdomme helemaal geen koffie. Waar is Gabriel? Hij is mijn vriend.'

Linden haalde zijn brede schouders op. 'Aan het einde van de gang...'

Hollis verliet de keuken en liep de gang in naar een armoedig kamertje waar Gabriel op een bed lag. Het lichaam van de Reiziger was slap en bewegingloos – alsof hij gevangenzat in een diepe, diepe slaap. Hollis ging op de rand van het bed zitten en raakte de hand van de Reiziger aan. Ook al wist hij dat Gabriel waarschijnlijk niets kon horen, toch wilde hij iets tegen hem zeggen.

'Hé, Gabe. Hier is je vriend, Hollis. Wees maar niet bang. Ik zal je beschermen.'

'Mooi. Dat is precies wat wij willen.' Toen Hollis zich omdraaide zag hij Linden in de deuropening staan. 'Wij betalen u vijfhonderd pond per week.'

'Ik ben geen huurling en ik wil ook niet als zodanig behandeld worden. Ik zal Gabriel beschermen omdat hij mijn vriend is. Maar eerst wil ik zeker weten dat alles in orde is met Vicki. Begrepen?'

Hollis had altijd baat gehad bij een agressieve benadering wanneer iemand probeerde hem de wet voor te schrijven, maar nu was hij er nog niet zo zeker van. Linden bukte zich en trok een 9mm halfautomatisch pistool uit een enkelholster. Toen hij het wapen en de kille uitdrukking op het gezicht van de Harlekijn zag, dacht Hollis dat hij er geweest was. *Die rotzak gaat me vermoorden.*

Linden draaide het wapen om in zijn hand en bood Hollis de greep aan. 'Kunt u hiermee omgaan, monsieur Wilson?'

'Natuurlijk.' Hollis nam het automatische pistool van Linden aan en verborg het onder zijn overhemd.

'Morgen is Moeder Blessing weer op het eiland. Daar zal zij met mademoiselle Fraser praten en haar vragen of zij naar Londen wil komen. Ik weet zeker dat u de jongedame binnen enkele dagen zult zien.'

'Dank u.'

'Bedank nooit een Harlekijn. Ik doe dit niet omdat ik u zo aardig vind. We hebben nog een extra strijder nodig en u bent precies op het juiste moment gearriveerd.'

Hollis en Winston Abosa liepen over Chalk Farm Road. De meeste winkels in de straat verkochten verschillende soorten rebellie: zwart leren motorbroeken, griezelige vampierjurken of T-shirts met obscene teksten. Punkers met felgroen haar en piercings in hun wenkbrauwen stonden in kleine groepjes bij elkaar en genoten van de starende blikken van voorbijgangers.

Ze kochten kaas, brood, melk en koffie en vervolgens nam Winston Hollis mee naar een onopvallende deur tussen een tatoeagestudio en een winkel waar elfenvleugels werden ver-

kocht. Op de tweede verdieping troffen zij een kamer aan met een bed en een televisie. De badkamer en de keuken waren een eindje verder op de gang.

'Hier logeer je,' zei Winston. 'Als je nog vragen hebt, ik ben de hele dag in de drumwinkel.'

Toen Winston weg was, ging Hollis op bed zitten en at wat brood en kaas. Zo te ruiken werd er ergens in het gebouw curry bereid. Buiten op straat toeterden auto's dat het een lieve lust was. Thuis in New York wist hij altijd wel een uitweg, maar hier werd hij aan alle kanten omringd door de Grote Machine. Als hij Vicki Fraser maar eenmaal weer kon vasthouden en horen, dan zou alles weer goed komen. Haar liefde maakte hem sterker. Liefde maakte je een beter mens. Het verbond je met het Licht.

Alvorens de gang op te lopen om een douche te nemen, drukte hij een stukje kauwgom tussen de vloer en de onderkant van de deur. Het douchehokje had schimmel om de afvoer zitten en het water was lauw. Toen hij zich aankleedde en terugging naar zijn kamer, zag hij dat het stukje kauwgom in tweeën was getrokken.

Hollis legde zijn zeep en handdoek op de grond en trok het pistool onder zijn hemd vandaan. Hij had nog nooit iemand gedood, maar nu ging het gebeuren. Hij was ervan overtuigd dat de Tabula hem stonden op te wachten. Zodra hij de kamer binnenkwam zouden ze aanvallen.

Met het pistool in zijn rechterhand stak hij de sleutel zo zachtjes mogelijk in het slot. *Eén*, telde Hollis. *Twee*. *Drie*. Hij draaide de deurknop om, hief het pistool en stormde de kamer binnen.

Bij het raam stond Maya.

# 31

De volgende ochtend, in alle vroegte, klom Maya op het dak van het oude paardenziekenhuis in het midden van Camden Market. De zieke paarden en het slachthuis waren tegen het eind van de victoriaanse tijd verdwenen, en nu hadden boetiekjes die organische zeep en Tibetaanse gebedskleedjes verkochten bezit genomen van het twee verdiepingen hoge gebouw. Niemand zag Maya toen ze naast een piepende windwijzer in de vorm van een galopperend paard ging staan.

Ze zag Hollis over de markt lopen en de tunnel binnengaan die naar de catacomben leidde. Linden had de nacht in de drumwinkel doorgebracht, en Hollis zou haar laten weten wanneer de Franse Harlekijn het geheime appartement verliet.

De afgelopen vierentwintig uur was ze aan één stuk door op pad geweest in Londen. Terwijl Vine House afbrandde, had ze Jugger en zijn vrienden geholpen om uit de achtertuin te komen. Met z'n vieren hadden ze bij Vauxhall Bridge een taxi gevonden en de chauffeur had hen naar een leegstaande flat in Chiswick gebracht die van Rolands broer was. De freerunners waren eraan gewend buiten het Netwerk te leven en ze beloofden allemaal zich verborgen te houden tot de autoriteiten het

onderzoek naar de twee dode mannen in het bloemistenbusje staakten.

Gabriel had Jugger verteld dat hij in een drumwinkel in de Camden Market logeerde. Maya nam aan dat zowel Linden als Moeder Blessing de Reiziger bewaakten. De rest van de dag had zij de ingang van de catacomben in de gaten gehouden, net zo lang tot Hollis in de winkel was gearriveerd. Moeder Blessing zou haar hebben vermoord voor haar ongehoorzaamheid, maar Hollis was haar vriend. Hij zou het zo voor haar zien te regelen dat zij Gabriel veilig kon ontmoeten.

Toen Linden de tunnel van de catacomben uitkwam, stond zij boven op het dak. Met een zwaardfoedraal nonchalant om zijn linkerschouder, wandelde de Harlekijn weg om te gaan ontbijten in een café dat uitkeek over het kanaal. Tien minuten later kwam Hollis de tunnel uit en zwaaide met zijn armen. De kust was veilig.

Hollis leidde haar langs de trommels en het Afrikaanse houtsnijwerk naar een koud kamertje, waar Gabriels lichaam op een bed lag. Maya knielde naast het bed op de betonnen vloer en pakte Gabriels hand. Ze wist dat hij nog leefde, maar ze voelde zich net een weduwe die bij haar overleden echtgenoot zit. Op Skellig Columba had Maya het boek van de heilige gezien en de illustraties van de hel bestudeerd. Ze twijfelde er geen moment aan dat Gabriel daarnaartoe was gegaan om zijn vader te zoeken.

Op dit moment leken alle vaardigheden die Thorn en de andere Harlekijns haar hadden geleerd nutteloos. Er was niemand om tegen te vechten, geen bewaakt kasteel met stenen muren en ijzeren poorten. Ze was tot elk offer bereid om Gabriel te redden, maar er vielen geen offers te maken.

De stalen deur van het appartement ging krakend open. Hollis keek verbaasd op. 'Ben jij dat, Winston?'

Maya sprong overeind en trok haar revolver. Stilte. En toen verscheen Linden in de deuropening. De grote man hield zijn

handen in zijn zakken en glimlachte flauwtjes. 'Ga je me nu doodschieten, Maya? Vergeet nooit iets lager te richten. Wanneer mensen nerveus zijn richten ze altijd te hoog.'

'We wisten niet wie het was.' Maya stak de revolver weer in zijn holster.

'Ik dacht wel dat je hiernaartoe zou komen. Moeder Blessing heeft me verteld dat je een *attachement sentimental* had met Gabriel Corrigan. Toen je je satelliettelefoon uitzette, begreep ik dat je waarschijnlijk het eiland had verlaten.'

'Heb je dat ook tegen haar gezegd?'

'Nee. Ze zal al kwaad genoeg zijn wanneer ze op Skellig Columba aankomt en een Reiziger aantreft die wordt bewaakt door een Amerikaans meisje en een paar nonnen.'

'Ik moest hem zien.'

'En, was het de moeite waard?' Linden ging schrijlings op de enige stoel in de kamer zitten. 'Hij is net zo ver weg als zijn vader. Hier ligt niets anders meer dan een leeg omhulsel.'

'Ik ga Gabriel redden,' zei Maya. 'Ik moet alleen een manier zien te vinden.'

'Dat is onmogelijk. Hij is weg. Verdwenen.'

Maya dacht even na en zei toen: 'Ik moet iemand spreken die zoveel mogelijk van de rijken af weet. Ken jij zo iemand hier in Engeland?'

'Het is ons probleem niet, Maya. De regel is dat wij de Reizigers alleen in déze wereld beschermen.'

'Wat kunnen mij die regels schelen? "Cultiveer Willekeur." Dat heeft Sparrow toch geschreven? Misschien wordt het tijd om het eens een keer anders aan te pakken, want die strategie werkt niet.'

Nu nam Hollis voor de eerste keer het woord. 'Daar zit wat in, Linden. Op dit moment is Michael Corrigan de enige Reiziger in deze wereld, en hij werkt voor de Tabula.'

'Help me, Linden. Alsjeblieft. Het enige wat ik nodig heb is een naam.'

De Franse Harlekijn stond op en maakte aanstalten de

kamer uit te lopen. Bij de deuropening bleef hij staan en verplaatste zijn gewicht van de ene voet op de andere, als een man die op een donkere avond de juiste weg probeert te kiezen. 'Er wonen in Europa verschillende experts op het gebied van de rijken, maar er is er maar één die we kunnen vertrouwen. Zijn naam is Simon Lumbroso. Hij was een vriend van je vader. Voor zover ik weet woont hij nog steeds in Rome.'

'Mijn vader had geen vrienden. Dat weet jij net zo goed als ik.'

'Dat is het woord dat Thorn gebruikte,' zei Linden. 'Het lijkt me het beste dat je naar Rome gaat, dan kun je het zelf zien.'

# 32

Hollis stond koffie te zetten in het geheime appartement toen Linden vanuit de drumwinkel binnen kwam lopen met een satelliettelefoon in zijn hand. 'Ik heb net een telefoontje gehad van Moeder Blessing. Zij is nu op Skellig Columba.'

'Ze was vast niet blij toen ze erachter kwam dat Maya weg was.'

'We hebben elkaar maar heel even gesproken. Ik heb haar verteld dat jij in Londen was aangekomen en zij vroeg of jij naar het eiland kunt komen.'

'Wil ze mij daar hebben om Matthew Corrigans lichaam te bewaken?'

Linden knikte. 'Dat lijkt mij een logische conclusie.'

'En Vicki?'

'Ze had het niet over mademoiselle Fraser.'

Hollis schonk een kopje koffie in voor de Franse Harlekijn en zette het op de keukentafel. 'Vertel me dan maar hoe ik naar Ierland moet reizen, en dan heb ik ook nog een boot nodig om me naar het eiland te brengen.'

'Mádam zei dat je zo snel mogelijk moest komen. Dus heb ik... iets anders voor je geregeld.'

Hollis kwam er al snel achter dat 'iets anders' inhield dat er een helikopter was gecharterd om hem naar het eiland te vliegen. Twee uur later reed Winston Abosa hem naar Maidenhead in Berkshire. Gewapend met een grote bruine envelop vol contanten, maakte Hollis op de parkeerplaats kennis met een piloot van halverwege de zestig. Er was iets aan het uiterlijk van de man – het kortgeknipte haar en de kaarsrechte houding – wat op een militaire achtergrond wees.

'Jij bent de cliënt die naar Ierland gaat?' vroeg de piloot.

'Dat klopt. Ik ben – '

'Ik wil niet weten wie je bent, maar ik wil wel graag het geld zien.'

Hollis had het gevoel dat de piloot bereid was geweest Jack the Ripper naar een meisjeskostschool te vliegen als er maar genoeg euro's in die envelop hadden gezeten. Tien minuten later vloog de helikopter in westelijke richting. De piloot deed er het zwijgen toe, op enkele zakelijke opmerkingen tegen luchtverkeersleiders na. De enige manier waarop zijn persoonlijkheid enigszins naar voren kwam was de agressieve wijze waarop hij over een heuvelrug vloog en een groene vallei in dook waar alle velden van elkaar werden gescheiden door stenen muurtjes. 'Noem mij maar Richard,' zei hij op een gegeven moment, maar hij vroeg niet hoe Hollis heette.

Met de oostenwind in de rug staken ze de Ierse Zee over, waarna ze een tankstop maakten op een vliegveldje in de buurt van Dublin. Toen ze over land weer verder vlogen, keek Hollis omlaag en zag hooibergen, groepjes woningen en smalle wegen die zelden een rechte lijn leken te volgen. Bij de westkust van Ierland aangekomen, zette Richard zijn zonnebril af en begon blikken te werpen op een gps-instrument op het instrumentenpaneel. Hij bleef laag genoeg om een vlucht pelikanen te passeren die in V-formatie langs vlogen. Pal onder de vogels deinden de golven met hun witte schuimkoppen op en neer.

Eindelijk kwamen de twee grillige pieken van Skellig Co-

lumba in zicht. Richard bleef boven het eiland cirkelen tot hij een witte lap aan een paal zag wapperen. Boven deze geïmproviseerde vlag bleef hij een ogenblik hangen, waarna hij op een stuk vlakke, rotsachtige bodem landde. Toen de rotorbladen ophielden met draaien, hoorde Hollis de wind door een ventilatieopening gieren.

'Er woont een groep nonnen op dit eiland,' zei Hollis. 'Ik weet zeker dat ze graag een kopje thee voor je zullen zetten.'

'Mijn instructies luiden dat ik in de helikopter moet blijven,' zei Richard. 'En ik heb een bepaalde premie gekregen voor het opvolgen van die instructies.'

'Dan moet je het zelf weten. Het kan zijn dat het even gaat duren. Er is hier een Ierse die waarschijnlijk terug wil naar Londen.'

Hollis stapte uit de helikopter en keek langs de rotsachtige helling neer op het klooster. Waar is Vicki, dacht hij. Hebben ze haar niet verteld dat ik kwam?

In plaats van Vicki zag hij Alice op de helikopter af komen rennen, op de voet gevolgd door een non en – een paar meter achter hen – een vrouw met donkerrood haar. Alice was als eerste bij hem en sprong op een rotsblok zodat ze even groot waren. Haar haar zat in de war en haar laarzen zaten onder de modder.

'Waar is Maya?' vroeg Alice.

Het was de eerste keer dat Hollis haar stem hoorde. 'Maya is in Londen. Zij maakt het goed. Maak je maar geen zorgen.'

Alice sprong van het rotsblok en liep verder de helling op, gevolgd door een gezette non met een rood aangelopen gezicht. De non knikte naar hem en hij zag een droevige blik in haar ogen. Maar toen was ze verdwenen en stond hij oog in oog met Moeder Blessing.

De Ierse Harlekijn droeg een zwarte wollen broek en een leren jack. Ze was kleiner dan Hollis zich had voorgesteld, en ze had een trotse, hooghartige blik op haar gezicht. 'Welkom op Skellig Columba, Mr. Wilson.'

'Bedankt voor het helikoptertochtje.'

'Heeft zuster Joan iets tegen je gezegd?'

'Nee. Had dat gemoeten dan?' Hollis keek naar beneden, de heuvel af. 'Waar is Vicki? Eigenlijk kom ik vooral voor haar.'

'Ja. Volg mij maar.'

Hollis volgde de Harlekijn langs een pad omlaag naar de vier bijenkorfhutten op het tweede terras. Hij had het gevoel dat er een auto in puin was gereden en dat hij nu het wrak te zien ging krijgen.

'Ben je wel eens heel hard geslagen, Mr. Wilson?'

'Natuurlijk. Ik heb professioneel gevochten in Brazilië.'

'En hoe overleef je dat?'

'Als je iemands vuist niet kunt ontwijken, probeer je ermee mee te bewegen. Als je als een zoutzak blijft staan, weet je zeker dat je tegen de vlakte gaat.'

'Dat lijkt me een goed advies,' zei Moeder Blessing, terwijl ze voor een van de hutten bleef staan. 'Twee dagen geleden zijn de Tabula met hun helikopters naar het eiland gekomen. De nonnen zijn met het meisje naar een grot gevlucht, maar het schijnt dat Miss Fraser hier is gebleven om de Reiziger te beschermen.'

'Waar is ze nu dan? Wat is er gebeurd?'

'Dit zal niet gemakkelijk worden, Mr. Wilson. Maar je kunt zelf gaan kijken – als je dat wilt.'

Moeder Blessing opende de deur van de hut, maar liet hem als eerste naar binnen gaan. Hollis betrad een koude ruimte waar kartonnen dozen en plastic kratten tegen de muur geschoven stonden. De houten vloer zat onder de spetters. Het duurde even voordat hij zich realiseerde dat het opgedroogd bloed was.

Moeder Blessing stond achter hem. Haar stem klonk zo rustig en emotieloos alsof ze het over het weer had. 'De Tabula hadden splitsers meegenomen om door de ramen naar binnen te laten klimmen. Ik weet bijna zeker dat ze ze na afloop hebben doodgeschoten en in zee gegooid.'

Ze gebaarde naar iets wat onder een plastic zeil lag en Hollis wist onmiddellijk dat het Vicki was. Als een slaapwandelaar schuifelde hij naar het lichaam toe en trok het zeil weg. Vicki was bijna onherkenbaar, maar aan de tandafdrukken op haar armen en benen kon je zien dat ze door dieren was gedood.

Hollis keek neer op haar verminkte lichaam en had het gevoel dat hij zelf ook kapot was. De linkerhand was een massa verscheurd vlees en verbrijzelde botten, maar Vicki's rechterhand was ongehavend. In haar handpalm lag een hartvormig zilveren medaillon dat Hollis meteen herkende. De meeste vrouwen in de kerk droegen soortgelijke sieraden. Als je het medaillon opende zag je een zwart-witfototje van Isaac Jones.

'Ik heb het medaillon van haar hals gehaald,' zei Moeder Blessing. 'Ik dacht dat je wel zou willen zien wat erin zit.'

Hollis pakte het medaillon op en drukte zijn vingernagel in de bovenkant van het zilveren hartje. De bekende afbeelding van de Profeet was verdwenen en vervangen door een stukje wit papier. Langzaam vouwde hij het papiertje open en streek het glad in zijn handpalm. Vicki had er met een ouderwetse vulpen enkele woorden op geschreven en had haar best gedaan elke letter volmaakt te maken: *Hollis Wilson zit in mijn hart – voor altijd.*

Zijn schok en verdriet werden verdrongen door een woede die zo intens was dat hij het liefst in janken was uitgebarsten. Wat er ook gebeurde, hij zou de mannen die haar hadden vermoord opsporen en vernietigen. Eerder zou hij niet rusten. Nooit.

'Heb je genoeg gezien?' vroeg Moeder Blessing. 'Ik denk dat het tijd is om een graf te graven.' Toen Hollis niets terugzei, liep zij de kamer door en trok het plastic zeil weer over het lichaam.

# 33

Maya verliet de drumwinkel en ging naar een internetcafé op Chalk Farm Road. Linden zei dat hij maar één expert op het gebied van de zes rijken vertrouwde – een Italiaan met de naam Simon Lumbroso. Een snelle zoektocht op het internet leerde haar dat een man met die naam als kunsttaxateur in Rome werkte. Maya noteerde Lumbroso's kantooradres en telefoonnummer, maar belde hem niet op. Ze besloot naar Rome te vliegen om de man van wie werd beweerd dat hij haar vaders vriend was geweest zelf te ontmoeten.

Na een vlucht te hebben geboekt nam ze een taxi naar de opslagkluis die zij in Oost-Londen had en haalde daar een nieuw setje valse identiteitspapieren op. Voor de reis naar Rome besloot Maya voor de veiligste mogelijkheid te kiezen, een van haar ongebruikte HE-IV-paspoorten. HE-IV was een acroniem voor 'herkomst echt, identiteit vals'. Deze paspoorten waren afkomstig van de overheid en alle gegevens waren in de Grote Machine ingevoerd.

Het had jaren gekost om Maya's HE-IV-legitimatie voor te bereiden. Toen ze negen jaar was, had Thorn de geboorteaktes van verschillende overleden kinderen weten te bemachtigen.

Hun 'levens' werden zorgvuldig bijgehouden, als fruitbomen die zo nu en dan gesnoeid moesten worden en water moesten krijgen. Op papier hadden de meisjes hun middelbare school afgemaakt en hun rijbewijs gehaald, waren gaan werken en hadden creditcards aangevraagd. Maya had alles netjes bijgehouden, zelfs tijdens de periode dat zij binnen het Netwerk leefde en haar best deed zich als een burger te gedragen.

Toen de Britse overheid biometrische legitimatiebewijzen introduceerde, moesten de fysieke gegevens die in de e-paspoorten waren opgenomen overeenkomen met elke valse identiteit. Maya had speciale contactlenzen gekocht die haar in staat stelden door de irisscanners op luchthavens heen te komen, en ook tere plastic vingerschildjes waarmee ze haar wijsvingers kon bedekken. Sommige van haar paspoorten hadden foto's met haar gewone gezicht, terwijl in andere paspoorten foto's stonden die waren gemaakt nadat speciale zogenaamde *facer drugs* haar uiterlijk hadden veranderd. In de loop der jaren was zij elk paspoort als een verschillend aspect van haar eigen persoonlijkheid gaan beschouwen. Haar valse paspoort als Judith Strand gaf haar het gevoel een ambitieuze professionele vrouw te zijn. Het paspoort dat ze meenam naar Italië maakte gebruik van de naam van een overleden meisje uit Brighton, Rebecca Green genaamd. Maya had besloten dat Rebecca een artistiek type was dat van elektronische muziek hield.

Het was te gevaarlijk om een vuurwapen mee te nemen aan boord van een vliegtuig, dus liet Maya haar revolver in haar kluisje liggen en nam Gabriels talismanzwaard mee, plus een stiletto en een werpmes. Alle drie de wapens waren verborgen in het stalen frame van een inklapbare kinderwagen die een aantal jaren geleden was gemaakt door een van haar vaders Spaanse contacten.

Vanaf luchthaven Da Vinci nam ze een taxi naar Rome. Het hart van Rome kon worden gevat in een driehoek aan de oever

van de rivier de Tiber. Onder aan de driehoek bevonden zich de bekende toeristische trekpleisters zoals het Forum en het Colosseum. Maya nam een hotel in de noordelijke punt van de driehoek, vlak bij het Piazza del Popolo. Ze bevestigde de messen aan haar armen en liep in zuidelijke richting langs het mausoleum van keizer Augustus naar de straten van de oude stad.

De begane grond van de achttiende-eeuwse gebouwen was overal in beslag genomen door toeristenrestaurantjes en dure boetieks. Verveelde verkoopstertjes in strakke rokjes stonden voor de kleine winkels en kletsten op hun mobieltjes met vriendjes. De bewakingscamera's rond het parlementsgebouw omzeilend, liep ze het plein op waar het Pantheon stond. Het enorme, uit baksteen en marmer opgetrokken gebouw was door keizer Hadrianus gebouwd als tempel voor alle goden. Tweeduizend jaar lang had hij het middelpunt van Rome gevormd.

Maya liep door de granieten zuilengang. De nerveuze energie van de groepen toeristen en hun gidsen verdween helemaal in de koepelvormige ruimte. Fluisterend liepen de toeristen over de marmeren vloer en bekeken de graftombe van Rafaël. Terwijl Maya in het midden van de reusachtige tempel stond probeerde ze een plan te verzinnen. Wat ging ze zeggen wanneer ze Lumbroso ontmoette? Was het mogelijk dat hij een manier wist om Gabriel te redden?

Er vloog iets door de lucht en ze tuurde omhoog naar de oculus – de ronde opening boven in de koepel. Een grijze duif zat gevangen in de tempel en probeerde te ontsnappen. Wanhopig klapwiekend vloog de vogel in een strakke spiraal door de lucht. Maar de oculus was te ver weg en de duif gaf het steeds op wanneer hij nog maar een paar meter van de vrijheid verwijderd was. Maya kon zien dat de duif vermoeid raakte. Elke nieuwe poging eindigde in een nieuwe mislukking en hij vloog steeds lager – omlaaggetrokken door het gewicht van zijn uitgeputte lijfje. De vogel was zo bang en in paniek dat hij

niets anders meer kon dan vliegen, alsof de beweging zelf voor een oplossing zou zorgen.

Het gevoel van zekerheid dat ze in Londen had gehad, leek hier weg te smelten. Ze voelde zich nietig en dom, verliet de tempel en haastte zich in de richting van de menigtes die bij het Teatro Argentino in bussen stapten. Maya liep om de ruïnes in het midden van het plein heen en begaf zich in de doolhof van smalle straatjes die vroeger het joodse getto vormden.

Het getto was ooit zoiets geweest als Oost-Londen in het victoriaanse tijdperk – een toevluchtsoord waar vluchtelingen zich konden schuilhouden en bondgenoten konden vinden. Sinds de tweede eeuw voor Christus hadden er al joden in Rome gewoond, maar in de zestiende eeuw waren zij gedwongen in een ommuurd gebied in de buurt van de oude vismarkt te wonen. Zelfs de joodse artsen die Italiaanse aristocraten behandelden mochten zich alleen overdag buiten het getto begeven. Elke zondag moesten joodse kinderen verplicht een dienst bijwonen in de kerk van Sant'Angelo in Pescheria, waar een frater hun voorhield dat zij gedoemd waren om in de hel te belanden. De kerk stond er nog, samen met een grote witte synagoge die eruitzag als een belle-epoque-museum dat regelrecht uit het centrum van Parijs was geplukt.

Simon Lumbroso woonde vlak bij de ruïnes van de Portico van Octavia. Zijn naam stond op een koperen plaatje naast de deur, evenals een omschrijving van zijn diensten in het Italiaans, Duits, Frans, Hebreeuws en Engels: SIMON LUMBROSO / GEDIPLOMEERD KUNSTTAXATEUR.

Maya drukte op het zwarte knopje van de deurbel, maar er deed niemand open. Toen ze het nog eens probeerde, klonk er een mannenstem uit de luidspreker in de muur. '*Buon giorno.*'

'Goedemiddag. Ik ben op zoek naar de heer Lumbroso.'

'En met welke reden?' De stem – eerst nog warm en vriendelijk – had nu een scherpe, kritische toon.

'Ik overweeg een bepaald voorwerp te kopen en ik wil weten hoe oud het is.'

'Ik zie u op mijn videoscherm en ik zie geen beelden of schilderijen.'

'Het is een sieraad. Een gouden broche.'

'Natuurlijk. Mooie juwelen voor *una donna bella*.'

De deur ging open en Maya betrad het gebouw. De begane grond bestond uit twee onderling verbonden kamers die naar een ommuurde binnenplaats leidden. Het appartement zag eruit alsof de inhoud van een wetenschappelijk laboratorium en een kunstgalerie in een vrachtwagen waren geladen en hier op één plek waren gedumpt. In de voorkamer zag Maya op verschillende tafels een spectroscoop, een centrifuge en een microscoop, te midden van bronzen beeldjes en oude schilderijen.

Ze liep om wat antiek meubilair heen en ging de achterkamer binnen, waar een bebaarde man van in de zeventig aan een werktafel een vel perkament met geïllumineerde letters zat te bestuderen. De man droeg een zwarte pantalon, een wit overhemd met lange mouwen en een zwart keppeltje. Zoals bij veel orthodoxe joden kon je de witte franjes van zijn *tallit katan* zien: een linnen kledingstuk dat veel op een poncho lijkt en dat hij onder zijn hemd droeg.

De man gebaarde naar de pagina op zijn werktafel. 'Het perkament is oud, waarschijnlijk uit een bijbel gesneden, maar de inscriptie is modern. Middeleeuwse monniken gebruikten roet als inkt, gemalen zeeschelpen – of zelfs hun eigen bloed. Ze konden niet even naar de winkel rijden om producten van de petrochemische industrie te kopen.'

'Bent u Simon Lumbroso?'

'U klinkt sceptisch. Ik heb wel visitekaartjes, maar die ben ik altijd kwijt.' Lumbroso zette een bril met dikke glazen op die zijn donkerbruine ogen groter maakten. 'Namen stellen nog maar zo weinig voor vandaag de dag. Mensen wisselen van naam zoals ze een paar andere schoenen aantrekken. En wat is uw naam, signorina?'

'Ik ben Rebecca Green en ik kom uit Londen. Ik heb de

broche in mijn hotel laten liggen, maar misschien kan ik een schetsje maken om u te laten zien hoe hij eruitziet?'

Lumbroso schudde glimlachend zijn hoofd. 'Ik vrees dat ik toch echt het voorwerp zelf zal moeten zien. Als er een steen in zit, kan ik die eruit halen en het patina van de zetting bekijken.'

'Geef me een velletje papier. Misschien herkent u het ontwerp.'

Met een sceptische blik overhandigde Lumbroso haar een schrijfblok en een viltstift. 'Zoals u wilt, signorina.'

Snel tekende Maya de Harlekijnluit. Ze scheurde het vel papier af en legde het op de werktafel. Simon Lumbroso bekeek het ovaal met de drie lijnen, draaide zich toen enigszins om en bestudeerde haar gezicht. Maya voelde zich als een kunstvoorwerp dat ter taxatie naar zijn huis was gebracht. 'Ja, natuurlijk. Ik herken het ontwerp. Als u mij toestaat, kan ik u misschien wat meer informatie verschaffen.'

Hij liep naar een grote kluis die tegen de muur stond en begon aan de knop te draaien. 'U zei dat u uit Londen kwam. Zijn uw ouders in Groot-Brittannië geboren?'

'Mijn moeder kwam uit een familie van sikhs in Manchester.'

'En uw vader?'

'Hij was een Duitser.'

Lumbroso opende de kluis en haalde er een kartonnen schoenendoos uit waarin meer dan honderd brieven zaten, gesorteerd op datum. Hij zette de doos op de werktafel en begon erin te zoeken. 'Over die broche kan ik u niets vertellen. Sterker nog, ik denk dat hij niet eens bestaat. Maar ik kan u wel iets vertellen over uw eigen herkomst.'

Hij maakte een envelop open, haalde er een zwart-witfoto uit en legde die op tafel. 'Ik denk dat u de dochter bent van Dietrich Schöller. Dat was althans zijn naam voordat hij een Harlekijn werd die Thorn heette.'

Maya bekeek de foto en herkende tot haar stomme verbazing zichzelf, op negenjarige leeftijd, zittend naast haar vader

op een bankje in St. James' Park. Iemand, misschien haar moeder wel, moest de foto hebben genomen.

'Hoe komt u hieraan?'

'Uw vader heeft mij bijna veertig jaar lang brieven gestuurd. Ik heb ook nog een babyfoto van u, als u die misschien wilt zien.'

'Harlekijns nemen nooit foto's, tenzij het voor een vals paspoort is of een ander identiteitsbewijs. Wanneer de schoolfotograaf kwam bleef ik altijd thuis.'

'Toch heeft uw vader wat foto's genomen en vervolgens heeft hij ze bij mij in bewaring gegeven. Waar is hij, Maya? Ik heb brieven gestuurd naar een postbus in Praag, maar die zijn allemaal ongeopend teruggekomen.'

'Hij is dood. Vermoord door de Tabula.'

Tranen voor Maya's vader – haar gewelddadige, arrogante vader – vulden Lumbroso's ogen. Hij snufte luidruchtig, vond wat papieren zakdoekjes op de werktafel en snoot zijn neus. 'Ik kan niet zeggen dat het nieuws me verbaast. Dietrich leidde een bijzonder gevaarlijk leven. Maar toch doet zijn dood me veel verdriet. Hij was mijn beste vriend.'

'Ik geloof niet dat u mijn vader werkelijk hebt gekend. Hij heeft zijn leven lang geen enkele vriend gehad. Hij hield van niemand, niet eens van mijn moeder.'

Lumbroso keek eerst verbijsterd en toen verdrietig. Hij schudde langzaam zijn hoofd. 'Hoe kun je dat zeggen? Je vader had heel veel respect voor je moeder. Toen zij overleed is hij een tijdlang depressief geweest.'

'Daar weet ik niets van, maar ik weet wel wat er gebeurde toen ik een klein meisje was. Mijn vader leidde me op om mensen te vermoorden.'

'Ja, hij heeft een Harlekijn van je gemaakt, een beslissing die ik niet goed ga praten.' Lumbroso stond op, liep naar een houten kapstok en pakte daar een zwarte overjas van af. 'Kom mee, Maya. Dan gaan we een hapje eten. Zoals wij Romeinen zeggen: "Geen verhalen op een lege maag."'

In zijn zwarte jas en met een zwarte gleufhoed op zijn hoofd, leidde Simon Lumbroso haar door het getto. De zon was ondergegaan achter de rode pannendaken, maar er zaten nog heel wat mensen op keukenstoelen op straat met elkaar te kletsen terwijl hun kinderen achter een bal aan renden. Iedereen leek Lumbroso te kennen en hij begroette zijn buren door met twee vingers de brede rand van zijn hoed aan te raken.

'Veertig jaar geleden organiseerde ik rondleidingen door deze wijk voor buitenlanders. Zo heb ik je vader leren kennen. Op een middag was hij de enige persoon die voor de synagoge stond te wachten. Je vader was natuurlijk niet joods, maar hij wist heel veel van de joodse geschiedenis. Hij stelde intelligente vragen en het was heel prettig met hem over verschillende theorieën te discussiëren. Ik zei tegen hem dat ik het fijn had gevonden om mijn Duits weer eens te oefenen en dat hij me niet hoefde te betalen.'

'Dat betekende dat mijn vader een verplichting had.'

Lumbroso glimlachte. 'Ja, zo zou een Harlekijn dat zien. Maar dat begreep ik toen nog niet. Destijds had een groep rijke jonge mannen hier in Rome een fascistische groepering gevormd die af en toe 's avonds naar het getto kwam om joden in elkaar te slaan. Mij kregen ze te pakken bij de Tiber – een paar honderd meter hiervandaan. Het was vijf tegen één. En toen, opeens, was jouw vader daar.'

'Hij maakte ze helemaal af.'

'Ja. Maar wat mij het meest verbaasde was de manier waarop hij dat deed. Hij toonde geen enkele woede tijdens het vechten – alleen maar een kille, geconcentreerde agressie en een volkomen gebrek aan angst. Hij sloeg ze alle vijf bewusteloos en als ik hem niet had tegengehouden had hij ze in de rivier gesmeten om ze te laten verdrinken.'

'Kijk, dát klinkt nou echt als mijn vader.'

'Vanaf die avond begonnen wij elkaar steeds vaker te zien om samen de stad te verkennen of uit eten te gaan. Geleidelijk aan begon Dietrich mij over zijn leven te vertellen. Hoewel je

vader uit een Harlekijnfamilie kwam, heeft hij dat nooit als zijn toekomst gezien. Als ik het me goed herinner, had hij geschiedenis gestudeerd aan de Vrije Universiteit van Berlijn, had hij daarna besloten schilder te worden en was naar Rome verhuisd. Sommige jonge mannen experimenteren met drugs of met seks. Jouw vader was het zelfs verboden om een goede vriend te hebben. Hij had nog nooit een vriend gehad – zelfs niet als tiener op de *Oberschule*.'

Op Lungotevere liepen ze om de synagoge heen, waarna ze de voetbrug Ponte Fabricio namen naar het eilandje in het midden van de Tiber. Midden op de brug bleef Lumbroso even staan en Maya keek omlaag naar het modderig groene water dat dwars door Rome stroomde.

'Toen ik klein was, vertelde mijn vader mij dat vrienden je zwak maakten.'

'Vriendschap is net zo noodzakelijk als voedsel en water. Het duurde even, maar uiteindelijk werden wij hele goede vrienden die geen geheimen voor elkaar hadden. Toen ik van hem over het bestaan van Reizigers hoorde, was ik niet verbaasd. Er bestaat een mystieke tak van het judaïsme, gebaseerd op de kabbala, die dit soort openbaringen beschrijft. Wat de Tabula betreft – je hoeft alleen de krant maar te lezen om te beseffen dat die bestaan.'

'Ik kan me niet voorstellen dat mijn vader geen Harlekijn wilde zijn.'

'En wat vind je daar zo verbazingwekkend aan? Dat hij een mens was – net als wij allemaal? Ik dacht al dat hij zich van zijn familie had losgemaakt en dat hij in Rome zou blijven om te schilderen. Toen kwam er opeens een Harlekijn uit Spanje opdagen die hem om hulp vroeg. En Dietrich gaf toe. Toen je vader acht maanden later naar Italië terugkeerde had hij zijn Harlekijnnaam aangenomen. Alles was opeens anders – zijn gewone leven was voorbij – maar in zijn hart is hij altijd van Rome blijven houden. Wij zagen elkaar heel af en toe en twee keer per jaar stuurde hij me een brief. Soms zat er een foto van

jou in zo'n brief. Ik heb je op zien groeien tot een echte jongedame.'

'Hij heeft me opgeleid tot Harlekijn,' zei Maya. 'Hebt u enig idee wat dat inhoudt?'

Lumbroso legde even een hand op Maya's schouder. 'Jij bent de enige die je vader kan vergeven. Het enige wat ik kan zeggen is dat hij wel degelijk van je hield.'

Allebei diep in hun eigen gedachten verzonken, staken zij de brug over naar de wijk Trastevere aan de overkant van de rivier. Hoge huizen in smalle straten – soms niet veel breder dan steegjes. De huizen waren in verschoten pasteltinten geschilderd en de muren waren bedekt met klimop.

Lumbroso leidde haar door een straat die uitkwam op het Piazza Mercanti. Het plein was verlaten, op een tiental hongerige zeemeeuwen na die vochten om de inhoud van een overvolle vuilnisbak. De vogels krijsten tegen elkaar als een groep Romeinen die een meningsverschil heeft over voetbal.

'Alleen toeristen en invaliden eten zo vroeg,' zei Lumbroso. 'Maar het is wel een geschikt tijdstip voor een gesprek onder vier ogen.' Ze gingen een trattoria binnen waar nog niemand zat. Een ober met een indrukwekkende snor bracht hen naar een tafeltje achter in de zaak en Lumbroso bestelde een fles pinot grigio en als voorgerecht gefrituurde kabeljauwfilet.

Maya nam een slokje wijn, maar liet haar bord onaangeroerd. Lumbroso's kijk op haar vader was anders dan zij ooit had kunnen denken. Had Thorn werkelijk om haar gegeven? Was het mogelijk dat hij nooit een Harlekijn had willen worden? De suggesties die deze vragen wekten waren zo verwarrend dat zij ze van zich afzette en zich in plaats daarvan concentreerde op de reden waarom zij naar Rome was gekomen.

'Ik ben hier niet om over mijn vader te praten,' zei ze. 'Linden, een andere Harlekijn, heeft me verteld dat u een expert bent op het gebied van de zes rijken.'

Glimlachend sneed Lumbroso de vis in hapklare stukjes.

'Een Reiziger is de enige echte expert, maar ik weet er wel het een en ander vanaf. Mijn ontmoeting met jouw vader heeft mijn leven veranderd. Ik heb carrière gemaakt in het taxeren van kunstvoorwerpen, maar eigenlijk lag mijn hart bij het bestuderen van die verschillende werelden. Ik heb mijn best gedaan exemplaren te bemachtigen van elk boek, verslag of brief waarin hun complexiteit wordt beschreven.'

Met zachte stem vertelde Maya hoe zij Gabriel in Los Angeles had gevonden en hoe ze in Europa terecht waren gekomen. Lumbroso legde zijn vork neer en luisterde aandachtig toen ze hem vertelde wat ze op Skellig Columba hadden ontdekt.

'Ik denk dat Gabriel zijn vader is gaan zoeken in het Eerste Rijk. Als hij daar vastzit, is er dan een manier waarop ik hem terug kan brengen?'

'Nee,' zei Lumbroso. 'Niet zonder er zelf naartoe te gaan.'

Zij hielden allebei op met praten toen de ober het pastagerecht kwam brengen, in de vorm van de kleine griesmeelballetjes die *gnocchi alla Romana* worden genoemd. Maya weigerde iets te eten, maar Lumbroso schonk haar nog wel een glaasje wijn in.

'Wat bedoelt u? Hoe kan dat?'

'Je moet goed begrijpen dat de oude Grieken en Romeinen geen strikt onderscheid maakten tussen onze wereld en andere. Er waren destijds ook Reizigers, maar de ouden geloofden tevens dat er bepaalde "deuren" bestonden die het iedereen mogelijk maakten de oversteek te maken naar een ander rijk.'

'Een soort doorgang dus?'

'Ik zou het eerder een soort ingang noemen die toegankelijk is voor iedereen die hem zoekt. Een moderne analogie zou je de zogenaamde "wormgaten" kunnen noemen, zoals die worden beschreven in de theoretische fysica. Een wormgat is een kortere weg door tijd en ruimte die ons in staat stelt sneller van het ene parallelle universum naar een ander te reizen. Veel natuurkundigen klinken tegenwoordig als het Orakel van Delphi – maar dan met vergelijkingen.'

Lumbroso pakte een servet en veegde wat tomatensaus van zijn kin. 'Als je de teksten uit de oudheid leest, kun je daaruit opmaken dat veel van de heilige plekken in de klassieke wereld, zoals Stonehenge, oorspronkelijk gebouwd zijn rond een plek die een toegangspunt vormde tot andere rijken. Voor zover ik weet bestaat daar geen enkele meer van. Maar misschien hebben de Romeinen ons wel een gids nagelaten die ons kan tonen waar we er één kunnen vinden.'

Maya zette haar wijnglas neer. 'Is het een landkaart?'

'Iets veel beters. Landkaarten kunnen verloren raken of vernietigd worden. Deze gids ligt verborgen onder de straten van Rome. Het is het Horologium Augusti – de zonnewijzer van keizer Augustus.'

Toen de ober naar hun tafeltje kwam, overlegde Lumbroso met hem over verschillende mogelijkheden voor de volgende gang en koos uiteindelijk voor lamsvlees met verse salie. Toen ze weer alleen waren, schonk hij zichzelf nog een glas wijn in.

'Het Horologium was niet zomaar een zonnewijzertje dat je in de achtertuin kunt vinden. Het was het middelpunt van Rome – een reusachtige cirkel van wit travertijn, ingelegd met bronzen strepen en letters. Als je langs het Italiaanse parlementsgebouw op het Piazza di Montecitorio bent gelopen, heb je de Egyptische obelisk gezien die voor de schaduw zorgde.'

'Maar nu ligt de zonnewijzer ondergronds?'

'Het grootste deel van het antieke Rome bevindt zich ondergronds. Je zou kunnen zeggen dat elke stad een soort spookstad heeft die aan het zicht is onttrokken. In de jaren zeventig is een klein deel van de zonnewijzer opgegraven door Duitse archeologen – vrienden van mij – maar na een jaar zijn die opgravingen gestaakt. Onder de straten van Rome bevinden zich nog steeds natuurlijke bronnen en over het oppervlak van de zonnewijzer stroomt water. Verder waren er ook nog veiligheidsproblemen. De carabinieri wilden niet dat de archeologen een doorgang groeven die regelrecht naar het parlementsgebouw voerde.'

'Wat heeft dit allemaal te maken met een deur naar een ander rijk?'

'De zonnewijzer was meer dan een klok en een kalender. Hij fungeerde ook als het middelpunt van het Romeinse universum. Aan de buitenste rand van de zonnewijzer stonden pijlen die in de richting van Afrika en Gallië wezen, maar ook naar spirituele poorten die naar andere werelden leidden. Zoals ik eerder al zei, hadden de oude Romeinen niet zo'n beperkte opvatting van de realiteit als wij. Waarschijnlijk zouden zij het Eerste Rijk als een afgelegen provincie aan de grens van de bewoonde wereld hebben beschouwd.

Toen de Duitse archeologen hun project afsloten, was het grootste deel van de zonnewijzer nog bedekt met een laag zand en stenen. Maar dat was alweer dertig jaar geleden en sindsdien heeft Rome diverse overstromingen meegemaakt. Vergeet niet dat er door het hele gebied een ondergrondse rivier stroomt. Ik heb de plek bekeken en ik ben ervan overtuigd dat er inmiddels een veel groter deel van de zonnewijzer zichtbaar is.'

'Waarom bent u er dan niet gaan kijken?' vroeg Maya.

'Om dat te doen moet je lenig, atletisch en' – Lumbroso wees op zijn buik – 'veel minder corpulent zijn. Je zou duikapparatuur nodig hebben om onder water te gaan. En je zou over de nodige moed moeten beschikken. Deze bodem is bijzonder instabiel.'

Ze deden er allebei enkele minuten het zwijgen toe. Maya nam een slokje wijn. 'En als ik nu de benodigde uitrusting zou kopen?'

'Die uitrusting is het probleem niet. Jij bent de dochter van mijn vriend – hetgeen betekent dat ik je graag wil helpen – maar sinds de overstromingen is er niemand meer geweest. Je moet me dus wel beloven dat je meteen rechtsomkeert maakt en terugkomt als het er gevaarlijk uitziet.'

Maya's eerste ingeving was om te zeggen: *Harlekijns beloven niets*, maar die regel had ze met Gabriel al overtreden.

'Ik zal mijn best doen om voorzichtig te zijn, Simon. Meer kan ik niet beloven.'

Lumbroso makte een propje van zijn servet en gooide het op tafel. 'Mijn maag reageert niet goed op het idee. Dat is een slecht voorteken.'

'Maar nu ben ik uitgehongerd,' zei Maya. 'Dus waar blijft die ober?'

# 34

De volgende avond hadden Maya en Simon voor het Pantheon afgesproken. Zij had de dag doorgebracht met het aanschaffen van apparatuur voor scubaduiken in een duikwinkel in een van de buitenwijken van de stad en had alles in twee canvas tassen gepropt. Lumbroso had ook gewinkeld. Hij had een grote lantaarn gekocht die op batterijen werkte. Het was een lantaarn zoals mijnwerkers die gebruikten in grotten. Hij keek naar de toeristen die gelato liepen te eten op het plein en glimlachte.

'De Griekse filosoof Diogenes van Sinope wandelde met een lantaarn in Athene rond om een eerlijk mens te zoeken. Wij zoeken iets wat net zo zeldzaam is, Maya. Je moet een foto nemen – één foto maar – van de aanwijzingen die ons naar een andere wereld zullen leiden.' Hij keek haar glimlachend aan. 'Zijn we er klaar voor?'

Maya knikte.

Lumbroso bracht haar naar Campo Marzio, een zijstraat bij het parlementsgebouw. Halverwege de straat bleef hij voor een deuropening staan, tussen een tearoom en een parfumerie.

'Heb je een sleutel?' vroeg Maya.

Lumbroso stak zijn hand in zijn jaszak en haalde er een bundeltje eurobankbiljetten uit. 'Dit is de enige sleutel die je nodig hebt in Rome.'

Hij klopte aan en de deur werd opengedaan door een kale oude man met rubberlaarzen aan. Lumbroso begroette de man beleefd, gaf hem een hand en overhandigde hem de steekpenningen zonder zo ordinair te zijn om over geld te beginnen. De kale man liet hen binnen, zei iets in het Italiaans en verliet toen het gebouw.

'Wat zei hij tegen je, Simon?'

'"Doe geen domme dingen en sluit af wanneer je klaar bent."'

Ze liepen de gang door naar een open binnenplaatsje dat vol lag met planken, steigerdelen en lege verfblikken. Honderden jaren lang hadden er hele families in het gebouw gewoond, maar nu stond het leeg en zaten er lelijke vlekken op het stucwerk als gevolg van de overstroming. Alle ramen waren kapot, maar er zat nog wel een traliewerk van ijzeren stangen in. De roestige tralies maakten dat het gebouw op een leegstaande gevangenis leek.

Lumbroso trok een deur open en ze liepen een trap af die vol lag met pleisterkalk. Toen ze de kelder van het gebouw bereikten, deed Lumbroso de lantaarn aan en opende een deur waarop met rode verf PERICOLO – NO ENTRI stond geschreven.

'Vanaf dit punt is er geen elektriciteit meer, dus moeten we de lantaarn gebruiken,' zei Lumbroso. 'Kijk heel goed uit waar je loopt.'

Hij hield de lantaarn laag boven de grond en liep langzaam een gang met stenen wanden in. De vloer bestond uit triplex platen die over betonnen dwarsbalken waren gelegd. Toen ze een meter of vijf gevorderd waren, bleef Lumbroso staan en knielde naast een opening in de planken. Maya stond achter hem, keek over zijn schouder en zag het Horologium Augusti.

Het opgegraven gedeelte van de zonnewijzer van de keizer was de vloer geworden van een stenen kelder van zo'n tweeënhalve meter breed en zes meter lang. Hoewel de zonnewijzer

zich onder water bevond, kon Maya het travertijnen oppervlak zien, en ook een paar bronzen lijnen en Griekse letters in het kalksteen. De Duitse archeologen hadden al het puin verwijderd en de ruimte had veel weg van een leeggeroofd heiligdom. Het enige moderne detail was een stalen ladder die van de opening tussen de triplex platen naar de vloer van de kelder voerde, drie meter lager.

'Ga jij maar eerst,' zei Lumbroso. 'Ik geef je de apparatuur aan en dan kom ik zelf met de lantaarn.'

Maya zette de twee tassen met spullen op een triplex plaat en trok haar jas, schoenen en sokken uit. Toen daalde ze via de ladder af naar de zonnewijzer. Het water was koud en ongeveer negentig centimeter diep. Lumbroso gaf Maya de tassen aan en zij hing de draagkoorden om de sporten van de ladder, zodat ze aan weerszijden van de ladder hingen.

Terwijl Simon zijn hoed afzette en zijn jas en schoenen uittrok, onderwierp Maya de kelder aan een onderzoek. Terwijl ze erdoorheen liep, klotsten kleine golfjes aan alle kanten tegen de muren. In de loop der tijd hadden de mineralen in het water de witte travertijnen zonnewijzer in platen grauw gesteente veranderd; op verschillende plaatsen zaten er putten en scheuren in. De bronzen lijnen en de Griekse symbolen die in het kalksteen waren ingelegd hadden ooit een gouden kleur gehad die schitterde in de Romeinse zon. Het metaal was nu volledig geoxideerd en de letters waren donkergroen.

'Ik houd niet van ladders,' zei Lumbroso. Hij zette eerst een voet op de bovenste sport, alsof hij even wilde testen of de ladder wel sterk genoeg was, en klom toen langzaam naar beneden, met de lantaarn in zijn hand. Maya liep naar de hoek en vond een afvoeropening in de grijze stenen muur. Het gat was ongeveer een halve meter in het vierkant en lag volledig onder water. De onderste rand ervan stond gelijk aan het oppervlak van de zonnewijzer.

'Stroomt hier het water uit?'

'Inderdaad. Daar moet je erin.' Nog gekleed in zijn witte

overhemd met lange mouwen, stropdas en zwarte pantalon, stond Lumbroso op een eigenaardig formele manier in het water. 'Zodra het te lastig wordt moet je onmiddellijk terugkomen.'

Maya liep terug naar de ladder en haalde de duikuitrusting uit de tassen. Ze had een gordel met loden gewichten, een zuurstofregulator, een duikmasker en een zuurstoffles van dertig centimeter lang en een doorsnede van ongeveer tien centimeter. Verder had ze een onderwaterlantaarn gekocht en een digitale onderwatercamera – echt zo'n ding voor een toerist die gaat snorkelen in de Bahama's.

'Die zuurstoffles ziet er wel erg klein uit,' zei Lumbroso.

'Dat heet een hulpfles. Je zei zélf dat er niet zoveel ruimte in de tunnel zou zijn.'

Maya deed eerst de gordel met gewichten om, maakte de ene kant van de regulator aan de hulpfles vast en hing het plastic koord van de camera om haar nek. De tunnel was zo smal dat ze de fles met één arm stijf tegen zich aan moest klemmen.

'Waar moet ik naar uitkijken?'

'Je moet foto's nemen van alle Latijnse of Griekse teksten aan de buitenste rand van de zonnewijzer. Sommige van die teksten zullen steden in de antieke wereld beschrijven, en andere een spirituele locatie – een toegang.'

'En wat doe ik als de woorden bedekt zijn met puin?'

'Dat kun je wegvegen, als je maar zorgt dat je de muren niet aanraakt.'

Maya trok het duikmasker voor haar gezicht, zette de zuurstoftoevoer aan en begon door het mondstuk te ademen.

'Succes,' zei Lumbroso. 'En wees alsjeblieft voorzichtig.'

Ze knielde op de vloer en stak haar gezicht onder water. Toen ging ze plat op de grond liggen en gleed naar de opening in de muur. Maya hoorde haar eigen ademhaling, de luchtbelletjes uit de regulator, en het schrapende geluid van de rand van de hulpfles die ze meetrok over de kalkstenen vloer.

Toen ze bij de opening was, stak ze haar arm uit en richtte

de zaklantaarn op de duisternis voor haar. In de loop der tijd had het stromende water een ondergrondse tunnel uitgesleten in de puinhopen van het verleden. De wanden van de tunnel waren een bonte verzameling stenen, Romeinse bakstenen en brokken wit marmer. Het zag er kwetsbaar uit, alsof alles zo kon instorten, maar het echte gevaar werd gevormd door het moderne tijdperk. Om de verzwakte fundering van het gebouw te ondersteunen had iemand stalen stangen diep in de grond geslagen. De punten van die stangen staken de tunnel in als de punten van roestige zwaarden.

Zich voortduwend met haar tenen, gleed Maya de tunnel in. Toen ze omhoogkeek naar de stenen en de stalen punten, had ze het gevoel dat Rome zich met zijn volle gewicht vlak boven haar hoofd bevond. Ze drukte haar lichaam tegen de travertijn vloer van de zonnewijzer, maar kon geen bronzen woorden ontdekken.

De regulator maakte een schrapend geluid. Luchtbelletjes stegen op langs haar gezicht. Centimeter voor centimeter kroop ze verder, tot haar hele lichaam zich in de tunnel bevond. De tunnel was zo laag en smal dat ze zich onmogelijk om kon draaien. Om terug te keren naar de kelderruimte zou ze zich naar achteren moeten duwen met haar handen.

*Vergeet je angst*, had Thorn haar geleerd. *Concentreer je op je zwaard*. Ze had nooit het gevoel gehad dat haar vader ooit twijfelde. En toch had hij twee jaar in Rome doorgebracht en geprobeerd aan zijn lot te ontkomen. Maya zette alles behalve de tunnel uit haar gedachten en schoof nog dieper de tunnel in.

Ze had een meter of drie, vier afgelegd toen de tunnel een bocht naar rechts maakte. Onder een van de stalen stangen door schuivend, belandde ze in een breder gedeelte dat wel een onderaardse grot leek. Hier leek het oppervlak van de zonnewijzer donkerder, maar toen ze nog wat dichterbij kroop, zag ze dat de vloer was ingelegd met bronzen woorden in zowel Grieks als Latijn.

Met de lamp in haar linkerhand pakte Maya met haar rech-

terhand de onderwatercamera en begon foto's te nemen. Telkens wanneer ze haar lichaam bewoog, vormden zich schaduwen, om even later weer te verdwijnen.

Tijdens het naar voren kruipen liet ze per ongeluk de zuurstoffles los, zodat hij de zijkant van de tunnel raakte. Er kwam wat steengruis los van de muur dat over de zonnewijzervloer rolde. Het stelde niet veel voor – hooguit een paar zwarte steentjes – maar ze voelde een steek van angst.

Er viel nog wat zand en stenen uit de muur. Een flinke kei kwam op de vloer terecht en rolde naar haar toe. Ze nam snel nog een paar foto's en probeerde voorzichtig terug te schuiven, maar opeens viel er een stuk uit het plafond dat vlak voor haar op de grond terechtkwam.

Het water was donker van het zand. Maya probeerde weg te komen, maar iets hield haar tegen. Terwijl ze haar best deed om niet in paniek te raken, drukte ze haar handen plat op de marmeren vloer en zette zich hard af. Er volgde een explosie van luchtbelletjes en er stroomde water in haar mond.

Ze had de zuurstofslang doorgesneden aan een van de stalen punten. Er was geen zuurstof meer om in te ademen en ze kon niet weg. Haar zaklamp was ze kwijt en ze worstelde in totale duisternis. Maya zette haar tanden om het mondstuk, reikte over haar schouder en zocht de twee uiteinden van de kapotte zuurstofslang. Het gedeelte dat in verbinding stond met haar mond zat vol water, maar door het stuk dat nog aan de fles vastzat borrelde lucht. Ze drukte de twee uiteinden tegen elkaar en hield ze in haar vuist op hun plek. Uit het mondstuk begon lucht vermengd met water te stromen. Maya slikte het water door en zoog de zuurstof in haar longen.

Met beide uiteinden van de slang stevig in haar rechterhand geklemd, duwde ze zich met haar linkerhand naar achteren. Ze voelde het korrelige zand onder haar voeten. Als een toeschouwer die naar een auto-ongeluk staat te kijken, distantieerde haar geest zich van de situatie teneinde kalm te kunnen observeren en conclusies te kunnen trekken. Ze was volledig

blind en over een minuut of wat zou de zuurstoftank leeg zijn. Om dit te overleven moest ze de tunnel zien te vinden die terugleidde naar de kelderruimte.

Zodra haar voeten de zijkant van de tunnel voelden, hield ze stil en schoof haar lichaam opzij. Maya concentreerde zich op de korrelige structuur van het gevallen steengruis. Haar leven was teruggebracht tot een piepklein deeltje bot en bloed en weefsel.

Alles in het werk stellend om een nieuwe instorting te voorkomen, kroop ze centimeter voor centimeter achteruit. De luchtautomaat maakte een zacht gorgelend geluid en toen proefde ze iets op haar tong dat haar aan as deed denken. Ze probeerde in te ademen, maar er kwam niets in haar longen. De kapotte slang had de tank vroegtijdig leeggezogen.

Maya stak haar armen uit, duwde zich naar achteren en haar tenen voelden de bocht in de tunnel. Ze zette door en bad dat ze niet achter een van de stalen punten bleef hangen. Ze had het gevoel dat haar hersenen trager werkten en vroeg zich af of ze op het punt stond het bewustzijn te verliezen.

Een paar tellen later voelde ze handen om haar enkels. Met een snelle ruk trok Lumbroso haar uit de tunnel.

'Wat is er gebeurd?' vroeg hij. 'Ik zag allemaal zand uit de tunnel komen. Ben je gewond? Is alles in orde?'

Maya rukte haar duikmasker af, spuwde het mondstuk uit en hapte naar adem. Haar longen brandden en het voelde alsof iemand haar in haar maag had gestompt. Lumbroso bleef maar tegen haar praten, maar ze slaagde er niet in te antwoorden. Ze kon maar één ding denken: *Ik leef nog.*

De onderwatercamera bungelde aan het plastic koord en ze overhandigde hem het toestel alsof het een kostbare edelsteen was.

De volgende ochtend om een uur of acht zat Maya op een caféterras op het Piazza San Lorenzo in Lucina. Het piazza bevond zich op nog geen honderd meter van de ingang van het leeg-

staande gebouw waaronder de zonnewijzer verborgen lag. Vlak onder haar voeten lagen restanten van het verleden en stroomden geheime rivieren door de duisternis.

Als ze haar ogen dichtdeed, zag ze zichzelf weer vastzitten in die onderwatertunnel, maar ze voelde er niets voor om te veel bij dat moment stil te staan. Ze leefde nog en ze verkeerde nog in deze wereld. Alles om haar heen leek tegelijkertijd doodgewoon en heel erg mooi. Ze legde even haar hand op het marmeren tafelblad terwijl een jonge Italiaanse ober haar een kop cappuccino kwam brengen en een stuk perziktaart, versierd met een takje munt. De korst van de taart was luchtig en bros en ze genoot van de zoete perziksmaak op haar tong. Hoewel haar zwaardkoker aan de rugleuning van het gietijzeren stoeltje hing, voelde ze de idiote drang om hem gewoon te laten hangen en als een doodgewone vrouw over het plein te slenteren en allerlei winkeltjes binnen te lopen om aan parfums te ruiken en zijden sjaals te proberen.

Net toen ze haar taartje op had, kwam Lumbroso aangelopen. Hij droeg zijn gebruikelijke donkere kleding en hield een leren portefeuille onder zijn arm geklemd. '*Buon giorno,* Maya. *Come sta?* Wat een genoegen je vanochtend weer te zien.' Hij ging zitten en bestelde een cappuccino.

'Vorige week zag ik een toerist om vijf uur 's middags een cappuccino bestellen. We zijn hier in Rome, niet in een Starbucks! De ober was diep beledigd. In alle trattoria's zouden bordjes moeten hangen: "Het is ten strengste verboden na tien uur 's ochtends een cappuccino te bestellen."'

Maya glimlachte. 'En een espresso?'

'Een espresso is wel toegestaan.' Hij sloeg de portefeuille open en haalde er een map uit vol glanzende foto's. 'Ik heb de foto's gisteravond nog gedownload en op fotopapier uitgeprint. Je hebt het prima gedaan, Maya. Ik kon alles heel duidelijk lezen.'

'Stond er iets over een "poort"?'

'De zonnewijzer combineerde locaties die wij, moderne men-

sen, als "echt" zouden beschouwen met plekken die je met een andere wereld verbonden. Kijk hier maar eens naar...' Hij legde een foto voor haar neer. 'Het is geschreven in het Latijn en verwijst naar *Aegyptus* – de Romeinse benaming voor Egypte. Na de dood van Cleopatra werd Egypte ingelijfd bij het Romeinse Rijk. Rechts van deze Latijnse inscriptie staan woorden in het Grieks.'

Lumbroso overhandigde haar nog een foto en nam een slokje van zijn cappuccino. Maya bestudeerde een foto waarop zowel Griekse als Latijnse woorden te zien waren.

'De inscriptie gebruikt een woord dat "ingang" of "poort" betekent.' Lumbroso pakte de foto en begon te vertalen. 'De poort naar God werd van *Ludaea* overgebracht naar *Ta Netjer* – het Land van God.'

'Met andere woorden, we hebben geen idee waar die poort is.'

'Daar ben ik het niet mee eens. De aanwijzingen zijn zo duidelijk als een van die stadsgidsen waar toeristen mee door Rome sjouwen. *Ludaea* is de Romeinse naam voor de provincie waartoe Jeruzalem behoorde. *Ta Netjer* – het Land van God – werd ook wel *Poent* genoemd. Men neemt aan dat dit Noord-Ethiopië is.'

Maya haalde haar schouders op. 'Ik begrijp er niets van, Simon. Hoe kan een poort – een toegang – draagbaar zijn?'

'Er is maar één beroemd voorwerp dat van Jeruzalem naar Ethiopië werd gebracht. Het is een "poort" die, in onze moderne tijd, ook wel de Ark des Verbonds wordt genoemd.'

'De ark is een legende,' zei Maya. 'Net zoiets als Atlantis of koning Arthur.'

Lumbroso boog zich naar voren en zei op zachte toon: 'De boeken over koning Arthur heb ik niet bestudeerd, maar over de Ark des Verbonds weet ik wel heel veel. Het is een kist van acaciahout, overtrokken met bladgoud, met een massief gouden deksel, een *kapporet* genaamd. De Bijbel vermeldt zelfs de afmetingen van dit heilige voorwerp. Het is ongeveer één meter tien lang en vijfenzestig centimeter breed.

De ark is vervaardigd door de Israëlieten ten tijde van hun verblijf in de woestijn. Hij had een ereplaats in de eerste tempel, gebouwd door Salomon. Algemeen wordt aangenomen dat de ark de Tien Geboden bevatte, maar mij lijkt het logischer dat het een soort toegangspunt was. De ark werd bewaard in het "Heilige der Heiligen" – in het hart van de tempel.'

'Maar die tempel is toch verwoest door de Assyriërs?'

'Waarschijnlijk bedoel je de Babyloniërs.' Lumbroso glimlachte. 'Het enige feit dat in alle bronnen overeenkomt is dat de ark zich niet in de tempel bevond toen Nebukadnezar Jeruzalem verwoestte. De Babyloniërs hielden gedetailleerde lijsten bij van hun buit, maar daar kwam de ark niet op voor. De beroemde Koperen Rol – een van de Dode-Zeerollen die in 1947 zijn gevonden – maakt uitdrukkelijk melding van het feit dat de *Mishkan*, de draagbare tempel voor de ark, vóór de invasie uit de tempel werd weggehaald.

Er zijn mensen die denken dat Josia de ark ergens in Israël verborg, maar de inscriptie op de zonnewijzer verwijst naar de legende dat hij naar Ethiopië werd gebracht door Menelik de Eerste, de zoon van Salomo en de koningin van Sheba. Dat wisten de Romeinen toen zij de inscriptie aanbrachten.'

'Dus de ark is in Afrika?'

'Dat is niet bepaald een geheim, Maya. Je kunt er op het internet zo een stuk of tien verschillende boeken op naslaan. De ark bevindt zich op dit moment in de Kerk van de Heilige Maria van Zion in de Noord-Ethiopische stad Aksum. Hij wordt bewaakt door een groep Ethiopische priesters, en slechts één priester mag het heiligdom betreden.'

'Je theorie heeft één probleem,' zei Maya. 'Als de ark in Ethiopië is, waarom heeft Israël dan nooit geprobeerd hem terug te krijgen of te beschermen?'

'O, maar dat hebben ze wel degelijk gedaan. In 1972 is een groep archeologen van het Israël Museum naar Ethiopië gevlogen. Ze kregen toestemming van keizer Haile Selassie om bepaalde historische voorwerpen te bestuderen. Er heerste

destijds een rampzalige droogte in de provincie Wollo en de keizer zat te springen om internationale hulp.

Deze archeologen reisden naar de kloosters aan het Tanameer en naar de stad Aksum. Vreemd genoeg hebben ze echter nooit verslag uitgebracht of een verklaring afgelegd. Twee weken na hun terugkeer in Jeruzalem begon Israël militaire en humanitaire hulp aan Ethiopië te verlenen. Die hulp duurde voort tot na de dood van de keizer in 1975 en zelfs nog tot op de dag van vandaag.' Lumbroso glimlachte en dronk zijn cappuccino op. 'De Israëli's lopen niet met deze hulp te koop en dat doen de Ethiopiërs al evenmin. Want er is natuurlijk geen enkele politieke reden om geld te geven – tenzij je in de ark gelooft.'

Maya schudde haar hoofd. 'Misschien hebben een paar geschiedkundigen deze theorie verzonnen en wil een handjevol Ethiopische priesters er graag in geloven. Maar waarom hebben de Israëli's de ark dan niet gewoon met zich meegenomen naar Jeruzalem?'

'Omdat de ark zich in een tempel bevindt die niet langer bestaat. Op dit moment wordt de plek ingenomen door de Koepel van de Rots: dat is de plek waar de profeet Mohammed opvoer naar het paradijs. Als de ark naar Jeruzalem zou terugkeren, zouden bepaalde fundamentalistische groeperingen – zowel christelijke als joodse – de Koepel van de Rots willen afbreken en de tempel willen herbouwen. Dat zou een oorlog ontketenen waarbij alle eerdere conflicten zouden verbleken.

De mannen en vrouwen die Israël leiden zijn vrome joden, maar het zijn tevens pragmatici. Hun doel is het voortbestaan van het Joodse volk – niet het beginnen van een Derde-Wereldoorlog. Het is voor iedereen het beste als de ark in Ethiopië blijft en dat de mensen geloven dat hij duizenden jaren geleden vernietigd is.'

'En wat als ik naar Ethiopië ga?' vroeg Maya. 'Ik kan toch niet zomaar naar dat heiligdom lopen en eisen dat ik de ark mag zien.'

'Natuurlijk niet. Daarom moet ik met je mee. De afgelopen jaren heb ik veel kunstvoorwerpen gekocht van een Ethiopische jood, Petros Semo genaamd. Ik zal hem vragen ons in Addis Abeba op te wachten en ons te helpen met de priesters te praten.'

'En de Ark is een "poort" die mij naar het Eerste Rijk zal brengen?'

'Misschien wel naar alle rijken die je wilt. Daar zijn de teksten het niet over eens. Het schijnt zo te zijn dat je je geest vooruit moet sturen en hem dan moet volgen. Volgens mij wil dat zeggen dat je er graag naartoe moet willen – dat je het met heel je hart moet willen. Op dit punt hebben we de geschiedenis en de wetenschap al ver achter ons gelaten. Als je door die poort gaat, verlaat je onze realiteit.'

'Maar zal ik Gabriel daar vinden?'

'Dat weet ik niet.'

'En wat als ik hem niet kan vinden? Kan ik dan naar deze wereld terugkeren?'

'Ook dat weet ik niet, Maya. Als je de klassieke mythen over de onderwereld bestudeert, zijn ze het over één ding eens – je moet op dezelfde manier terug als je gekomen bent.'

Maya keek uit over het piazza en de schoonheid die haar nog maar enkele minuten geleden zo in haar ban had gehad. Ze had Gabriel beloofd altijd bij hem te blijven. Als ze haar eigen beloftes niet nakwam, verloor dat moment tussen hen elke betekenis.

'En hoe komen we in Ethiopië?'

Lumbroso stopte de foto's weer in hun mapje. 'Allereerst bestellen we nog een cappuccino.' Hij knikte naar de ober en wees op hun lege kopjes.

# 35

In Zuid-Engeland was het voorjaar begonnen. Toen Michael het balkon op de tweede verdieping van Wellspring Manor op liep, zag hij dat er lichtgroene blaadjes begonnen te verschijnen aan de beuken die de omringende heuvels bedekten. Pal onder hem verlieten de gasten van het tuinfeest het huis om wat door de rozentuin te wandelen. Kelners in witte jasjes serveerden glazen mousserende wijn en canapés, terwijl een strijkkwartet *De vier jaargetijden* speelde. Hoewel het gistermiddag nog had geregend, was deze zondag zo stralend en warm dat de hemel er een beetje namaak uitzag – een blauw zijden tent die speciaal was opgezet om het feestje droog te houden.

Wellspring was één van vele bezittingen van de Evergreen Foundation. Terwijl de eerste twee verdiepingen waren gereserveerd voor openbare activiteiten, was de bovenste verdieping een privésuite die werd bewaakt door beveiligingspersoneel. Michael had de afgelopen acht dagen in het landhuis doorgebracht. Gedurende die tijd had mevrouw Brewster hem zowel de openbare als de privédoelen uiteengezet van het Jonge Wereldleiders Programma. De legerkolonels en politie-

beambten die nu toastjes met krab stonden te proeven in de rozentuin, brachten een bezoek aan Engeland om te leren hoe zij het terrorisme de kop in moesten drukken. Gedurende drie dagen vol cursussen kregen zij alles te horen over internetcontrole, bewakingscamera's, RFID-chips en totale informatiesystemen.

Het tuinfeest was de afsluiting van dit leerproces. De leiders zouden kennismaken met afvaardigingen van allerlei bedrijven die stonden te popelen om deze nieuwe technologie in onderontwikkelde landen toe te passen. Elke leider ontving een speciaal lederen mapje voor alle visitekaartjes die ze na het eerste glas wijn in hun handen gedrukt kregen.

Toen Michael over het balkon leunde zag hij mevrouw Brewster door de menigte lopen. Haar turkooisblauwe rok en jasje vielen op tussen de sombere zakenkostuums en olijfgroene militaire uniformen. Van een afstandje leek zij net een katalysatormolecuul dat was toegevoegd aan een glas vol verschillende chemicaliën. Door hier en daar een praatje te maken en afscheid te nemen met een kus, vormde zij nieuwe connecties tussen de jonge leiders en diegenen die hen hun diensten wilden aanbieden.

Hij verliet het balkon en liep door de openslaande deuren een ruimte binnen die ooit de ouderslaapkamer was geweest. Nu lag zijn vader hier midden in de kamer op een operatietafel. Witte gipsen cupidootjes keken vanaf het plafond op hem neer. Matthew Corrigans hoofd was kaalgeschoren en in zijn hersenen waren sensoren aangebracht. De hartslag en de temperatuur van het lichaam werden voortdurend in de gaten gehouden. Een van de neurologen had al gezegd dat de verloren gewaande Reiziger 'zo dood was als je bij leven maar kon zijn'.

Het zat Michael niet lekker dat hij telkens naar deze kamer bleef terugkeren om naar het bewegingloze lichaam op de tafel te kijken. Hij voelde zich net een bokser die zijn tegenstander in een hoek van de ring heeft gedreven. Het leek alsof het ge-

vecht was afgelopen, maar op de een of andere manier had zijn vader een schijnbeweging gemaakt en was van hem weggedanst.

'Dit is dus de beroemde Michael Corrigan,' zei een bekende stem.

Toen Michael over zijn schouder keek zag hij Kennard Nash in de deuropening staan. Nash droeg een blauw kostuum met een speldje van de Evergreen Foundation op zijn revers.

'Hallo, generaal. Ik dacht eigenlijk dat je nog steeds op Dark Island zat.'

'Gisteravond was ik nog in New York, maar ik kom altijd langs voor de afscheidsceremonie van het Jonge Wereldleiders Programma. Bovendien wilde ik mr. Boone's nieuwste aanwinst wel eens zien...' Nash slenterde naar de tafel en bekeek Matthew Corrigan.

'Dus dit is werkelijk jouw vader?'

'Ja.'

De generaal stak zijn wijsvinger uit en prikte ermee in Matthews gezicht. 'Ik moet eerlijk bekennen dat ik een beetje teleurgesteld ben. Ik had gedacht dat hij een indrukwekkender verschijning zou zijn.'

'Als hij nog actief was geweest, had hij ongetwijfeld een aanzienlijk verzet tegen het Schaduwprogramma in Berlijn weten te mobiliseren.'

'Maar dat gaat er nu niet van komen, is 't wel?' Nash lachte spottend en deed geen enkele poging zijn minachting te verbergen. 'Ik begrijp dat je de raad van bestuur hebt gemanipuleerd en hen bang hebt gemaakt voor een levenloos lichaam op een tafel. Wat mij betreft zijn Reizigers geen relevante factor meer. Dat geldt ook voor jou – en je broer.'

'Ga maar eens met mevrouw Brewster praten. Volgens mij help ik de Broeders onze doelstellingen te bereiken.'

'Ik heb over je verschillende voorstellen gehoord en ik ben niet onder de indruk. Mevrouw Brewster heeft altijd in onze zaak geloofd, maar ik ben van mening dat ze er bepaald geen

goed aan heeft gedaan door jou toe te staan door Europa te reizen en een heleboel onzin uit te kramen.'

'Jij bent anders degene die me aan de raad van bestuur heeft voorgesteld, generaal.'

'Dat is een vergissing die ik binnenkort goed zal maken. Het wordt hoog tijd dat jij teruggaat naar het onderzoekscentrum, Michael. Of misschien kun je je vader gezelschap gaan houden in een ander rijk. Ik bedoel, dat is immers wat Reizigers doen? Of niet soms? Jullie zijn gewoon genetische freaks. Net als onze splitsers.'

De deuren naar het balkon stonden nog steeds open, en Michael hoorde hoe het strijkkwartet tot een zachte, melodieuze afsluiting kwam. Een paar tellen later klonk er een hoog gepiep van de geluidsapparatuur en galmde de stem van mevrouw Brewster uit een draagbare luidspreker.

'Wel-kom,' zei ze, beide lettergrepen van het woord duidelijk uitsprekend. 'Het is een prachtige dag en een passend besluit van dit driedaagse symposium van het Jonge Wereldleiders Programma. Ik voel me buitengewoon geïnspireerd – nee, niet alleen geïnspireerd – ik ben oprecht ontroerd door de opmerkingen die ik vanmiddag in de tuin om me heen heb gehoord....'

'Zo te horen begint mevrouw Brewster aan haar gebruikelijke toespraakje.' Nash stak zijn handen in zijn zakken en liep naar de deur. 'Ga je mee?'

'Dat lijkt me niet nodig.'

'Nee, natuurlijk niet. Je bent immers niet écht een van ons. Of wel soms?'

Generaal Nash beende met grote passen weg terwijl Michael bij het lichaam van zijn vader bleef staan. Het dreigement van Nash was absoluut gemeend, maar Michael voelde zich uiterst kalm. Hij was niet van plan weer in een bewaakte kamer te gaan zitten, of om weer weg te zweven naar een ander rijk. Hij had nog tijd om iets te ondernemen. Hij had al een verbond gesloten met mevrouw Brewster. Nu moest hij nog een paar

andere leden van de Broeders aan zijn kant proberen te krijgen. Het kostte Michael tegenwoordig geen enkele moeite meer om met mensen te praten. Nu hij in staat was de subtiele veranderingen in iemands gezichtsuitdrukking waar te nemen en te interpreteren, kon hij iedereen met zijn woorden in de goede richting duwen.

'Waarom heb jij daar geen gebruik van gemaakt?' vroeg hij aan zijn vader. 'Dan had je aan geld kunnen komen. Of aan macht. Of aan wat dan ook. In plaats daarvan moesten we ons altijd verbergen...'

Michael wachtte op antwoord, maar zijn vader zweeg. Zich afwendend van het lichaam verliet Michael de kamer en keerde terug naar het balkon. Buiten was nog steeds mevrouw Brewster aan het woord.

'Jullie zijn allemaal echte idealisten,' zei mevrouw Brewster. 'En ik neem mijn petje af voor jullie kracht en wijsheid. Jullie hebben geen gehoor gegeven aan de stompzinnige slogans van de pleitbezorgers van de zogenaamde "deugd" van de vrijheid. Vrijheid voor wie? Voor criminelen en terroristen? De fatsoenlijke hardwerkende mensen van deze wereld willen orde, geen mooie woorden. Ze hunkeren naar een krachtig leiderschap. Ik dank God dat jullie er allemaal klaar voor zijn om deze uitdaging aan te gaan. In de loop van het volgende jaar zal een Europees land de eerste stap zetten naar een ordelijke controle van zijn bevolking. Het succes van dit programma zal een voorbeeld zijn voor regeringen over de gehele wereld.'

Mevrouw Brewster hief haar wijnglas. 'Ik breng een toost uit op vrede en stabiliteit.'

Uit de menigte steeg een respectvol gemompel op. Overal in de rozentuin schitterden glazen in het zonlicht.

# 36

Nadat zij Alice op het eiland hadden achtergelaten onder de hoede van de nonnen, keerden Hollis en Moeder Blessing terug naar Londen. Hollis had nog maar vierentwintig uur in de stad vertoefd, maar had toch al een plan. Een van de freerunners, een universiteitsstudent die Sebastian heette, was naar het huis van zijn ouders in Zuid-Engeland gevlucht, maar Jugger en Roland bleven waar ze waren. Jugger liep al een uur door een tweekamerappartement in Chiswick te ijsberen en druk gebarend de Tabula uit te foeteren. Roland zat op een houten kruk en leunde naar voren, met zijn handen op zijn knieën. Toen Hollis hem vroeg wat er door hem heen ging, zei de man uit Yorkshire op zachte, dreigende toon: 'Dat ze zullen boeten voor wat ze hebben gedaan.'

Om zes uur ging Hollis terug naar de drumwinkel om op Gabriel te passen. Jugger arriveerde vier uur later en dwaalde wat door de zaak, hier en daar een Afrikaans beeldje bekijkend en met zijn vingers op de trommels roffelend.

'Ik kijk mijn ogen uit,' zei hij. 'Alsof je in hartje Kongo zit.'

Toen het tegen middernacht liep begon de freerunner nerveus te worden. Hij at aan de lopende band chocoladerepen en

telkens wanneer hij een geluid hoorde keek hij verschrikt om.

'Weten ze dat ik kom?'

'Nee,' zei Hollis.

'Waarom niet?'

'Er is geen enkele reden om bang te zijn. Je moet hun gewoon vertellen wat je mij hebt verteld.'

'Ik ben heus niet bang.' Jugger rechtte zijn rug en hield zijn buik in. 'Ik heb het alleen niet zo op die Ierse. Echt zo iemand die je al vermoordt als je in haar gezicht hoest.'

Het deurslot maakte een klikkend geluid en een paar tellen later stonden Linden en Moeder Blessing in de winkel. Geen van beide Harlekijns leek blij te zijn Jugger te zien. Moeder Blessing liep instinctief de winkel door om de ingang te bewaken van het geheime appartement waar Gabriels lichaam in de duisternis lag.

'Zo te zien heb je een nieuwe vriend gemaakt in Londen, Mr. Wilson. Ik kan me alleen niet herinneren dat ik je aan hem heb voorgesteld,' zei Moeder Blessing.

'Toen Maya terugkwam naar Londen heeft zij Jugger en zijn vrienden van de dood gered. Zij heeft me verteld waar zij zich verscholen hielden. Zoals je weet heeft Gabriel een toespraak gehouden voor de freerunners. Hij heeft hun gevraagd uit te zoeken wat de Tabula van plan waren.'

'En daarom hebben die mannen dus geprobeerd ons om zeep te helpen,' zei Jugger. 'Ik denk dat sommige mensen te vaak hun mobieltjes hebben gebruikt of informatie hebben uitgewisseld via het internet. Maar voordat ze het huis in de as legden hebben we nog wel wat cruciale informatie weten te bemachtigen.'

Moeder Blessing keek sceptisch. 'Ik kan me niet voorstellen dat iemand zoals jij iets cruciaals weet.'

'De Tabula presenteren zich naar de buitenwereld als de Evergreen Foundation,' zei Jugger. 'Ze doen genetisch onderzoek en halen buitenlandse politiemensen naar Engeland om hun te leren mensen op te sporen via het internet.'

'Wij weten alles van het Jonge Wereldleiders Programma,' zei Moeder Blessing. 'Dat programma is al enkele jaren gaande.'

Jugger ging tussen een trommel van zebrahuid en een houten beeldje van een regengod staan. 'Onze vrienden in Berlijn zeggen dat de Evergreen Foundation bezig is met een bètaversie van een computerprogramma dat Schaduw wordt genoemd. Ze gebruiken gegevens van RFID-chips en bewakingscamera's om iedereen die zich in de stad bevindt te volgen. Als het in Berlijn goed uitpakt, gaan ze het in heel Duitsland toepassen en vervolgens ook in de rest van Europa.'

Linden keek Moeder Blessing aan. 'Berlijn is een goede locatie voor hen. Daar is op dit moment hun computercentrum gevestigd.'

'En wij weten waar dat centrum zich bevindt,' zei Jugger. 'Ene Tristan, ook een freerunner, heeft het gebouw gevonden. Het staat in een wijk die in de tijd van de Berlijnse Muur een strook niemandsland was.'

'Meer hoeven we op dit moment nog niet te weten. Bedankt voor je komst, Jugger.' Hollis hield de deur van de winkel voor hem open. 'Ik spreek je nog.'

'Je weet waar je me kunt vinden.' Jugger slenterde naar de deur. 'Er is één ding dat ik graag wil weten – is alles in orde met Gabriel?'

'Maak je geen zorgen,' zei Linden. 'Hij wordt goed bewaakt.'

'Daar twijfel ik niet aan. Alleen moeten jullie je wel realiseren dat de freerunners het nog steeds over hem hebben. Hij heeft ons het gevoel gegeven dat er toch nog een klein beetje hoop is.'

Toen Jugger de winkel had verlaten waren ze weer met z'n drieën. Moeder Blessing hing haar zwaardkoker goed over haar schouder en liep de winkel door. 'Nu gaat hij zijn vrienden misschien wel over deze plek vertellen. Dat betekent dat we de Reiziger zullen moeten verplaatsen.'

'Is dat het enige wat je te zeggen hebt?' vroeg Hollis. 'Gaan we niets doen met zijn informatie?'

'Wat er in Berlijn gebeurt gaat ons niet aan.'

'Als het Schaduwprogramma werkt, zal elke regering ter wereld het gaan gebruiken.'

'Technologie is onontkoombaar,' zei Moeder Blessing.

Hollis concentreerde zich op het zilveren medaillon dat om zijn nek hing en een ijzige woede veranderde de toon van zijn stem. 'Jullie denken maar wat je wilt – ren de hele wereld maar rond met die verdomde zwaarden – maar ik ben niet van plan de Tabula te laten winnen.'

'Ik wens gehoorzaamheid van jou, Mr. Wilson. Geen initiatief. Blinde gehoorzaamheid en tomeloze moed.'

'Heb je me daarom naar Ierland laten komen om Vicki's lichaam te zien?' vroeg Hollis. 'Zodat je me in een volmaakt soldaatje kon veranderen?'

Moeder Blessing glimlachte kil. 'Kennelijk heeft het niet gewerkt.'

'Ik wil de mensen kapotmaken die Vicki hebben vermoord. Maar ik heb mijn eigen manier om zulke zaken aan te pakken.'

'Je kent de geschiedenis van de Tabula en de Harlekijns niet. Dit conflict is al duizenden jaren gaande.'

'En moet je zien wat er is gebeurd. Jullie Harlekijns zitten zo vastgeroest in het verleden – in al die kleine tradities – dat jullie de strijd hebben verloren.'

Linden ging op een bankje zitten. 'Ik denk niet dat we helemaal verslagen zijn. Maar we bevinden ons wel op een keerpunt. Het wordt tijd om iets te doen.'

Moeder Blessing draaide zich bliksemsnel om naar de andere Harlekijn. Hoewel haar gezicht een strak masker was, waren haar donkergroene ogen fel en geconcentreerd. 'Dus nu sta jij aan Mr. Wilsons kant?'

'Ik sta aan niemands kant, maar het is tijd om de vijand te trotseren. De Tabula vrezen ons niet langer, madam. We hebben ons te lang verborgen gehouden.'

Met haar hand op haar zwaard beende Moeder Blessing de overvolle ruimte door. Hollis had het idee dat ze iemand wilde vermoorden, alleen maar om te bewijzen dat ze nog leefde. 'Heb je een voorstel?' vroeg ze aan Hollis.

'Ik wil naar Berlijn gaan, contact leggen met de plaatselijke freerunners en het Schaduwprogramma vernietigen.'

'En dat ga je helemaal in je eentje doen?'

'Daar ziet het wel naar uit.'

'Dat lukt je nooit – tenzij je een Harlekijn bij je hebt. Voor een succesvol plan heb je absoluut mijn medewerking nodig.'

'En als ik nu eens niet wil dat je meegaat?' vroeg Hollis.

'Je hebt geen keus, Mr. Wilson. Wat jij nu zegt is dat je een bondgenoot wilt zijn, geen huurling. Oké, die verandering van status wil ik accepteren. Maar zelfs bondgenoten hebben supervisie nodig.'

Hollis wachtte enkele ogenblikken en knikte toen. Moeder Blessing leek zichtbaar te ontspannen en lachte naar Linden. 'Ik kan me niet voorstellen waarom Mr. Wilson niet met mij naar Berlijn zou willen gaan. Ik ben gewoon een hele aardige Ierse dame van middelbare leeftijd...'

'*Oui, madame. Une femme Irlandaise*... met een vlijmscherp zwaard.'

# 37

Met willekeurige tussenpozen haalden de man met de blonde vlechten en de zwarte man in de witte laboratoriumjas Gabriel uit zijn cel om hem mee de trap af te sleuren, naar de sportzaal van de school. De lange, smalle ruimte had nog tribunes langs de wand en een houten vloer met rode lijnen langs de randen. In plaats van voor basketbal en badminton, werd de zaal nu gebruikt voor het martelen van gevangenen.

De hel kende heel nieuwe vormen van martelen. Alle technieken om mensen pijn te doen, bang te maken en te vernederen waren in Gabriels wereld al eens gebruikt. Langgeleden hadden de wolven al kennisgenomen van de vier barrières die hun eigen rijk scheidden van de andere; hun martelsysteem correspondeerde met deze barrières van lucht, vuur, water en aarde.

Voor de ondervraging die geïnspireerd was door lucht, werden er touwen aan Gabriels polsen gebonden en werden zijn armen op zijn rug getrokken. Vervolgens werden de touwen aan de basketbalring bevestigd, waarna hij omhoog werd gehesen tot hij een centimeter of tien boven de grond bungelde. 'Vlieg je lekker?' vroegen de mannen. 'Vlieg nog maar wat

verder.' Dan gaf iemand hem een duw en zwaaide Gabriel heen en weer terwijl zijn armen bijna uit de kom werden getrokken.

Voor vuur werden metalen stangen verhit in een gasvlam en vervolgens tegen zijn huid gedrukt. Voor water werd zijn hoofd diep in een teil met water geduwd en pas losgelaten wanneer hij water in zijn longen had gezogen.

De 'aarde'-ondervraging was zo mogelijk nog afschrikwekkender. Op een dag werd hij geblinddoekt zijn cel uit gesleept naar een stukje land achter de school. Iemand had een stoel met een rechte rugleuning op de bodem van een diepe put in de grond gezet. Gabriel werd aan de stoel vastgebonden en dan begonnen zijn ondervragers hem – tergend langzaam – levend te begraven.

Eerst verdwenen zijn voeten onder de koude aarde en even later kwam de aarde tot aan zijn benen, middel en borst. Zo nu en dan stopten de twee wolven even en stelden hem dezelfde vragen: *Waar is de doorgang? Hoe kunnen we die vinden? Wie kent er een manier om hier weg te komen?* Ten slotte bereikte de aarde Gabriels gezicht en voordat de twee mannen hem weer uitgroeven was hij eerst even helemaal bedekt, zodat hij bij elke ademhaling aarde in zijn neus kreeg.

Gedurende al deze beproevingen vroeg Gabriel zich af of zijn vader ook gevangen was genomen. Misschien hield een andere groep op het Eiland hem vast, of misschien had Matthew de doorgang naar huis inmiddels eindelijk gevonden. Gabriel probeerde te bedenken welke les zijn vader van deze plek had geleerd. Het was geen verrassing tot de ontdekking te komen dat haat en woede een blijvende kracht hadden, maar dat er toch nog mededogen in zijn hart was.

Gabriel weigerde de karige etensrestjes te accepteren die naar zijn cel werden gebracht en de hongerige bewakers schrokten alles op wat er in de kom bleef liggen. Geleidelijk aan begon hij te verzwakken, maar zijn herinneringen aan Maya bleven. Hij zag de intense gratie van haar lichaam toen

zij samen trainden in het appartement in New York. Hij kon zich de verdrietige blik in haar ogen herinneren en de manier waarop haar huid aanvoelde tegen de zijne toen ze de liefde bedreven in de kapel. Al die momenten waren verdwenen – voor altijd verloren – maar soms leken ze echter dan de dingen om hem heen.

De blonde man noemde zich Mr. Dewitt en de zwarte man was Mr. Lewis. Ze waren enorm trots op hun namen, alsof het hebben van een naam inhield dat ze een uitgebreid verleden hadden en een mogelijke toekomst. Lewis had, misschien wel vanwege die laboratoriumjas van hem, een rustige, serieuze manier van doen. Dewitt was net een grote jongen op een schoolplein. Soms, wanneer de twee mannen hun gevangene door de gangen sleurden, vertelde Dewitt een mop, waarom hij dan erg moest lachen. Beide wolven waren doodsbang voor de commissaris van de patrouilles, die in dit deel van de stad de macht had over leven en dood.

De tijd verstreek en hij werd weer eens naar de sportzaal gebracht, waar de teil met water al voor hem klaarstond. De mannen bonden Gabriels polsen met een eind touw voor zijn lichaam vast en opeens keek hij naar hen op.

'Vinden jullie eigenlijk dat het goed is om dit te doen?'

Beide mannen keken hem verbaasd aan – alsof die vraag hen nog nooit was gesteld. Ze keken elkaar aan en toen schudde Lewis zijn hoofd. 'Er bestaat geen goed of kwaad op dit eiland.'

'Wat hebben jullie ouders je geleerd toen jullie klein waren?'

'Niemand is hier opgegroeid,' bromde Dewitt.

'Stonden er geen boeken in de schoolbibliotheek? Een boek over filosofie, of over religie – zoals de Bijbel?'

De mannen keken elkaar aan alsof ze een geheim deelden; toen stak Lewis zijn hand in de zak van zijn laboratoriumjas en haalde er een losbladig schoolschrift uit, vol met vlekkerige pagina's.

'Dit is wat wij een bijbel noemen,' legde hij uit. 'Toen het vechten eenmaal was begonnen, realiseerden bepaalde mensen zich dat zij vermoord zouden worden. Voor zij stierven, schreven ze boeken waarin ze vertelden waar wapens lagen opgeslagen en hoe hun vijanden vernietigd moesten worden.'

'Het is een soort lesboek waaruit je kunt leren hoe je een volgende keer machtiger kunt worden,' vertelde Dewitt. 'Er zijn mensen die in de hele stad bijbels verstoppen, zodat ze ze terug kunnen vinden aan het begin van de volgende cyclus. Heb je al die woorden en cijfers niet gezien die overal op muren staan geschilderd? Dat zijn bijna allemaal aanwijzingen waar bijbels en wapens te vinden zijn.'

'Sommige mensen zijn wel heel erg slim,' zei Lewis. 'Die schrijven valse bijbels die expres de verkeerde adviezen geven.' Hij overhandigde het boek behoedzaam aan Gabriel. 'Misschien kan jij ons vertellen of dit een valse bijbel is.'

Gabriel pakte het schrift aan en sloeg het open. De bladzijden stonden volgekrabbeld met instructies over hoe je aan wapens kon komen en waar je de beste verdedigende posities kon innemen. Sommige pagina's stonden vol met ellenlange verklaringen waarom de hel bestond en wie daar behoorde te leven.

Gabriel gaf het schrift terug aan Lewis. 'Ik kan je ook niet vertellen of hij echt is of niet.'

'Ja,' mompelde Dewitt. 'Niemand weet hier ooit iets.'

'Er bestaat hier maar één regel,' zei Lewis. 'Je doet alleen wat goed is voor jezelf.'

'Ik zou maar eens gaan nadenken over een andere strategie,' zei Gabriel. 'Uiteindelijk worden jullie ook doodgeschoten door de commissaris van de patrouilles. Hij gaat ervoor zorgen dat hij de allerlaatste overlevende is.'

Dewitts gezicht vertrok als dat van een klein jongetje. 'Oké. Dat is best mogelijk, alleen kunnen we er helemaal niets aan doen.'

'We zouden elkaar kunnen helpen. Als ik nu eens een deur

zou vinden waardoor we hier weg kunnen, dan kunnen jullie met me meekomen.'

'Denk je dan dat je dat kan?' vroeg Lewis.

'Ik hoef alleen de doorgang maar te vinden. De commissaris zei dat de meeste legendes het hebben over de ruimte waarin de schoolarchieven staan.'

De wolven keken elkaar aan. Hun angst voor de commissaris was bijna groter dan hun verlangen om hier weg te komen.

'Misschien... misschien zou ik je ernaartoe kunnen brengen om even snel rond te kijken,' zei Dewitt.

'Als jij het Eiland verlaat, dan ga ik ook,' zei Lewis. 'Laten we nu meteen gaan. Iedereen is weg, op zoek naar kakkerlakken...'

De twee mannen maakten Gabriels polsen los en hielpen hem op te staan. Ze hielden zijn armen stevig vast toen ze de sportzaal verlieten en snel door de verlaten gangen naar de archiefruimte liepen. Angstig en heel voorzichtig openden de wolven de deur en trokken hem mee naar binnen.

De archiefruimte was sinds zijn laatste bezoek niet veranderd. Het enige licht kwam van de kleine vlammetjes aan de kapotte gasleidingen. Hoewel Gabriel veel pijn had, wist hij zijn hoofd er toch goed bij te houden. Er was iets in deze kamer. Een uitweg. Toen hij over zijn schouder keek, zag hij dat Dewitt en Lewis naar hem stonden te kijken alsof hij een goochelaar was die op het punt staat een spectaculaire truc uit te voeren.

Langzaam schuifelde hij door het gangpad langs de metalen dossierkasten. Toen hij en Michael klein waren speelden ze op regenachtige dagen vaak een spelletje met hun moeder. Zij verstopte ergens in huis een klein voorwerp en zij gingen het vervolgens zoeken terwijl zij hun af en toe vertelde of ze 'koud' of 'warm' waren. Het ene gangpad uit, het andere weer in. Er was iets bij het bureau in het midden van de kamer. *Warm*, dacht hij. *Warmer. Nee, nu ga je de verkeerde kant op.*

Opeens vloog de deur van de archiefruimte open. Voordat

Lewis en Dewitt iets konden doen, kwam er een groep gewapende mannen binnen.

'Neem hun wapens af,' zei een stem. 'Laat ze niet ontsnappen.' De mannen grepen de twee verraders vast en op dat moment kwam de commissaris binnen, met zijn pistool.

# 38

Terwijl de Eurostar trein in razende vaart een helling afreed en de tunnel binnen denderde die onder het Kanaal door voerde, staarde Hollis uit het raampje. De eersteklas treinwagon leek op de cabine van een passagiersvliegtuig. Een Franse steward duwde een karretje door het gangpad en serveerde een ontbijt van croissants, sinaasappelsap en champagne.

Naast hem zat Moeder Blessing in een grijs kostuum en met een bril op haar neus. Haar weerspannige rode haar zat in een keurige wrong achter op haar hoofd. Zoals ze daar de gecodeerde e-mail op haar laptop zat te lezen, zag ze eruit als een bankier die op weg is naar een klant in Parijs.

Hollis was onder de indruk geweest van de efficiënte manier waarop de Ierse Harlekijn hun reis naar Berlijn had georganiseerd. Binnen achtenveertig uur na hun gesprek in de drumwinkel van Winston Abosa had Hollis een zakelijk kostuum, een vervalst legitimatiebewijs en documentatie in zijn bezit voor zijn nieuwe identiteit als een vanuit Londen opererende filmdistributeur.

Toen de trein de tunnel weer verliet, reden zij verder in oostelijke richting door Frankrijk. Moeder Blessing zette haar

computer uit en bestelde een glas champagne bij de steward. Iets in haar arrogante manier van doen zorgde ervoor dat mensen hun hoofd bogen wanneer ze haar bedienden. 'Kan ik verder nog iets voor u doen, madam?' vroeg de steward op zalvende toon. 'Ik heb gezien dat u niet hebt ontbeten...'

'Je hebt je werk uitstekend gedaan,' zei Moeder Blessing. 'Wij hebben verder niets meer nodig.' Met de in een wit servet gewikkelde champagnefles in zijn hand liep de steward weer verder door het gangpad.

Voor het eerst sinds zij uit Londen waren vertrokken, draaide Moeder Blessing zich om naar Hollis en bevestigde daarmee het feit dat er een ander menselijk wezen naast haar zat. Een paar weken geleden zou hij misschien naar haar hebben geglimlacht en hebben geprobeerd deze moeilijke vrouw voor zich te winnen, maar nu was alles anders. Zijn woede om Vicki's dood was zo intens en onverbiddelijk dat het soms voelde alsof een boosaardige geest bezit had genomen van zijn lichaam.

De Ierse Harlekijn nam een gouden kettinkje van haar hals. Er hing een zwart, plastic voorwerp aan ter grootte van een potloodstompje. 'Alsjeblieft, Mr. Wilson. Dit is een flash drive. Indien wij erin slagen binnen te komen in het computercentrum van de Tabula, is het jouw taak om hem in een USB-uitgang te steken. Het toetsenbord hoef je niet eens aan te raken. De drive is geprogrammeerd om automatisch te uploaden.'

'Wat staat hierop opgeslagen?'

'Wel eens van een banshee gehoord? Dat is een wezen dat in de buurt van Ierse huizen luidkeels staat te jammeren voordat er iemand sterft. Welnu, dit is het Banshee-virus. Het vernietigt niet alleen alle gegevens op een hoofdcomputer, maar ook de computer zelf.'

'Hoe kom je eraan? Van de een of andere hacker?'

'De autoriteiten schuiven de schuld van computervirussen graag in de schoenen van zeventienjarige jongetjes, maar ze weten intussen heel goed dat de ergste virussen afkomstig zijn van onderzoeksteams van de overheid of criminele groepen.

Dit virus heb ik gekocht van voormalige IRA-soldaten die nu in Londen wonen. Zij zijn gespecialiseerd in afpersingspogingen op websites voor gokkers.'

Hollis hing het kettinkje om zijn nek en stak de flash drive onder zijn overhemd, waar hij naast Vicki's zilveren medaillon kwam te hangen. 'En wat als dit virus op het internet terechtkomt?'

'Dat is uiterst onwaarschijnlijk. Het is speciaal ontworpen voor een onafhankelijk systeem.'

'Maar het zou kunnen?'

'Er kunnen zoveel onaangename dingen gebeuren in deze wereld. Dat is mijn probleem niet.'

'Zijn alle Harlekijns zo egocentrisch als jij?'

Moeder Blessing zette haar bril af en wierp Hollis een doordringende, kritische blik toe. 'Ik ben niet egocentrisch, Mr. Wilson. Ik concentreer me op een paar doelen en zet al het andere van me af.'

'Heb je dat altijd zo gedaan?'

'Ik hoef mezelf tegenover jou niet te verantwoorden.'

'Ik probeer alleen te begrijpen waarom iemand een Harlekijn wordt.'

'Ik had er ook voor weg kunnen lopen, maar dit leven past bij me. Harlekijns hebben zich bevrijd van de onbenullige ergernissen van het dagelijks leven. Wij maken ons geen zorgen om houtrot in de kelder of de creditcardafrekening van deze maand. We hebben geen geliefden die boos op ons kunnen worden omdat we te laat thuiskomen, of vrienden die zich beledigd voelen omdat we nooit terugbellen. Behalve aan onze zwaarden zijn we aan geen enkel voorwerp gehecht. Zelfs onze namen zijn niet belangrijk. Naarmate ik ouder word, moet ik mezelf ertoe zetten om de meest recente naam in mijn paspoort te onthouden.'

'En daar word je gelukkig van?'

'"Geluk" is zo'n veelvuldig misbruikt woord dat het bijna geen enkele betekenis meer heeft. Natuurlijk bestaat geluk,

maar het is een moment dat meteen weer weg is. Als je de gedachte accepteert dat de meeste Reizigers een positieve verandering teweegbrengen in deze wereld, dan heeft het leven van een Harlekijn dus *betekenis*. Wij verdedigen het recht van de mensheid om te groeien en zich te ontwikkelen.'

'Jullie verdedigen de toekomst?'

'Ja, zo zou je het kunnen zeggen.' Moeder Blessing dronk haar champagne op en zette haar glas op het klaptafeltje. Toen zij Hollis aankeek, voelde hij de scherpe geest achter haar ruwe persoonlijkheid. 'Lijkt je dat een interessant leven? De meeste Harlekijns komen uit bepaalde families, maar soms accepteren we buitenstaanders.'

'Die Harlekijns kunnen me gestolen worden. Het enige wat ik wil is de Tabula laten boeten voor wat ze Vicki hebben aangedaan.'

'Zoals je wilt, Mr. Wilson. Maar ik waarschuw je uit eigen ervaring: sommige verlangens vinden nooit bevrediging.'

Om tien uur 's ochtends kwamen ze aan op station Gare du Nord, waar ze een taxi namen naar de noordoostelijke buitenwijk Clichy-sous-Bois. Het was een wijk met voornamelijk sociale woningbouw – hoge, grauwe gebouwen en smalle straatjes vol videotheken en slagerijen. Overal zag je de geblakerde restanten van uitgebrande auto's en de enige vrolijke kleuren in de wijk waren die van lakens en babykleertjes die aan waslijnen te drogen hingen. Hun Franse chauffeur deed de portieren van de taxi op slot en zo reden zij langs vrouwen in chadors en duistere groepjes jonge mannen in grote sweatshirts met capuchons.

Moeder Blessing instrueerde de chauffeur hen af te zetten bij een bushalte en bracht Hollis vervolgens door een keienstraatje naar een Arabische boekwinkel. De winkeleigenaar nam zonder een woord te zeggen een envelop met geld aan en overhandigde Moeder Blessing een sleutel. Zij liep via een achterdeur de winkel uit en gebruikte de sleutel om het hangslot aan

een metalen garagedeur open te maken. In de garage stond een recent model Mercedes Benz. Voor alles was gezorgd. De auto had een volle tank, er stonden flesjes water in de bekerhouders en het sleuteltje zat al in het contactslot.

'Hoe zit het met het kenteken?'

'Hij is eigendom van een lege bv met een adres in Zürich.'

'En wapens?'

'Die liggen achterin.'

Moeder Blessing opende de kofferbak en haalde er een kartonnen verzenddoos uit met daarin haar Harlekijnzwaard en een zwarte canvas tas. Ze stopte de laptop in de tas en Hollis zag dat er al een grote draadtang, instrumenten om sloten open te maken en een busje vloeibare stikstof voor het uitschakelen van infrarode bewegingsdetectors inzaten. Verder lagen er twee aluminium koffertjes in de kofferbak. Ze bevatten een in België gefabriceerd halfautomatisch pistool en twee 9mm automatische pistolen met holsters.

'Hoe kom je aan al die spullen?'

'Wapens zijn altijd en overal verkrijgbaar. Het is net een veemarkt in Kerry. Je zoekt een verkoper en onderhandelt over de prijs.'

Moeder Blessing verdween naar de badkamer en kwam even later terug in een zwarte wollen pantalon en een trui. Ze opende de gereedschapstas en haalde er een elektrische schroevendraaier uit. 'Ik ga de zwarte doos van de wagen onklaar maken. Die staat in verbinding met de airbag.'

'Waarom? Die slaat toch informatie op bij ongelukken?'

'Dat was oorspronkelijk de bedoeling ervan.' De Harlekijn opende het portier aan de kant van de bestuurder en ging op de stoel liggen. Toen begon ze het plastic paneeltje onder het stuur los te schroeven. 'Aanvankelijk waren de zogenaamde datarecorders alleen bedoeld voor ongelukken en toen begonnen autoverhuurbedrijven de elektronische controle te gebruiken om bestuurders te identificeren die te hard reden. Tegenwoordig wordt bij alle nieuwe auto's de zwarte doos aan de

gps gekoppeld. Nu weten ze dus niet alleen waar je auto is, maar kunnen ze ook zien of je gas geeft of juist afremt en of je je gordel wel om hebt.'

'Hoe hebben ze dat voor elkaar gekregen?'

Moeder Blessing trok het paneeltje weg, zodat het airbagsysteem zichtbaar werd. 'Als privacy een grafsteen had zou erop kunnen staan: "Maak je geen zorgen. Dit was voor je eigen bestwil".'

Ze draaiden de A2 op en reden de Franse grens over en België in. Terwijl Moeder Blessing zich op de weg concentreerde, verbond Hollis een satelliettelefoon met de computer en belde Jugger in Londen. Jugger had weer een nieuw bericht ontvangen van een paar freerunners in Berlijn. Zodra Hollis en Moeder Blessing in de stad arriveerden, moesten ze naar deze mensen gaan in een flat aan de Auguststrasse.

'Heeft hij namen genoemd?' vroeg Moeder Blessing.

'Het gaat om twee freerunners, Tristan en Kröte.'

Moeder Blessing glimlachte. 'Kröte is het Duitse woord voor pad.'

'Het is maar een bijnaam, dat is alles. Ik bedoel – laten we wel wezen – jij wordt Moeder Blessing genoemd.'

'Daar heb ik niet zelf voor gekozen. Ik ben opgegroeid in een gezin met zes kinderen. Mijn oom was een Harlekijn en mijn familie koos mij uit om de traditie voort te zetten. Mijn broers en zussen zijn burgers geworden met een baan en een gezin. Ik leerde mensen vermoorden.'

'Ben je daar kwaad om?'

'Soms lijkt je wel een psycholoog, Mr. Wilson. Is dat iets typisch Amerikaans? Als ik jou was, zou ik maar niet te lang stilstaan bij iemands kindertijd. Wij leven in het heden en worstelen ons naar de toekomst.'

Toen ze de Duitse grens passeerden nam Hollis het stuur van haar over. Tot zijn grote verbazing gold er op de Duitse Auto-

bahn geen snelheidslimiet. De Mercedes reed al 160 kilometer per uur en nog werd hij ingehaald door andere auto's. Na uren gereden te hebben verschenen er borden langs de weg waarop Dortmund, Bielefeld, Magdeburg en ten slotte Berlijn stonden aangegeven. Hollis nam afslag zeven naar Kaiserdamm en een paar minuten later reden ze over de Sophie-Charlotten-Strasse. Het liep tegen middernacht. Wolkenkrabbers van staal en glas schitterden van het licht, maar er waren niet veel mensen op straat.

Ze parkeerden in een zijstraat en haalden hun wapens uit de kofferbak. Ze verborgen allebei een 9mm automatisch pistool onder hun kleding. Moeder Blessing stak haar Harlekijnzwaard in een metalen koker met een schouderband, terwijl Hollis het halfautomatische pistool in de gereedschapstas stopte.

Hollis vroeg zich af of hij vannacht ging sterven. Hij voelde zich leeg vanbinnen, afgesneden van zijn eigen leven. Misschien was dat wat Moeder Blessing in hem had gezien; hij was kil genoeg om een Harlekijn te worden. Het was een kans om de toekomst te verdedigen, maar Harlekijns zouden altijd worden opgejaagd. Geen vrienden. Geen geliefden. Geen wonder dat Maya zo'n eenzame, gekwelde blik in haar ogen had.

Het adres aan de Auguststrasse bleek een armoedig gebouw van vijf verdiepingen te zijn. Op de begane grond bevond zich Ballhaus Mitte, oorspronkelijk een danszaal die nu echter was overgenomen door een restaurant en een nachtclub. Een hele rij jonge Duitsers stond te wachten om naar binnen te mogen. Ze rookten sigaretten en keken toe hoe één stelletje hartstochtelijk stond te zoenen. Toen de deur openging kwam er een golf van harde elektronische muziek naar buiten.

'Wij gaan naar 4B,' zei Moeder Blessing.

Hollis keek op zijn horloge. 'We zijn een uur te vroeg.'

'Het is altijd goed om te vroeg te zijn. Als je je contactpersoon nog niet kent, moet je nooit op het afgesproken tijdstip verschijnen.'

Hollis volgde haar het gebouw in en een trap op. Kennelijk was in het hele gebouw de bedrading vervangen, want de muren waren opengebroken en er lag een dikke laag stof op de grond. De muziek van de nachtclub begon al zachter te klinken, tot hij uiteindelijk helemaal verdween.

Op de derde verdieping gaf Moeder Blessing hem een teken met haar hand. *Stil. Maak je klaar.* Hollis legde zijn hand op de deurknop van appartement 4B en realiseerde zich dat hij niet op slot zat. Hij keek over zijn schouder. Moeder Blessing had haar automatische pistool getrokken en hield het dicht tegen haar borst. Toen hij de deur openduwde, stormde de Harlekijn een verlaten kamer binnen.

De flat stond vol afgedankte meubels: een bank zonder poten, twee oude matrassen en wat losse tafels en stoelen. Alle muren van de flat waren versierd met foto's van freerunners die radslagen in de lucht maakten, achterwaartse salto's en onwaarschijnlijke sprongen van het ene gebouw naar het andere. Het leek wel of de jonge mannen en vrouwen op de foto's geen last hadden van de zwaartekracht.

'Wat nu?' vroeg Hollis.

'Nu wachten we af.' Moeder Blessing stak het pistool weer in haar schouderholster en ging op een keukenstoel zitten.

Om exact één uur in de ochtend klauterde er iemand omlaag langs de gevel van het Ballhaus. Toen Hollis uit het raam keek zag hij twee benen in de lucht bungelen en even later vond de linkervoet van de klimmer steun op een sierlijst. Hij ging op de vensterbank staan, trok het raam omhoog en sprong de kamer in. De klimmer was een jaar of zeventien. Hij droeg een gescheurde spijkerbroek en een sweatshirt met een capuchon. Zijn lange zwarte haar was zo gevlochten dat het op dreadlocks leek en op de rug van zijn handen had hij geometrische tatoeages.

Een paar tellen later verscheen er een ander stel benen voor het raam. De tweede freerunner was een jongen van een jaar of elf, twaalf. Hij had een grote bos bruine krullen die hem het

uiterlijk gaven van een verwilderd kind dat is opgegroeid in het bos. Aan zijn riem droeg hij een mp3-speler en op zijn hoofd een koptelefoon.

Nadat de jongen de kamer was binnengekomen, maakte zijn oudere vriend een buiging. Zijn bewegingen hadden iets overdrevens; hij had iets weg van een acteur die zich voortdurend bewust is van zijn publiek.

'*Guten Abend*. Welkom in Berlijn.'

'Ik ben niet onder de indruk van jullie klimtalent,' zei Moeder Blessing. 'De volgende keer moet je maar gewoon de trap gebruiken.'

'Het leek me wel een snelle manier om te laten zien wat wij kunnen. Wij maken deel uit van de Spandauploeg van freerunners. Ik ben Tristan en dit is mijn neefje, Kröte.'

Het jongetje met de krullen stond met zijn hoofd te knikken op de maat van de muziek die hij had gedownload. Opeens had hij in de gaten dat iedereen naar hem keek. Hij keek verlegen en deinsde naar achteren, in de richting van het raam. Hollis vroeg zich af of Kröte van plan was via het raam te ontsnappen.

'Spreekt hij Engels?' vroeg Hollis.

'Een paar woordjes.' Hij richtte zich tot zijn neefje. 'Kröte! Spreek Engels!'

'Multidimensionaal,' fluisterde de jongen.

'*Sehr gut!*' Tristan lachte trots. 'Dat heeft hij op het internet geleerd.'

'En zo hebben jullie ook over het Schaduwprogramma gehoord?'

'Nee. Die informatie komt uit de freerunnergemeenschap. Onze vriendin Ingrid werkte voor een bedrijf dat Personal Customer heet. Volgens mij was ze wel goed in haar werk, want een man die Lars Reichhardt heet heeft haar gevraagd voor zijn afdeling te komen werken. Iedereen in het team kreeg een kleine taak en niemand mocht informatie met collega's uitwisselen. Twee weken geleden kreeg Ingrid toegang tot

een ander deel van het systeem en zo is ze erachter gekomen wat het Schaduwprogramma inhield. En toen kregen we dus die e-mail van de Engelse freerunners.'

'Hollis en ik moeten binnen zien te komen in het computercentrum,' zei Moeder Blessing. 'Kun jij ons helpen?'

'Natuurlijk!' Tristan spreidde zijn handen alsof hij hun een geschenk aanbood. 'Wij brengen jullie ernaartoe.'

'Moeten we tegen muren op klimmen?' vroeg Moeder Blessing. 'Ik heb geen touwen bij me.'

'We hebben geen touwen nodig. We gaan onder de straten door. In de Tweede Wereldoorlog zijn er duizenden bommen op Berlijn gevallen, maar Hitler zat veilig in zijn bunker. De meeste bunkers en tunnels bestaan nog steeds. Kröte is ze al sinds zijn negende aan het verkennen.'

'Jullie hebben zeker geen tijd om naar school te gaan?' zei Hollis.

'We gaan wel naar school – af en toe. Daar zijn de meisjes en bovendien voetbal ik graag.'

Een paar minuten later verlieten ze met z'n vieren het Ballhaus en staken de rivier over. Kröte droeg een nylon rugzakje met zijn uitrusting voor onder de grond. Als een padvinder met een woeste haardos sprong hij voor zijn neef uit.

Na een brede laan te zijn afgelopen die langs de Tiergarten liep, bereikten ze het Gedenkteken voor de Vermoorde Joden van Europa. Het Holocaustmonument was een enorme, schuin aflopende vlakte die vol stond met betonnen pilaren van verschillende hoogtes. Hollis vond ze eruitzien als duizenden grijze doodskisten. Tristan vertelde hun dat de antigraffitichemicaliën waarmee de pilaren waren behandeld, geleverd waren door een filiaal van het bedrijf dat het Zyklon-B had geproduceerd dat in de gaskamers was gebruikt.

'In oorlogstijd maakten ze gifgas. In vredestijd bestrijden ze graffitikunstenaars.' Tristan haalde zijn schouders op. 'Het maakt allemaal deel uit van de Grote Machine.'

Aan de overkant van het monument bevond zich een hele rij souvenirwinkels en cafés. Het gebouw zag eruit alsof het was opgetrokken uit triplex en een paar glasplaten. Kröte rende langs een Dunkin' Donuts en verdween om de hoek van het gebouw. Even later troffen ze de jongen aan terwijl hij bezig was een hangslot open te maken aan een stalen luik in het beton.

'Hoe kom je aan die sleutel?' vroeg Moeder Blessing.

'Vorig jaar hebben we het oorspronkelijke slot eraf gehaald en er een ander op gezet.'

Kröte maakte zijn rugzak open en haalde er drie zaklantaarns uit. Zelf zette hij een voorhoofdlamp op met een extra sterke lamp erin.

Ze trokken het luik open en daalden af langs een stalen ladder. Hollis klom met één hand aan de sporten, terwijl hij met de andere de gereedschapstas tegen zijn borst geklemd hield. Ze bereikten een onderhoudstunnel vol communicatiekabels en Kröte maakte opnieuw een hangslot open aan een onopvallende stalen deur.

'Hoe komt het dat niemand jou die sloten heeft zien vervangen?' vroeg Hollis.

'Mensen van de gemeente wagen zich hier niet. De enigen die hier komen zijn onderzoekers zoals wij. Het is hier beneden heel donker en eng. Het is *altes Deutschland*. Het verleden.'

Eén voor één liepen ze door de open deur een gang in met een betonnen vloer. Nu bevonden ze zich pal onder het monument, in de bunker die tijdens de bombardementen werd gebruikt door Joseph Goebbels en zijn staf. Hollis had iets indrukwekkenders verwacht – met een dikke laag stof bedekt kantoormeubilair en een nazivlag aan de muur. In plaats daarvan verlichtten hun lantaarns wanden van grijzig wit geschilderde betonblokken, met de woorden *Rauchen Verboten* erop.

'De verf is fluorescerend. Na al die jaren werkt het nog steeds.'

Kröte liep langzaam heen en weer door de gang, en richtte zijn lichtstraal op de wanden. 'Licht,' zei hij zachtjes.

Tristan vroeg Hollis en Moeder Blessing hun zaklantaarns uit te doen. In het donker zagen ze dat Krötes bewegingen een felgroene streep op de muur achterlieten, die drie, vier tellen opgloeide en dan weer vervaagde.

Ze zetten hun zaklantaarns weer aan en vervolgden hun weg door de bunker. In een van de kamers stond een oud bed, zonder matras. Weer een andere ruimte zag eruit als een klein ziekenhuisje, met een witte onderzoekstafel en een leeg glazen kastje.

'De Russen verkrachtten de vrouwen van Berlijn en roofden bijna alles,' zei Tristan. 'Er is maar één plek in deze bunker die ze ongemoeid lieten. Misschien waren ze te lui, of was het te gruwelijk om aan te zien.'

'Waar heb je het over?' vroeg Moeder Blessing.

'Toen de Russen kwamen pleegden duizenden Duitsers zelfmoord. En waar deden ze dat? Op het toilet. Dat was een van de weinige plekken waar je alleen kon zijn.'

Kröte stond bij een open deur, waarnaast op de muur het woord *Waschraum* stond geschilderd. Pijlen wezen twee kanten op: *Männer* en *Frauen*. 'De botten liggen nog in de toilethokjes,' zei Tristan. 'Ga maar kijken – als je durft.'

Moeder Blessing schudde haar hoofd. 'Daar hebben we geen tijd voor.'

Maar Hollis kon het niet laten de jongen te volgen, drie treden op en een deur door die naar de damestoiletten leidde. In de twee lichtbundels was een rij houten toilethokjes zichtbaar. De deuren waren gesloten en Hollis had het gevoel dat ze de sporen van meer dan één zelfmoord aan het zicht onttrokken. Kröte deed een paar stappen naar voren en wees. Aan het eind van de ruimte stond een van de houten deuren op een kier. Door de opening stak een gemummificeerde hand, die eruitzag als een zwarte klauw. Hollis had het idee in het land der doden te zijn beland. Hij beefde over zijn hele lichaam en haastte zich terug naar de gang.

'Heb je die hand gezien?'

'Ja, die heb ik gezien.'

'En hier is heel Berlijn dus op gebouwd,' zei Tristan. 'Boven op de doden.'

'Het zal me worst wezen,' zei Moeder Blessing op bitse toon. 'Laten we gaan.'

Aan het einde van de gang bevond zich weer een metalen luik, dat niet op slot zat. Tristan greep het handvat en trok het open. 'Nu gaan we het oude rioleringssysteem binnen. Omdat dit gebied vlak bij de Muur lag, hebben zowel Oost- als West-Duitsland er nooit iets mee gedaan.'

Ze klommen omlaag in een rioolbuis met een doorsnede van ruim twee meter. Er druppelde water op de bodem van de buis. Hun zaklantaarns beschenen het oppervlak en deden het schitteren. Vanaf de bovenkant van de buis hingen zoutstalactieten als witte draden naar beneden. Ook groeiden er witte zwammen en een eigenaardig soort schimmel dat op gelige klodders vet leek. Door het water plenzend, leidde Kröte hen verder. Bij een afslag draaide hij zich om, om op hen te wachten. De lamp op zijn voorhoofd leek te fladderen als een vuurvliegje.

Ten slotte bereikten ze een veel kleinere buis die uitkwam op het grote systeem. Kröte begon in het Duits tegen zijn neef te praten, wees op de buis en gebaarde met zijn handen.

'Hier is het. Nu moeten jullie een meter of tien die buis in kruipen en daar een doorgang forceren.'

'Waar heb je het over?' Moeder Blessing keek Tristan woedend aan. 'Je hebt beloofd dat jullie ons er helemaal naartoe zouden brengen.'

'Wij wagen ons niet in een Tabula-computercentrum,' zei Tristan. 'Veel te gevaarlijk.'

'Het echte gevaar staat hier voor je, jongeman. Ik houd niet van mensen die hun beloftes niet nakomen...'

'Maar we bewijzen jullie een dienst!'

'Dat zijn jouw woorden, niet de mijne. Ik weet alleen dat jullie een *verplichting* zijn aangegaan.'

De kille blik in de ogen van de Harlekijn en haar afgemeten

manier van praten waren behoorlijk intimiderend. Tristan hield op met heen en weer springen en bleef doodstil staan. Kröte keek zijn neef angstig aan.

Toen kwam Hollis naar voren. 'Laat mij eerst maar eens even poolshoogte gaan nemen.'

'Ik blijf hier tien minuten wachten, Mr. Wilson. Als je dan nog niet terug bent, zal dat niet zonder consequenties blijven.'

# 39

Hollis kroop door de horizontale buis naar een lichtpuntje in de verte. De buis was heel smal en onder zijn handen voelde hij een slijmerige vloeistof die aanvoelde als motorolie vermengd met water. Even later bereikte hij een metalen afwateringsrooster dat in de bovenkant van de buis was geplaatst. Het licht in de ruimte boven hem werd door het rooster verdeeld in kleine vierkantjes en hij lag er vlak onder.

Hij boog zijn hoofd zodat zijn kin zijn borst raakte en kwam toen omhoog tot hij het rooster tegen de bovenkant van zijn rug voelde. Het stalen rooster was ongeveer zeven centimeter dik en heel zwaar, maar hij had sterke benen en het rooster leek niet vastgeschroefd te zitten. Hollis duwde omhoog tot het rooster loskwam uit het frame. Toen tilde hij zijn handen op en duwde het een eindje naar rechts. Toen er een opening van tien centimeter was ontstaan, veranderde hij van houding en schoof het rooster zijwaarts over de vloer.

Hollis hees zich uit de rioolbuis en trok onmiddellijk zijn wapen. Hij stond in een ondergrondse gang waardoor allemaal elektriciteitskabels en waterleidingen liepen. Toen er

niets gebeurde, liet hij zich weer in de buis zakken en kroop terug naar Moeder Blessing en de twee freerunners.

'Deze buis voert naar een onderhoudsruimte. Het ziet er veilig uit. Er is daar niemand.'

Tristan keek opgelucht. 'Ziet u nu wel?' zei hij tegen Moeder Blessing. 'Alles is prima in orde.'

'Dat betwijfel ik ten zeerste,' zei ze en overhandigde de gereedschapstas aan Hollis.

'Kunnen wij nu weg?'

'Bedankt,' zei Hollis. 'En wees voorzichtig.'

Tristan had alweer iets van zijn zelfvertrouwen terug. Hij maakte een buiging en Kröte schonk Hollis een brede glimlach. 'Veel succes gewenst door de Spandau Freerunners!'

Hollis sleepte de gereedschapstas door de buis, en Moeder Blessing volgde hem op een paar meter afstand. Toen ze allebei in de onderhoudsruimte stonden, drukte de Harlekijn haar mond tegen zijn oor. 'Zachtjes praten,' fluisterde ze. 'Het kan zijn dat ze stemsensoren hebben.'

Voorzichtig liepen ze de gang door naar een zware stalen deur met een gleuf voor een sleutelkaart. Moeder Blessing zette de gereedschapstas op de grond en ritste hem open. Ze haalde het halfautomatische pistool eruit en een soort creditcard met een dun elektriciteitssnoertje eraan. De Harlekijn plugde het snoertje in haar laptop, tikte een commando in en stak het kaartje in de gleuf.

Meteen zagen ze zes blauwe vierkantjes op het beeldscherm verschijnen. Het duurde ongeveer een minuut voordat er in het eerste vierkantje een getal van drie cijfers verscheen, maar daarna ging het sneller. Ongeveer vier minuten later waren alle zes de vierkantjes gevuld en klikte het slot open.

'Gaan we naar binnen?' fluisterde Hollis.

'Nog niet. We ontkomen hier niet aan bewakingscamera's, dus hebben we een beschermend schild nodig.' Ze pakte iets wat op een kleine videocamera leek. 'Draag dit op je schouder.

Wanneer ik de deur opendoe, druk je op het zilveren knopje.'

Terwijl Moeder Blessing de gereedschapstas weer inpakte, plaatste Hollis het apparaat op zijn rechterschouder en richtte het naar voren.

'Klaar?'

Met het automatische pistool in haar hand duwde Moeder Blessing voorzichtig de deur open. Hollis stapte in de deuropening, zag een bewakingscamera en drukte op het knopje van het schild alsof hij een video-opname maakte. Een infrarode lichtstraal scheen de gang in. De straal raakte de retroreflecterende lens van een bewakingscamera en het infrarode licht werd teruggekaatst naar de bron. Toen de positie van de camera eenmaal was bepaald, werd er automatisch een groene laserstraal op de cameralens gericht.

'Blijf daar niet staan,' zei Moeder Blessing. 'Lopen.'

'En die camera dan?'

'Laat dat maar aan de laser over. Als er ergens een beveiligingsmedewerker op zijn monitor zit te kijken, ziet hij alleen maar een lichtflits op zijn scherm.'

Ze haastten zich de gang door en een hoek om. Het schild nam opnieuw een camera waar en zond een laserstraal naar de lens. Aan het einde van de gang bevond zich een tweede deur, die naar een brandtrap leidde. Ze liepen naar boven en bleven daar weer even staan.

'Ben je er klaar voor?' vroeg Moeder Blessing.

Hollis knikte. 'Toe maar.'

'Ik heb veel te lang op dat ellendige eiland gezeten,' zei Moeder Blessing. 'Dit is veel leuker.'

Ze duwde de deur open en ze betraden een kelderruimte vol machines en communicatieapparatuur. Een wit looppad op de vloer leidde naar een balie waarachter een beveiligingsmedewerker een boterhammetje zat te eten

'Blijf hier,' zei Moeder Blessing tegen Hollis. Ze overhandigde hem het automatische geweer, stapte uit de schaduwen en liep met ferme tred naar de balie. 'Maak je geen zorgen!

Het komt allemaal in orde! Je hebt dat telefoontje toch wel gekregen?'

Met zijn boterham in zijn hand schudde de bewaker zijn hoofd. 'Welk telefoontje?'

De Ierse Harlekijn trok haar pistool onder haar jas vandaan en schoot. De kogel trof de man midden in de borst en hij viel achterover uit zijn stoel. Moeder Blessing liep gewoon door. Ze stak het wapen weer in haar holster en liep om de balie heen naar een stalen deur.

Hollis haalde de Harlekijn in. 'Geen deurknop.'

'Hij wordt elektronisch bediend.' Moeder Blessing bestudeerde een metalen kastje aan de muur. 'Dit is een handaderscanner die gebruikmaakt van infrarood licht. Zelfs al hadden we dit geweten, dan was het nog moeilijk geweest een duplicaat te maken. De meeste aderen zijn niet zichtbaar onder de huid.'

'Dus wat doen we nu?'

'Wanneer je door beveiligingsbarrières wilt breken, zijn de keuzes ofwel lowtech of heel hightech.'

Moeder Blessing pakte het halfautomatische geweer uit Hollis' handen, haalde het reservemagazijn uit de gereedschapstas en stak het magazijn tussen haar riem en haar broekband. De Harlekijn richtte het wapen op de deur en gaf Hollis een teken om opzij te gaan. 'Hou je vast. We houden ons even gedeisd.'

Ze vuurde. Stukken hout en metaal vlogen door de lucht toen kogels een gapend gat sloegen in de linkerkant van de deur. Terwijl Moeder Blessing het reservemagazijn in haar wapen schoof, stak Hollis zijn hand door het gat en gaf een harde ruk aan de deur. Met een krassend geluid van metaal tegen metaal zwaaide de deur langzaam open.

Hij rende de kamer binnen en stond onmiddellijk oog in oog met een glazen toren van ten minste drie verdiepingen hoog. De toren stond vol met allerlei computerapparatuur en tientallen knipperende lichtjes weerkaatsten als miniatuurvuurwerk in het glas. Het bouwwerk oogde zowel mooi als geheimzinnig

– alsof er opeens een buitenaards ruimteschip in het gebouw was geland.

Ongeveer zes meter naast de toren hing een grote monitor aan de muur. Op de monitor was een opname te zien van Berlijn vanaf een locatie ergens buiten het gebouw, een identieke wereld waar computergestuurde figuurtjes over een stadsplein wandelden. Twee angstige computertechnici stonden vlak onder de monitor voor een bedieningspaneel. Ze bleven een paar tellen roerloos staan en toen drukte de jongste op een knop op het paneel en rende weg.

Moeder Blessing trok haar pistool, wachtte hooguit een seconde en schoot de vluchteling in zijn been. Terwijl de technicus languit op de grond viel, begon er een alarm te knipperen en klonk er een computerstem uit een luidspreker in de muur.

'*Verlassen Sie das Gebäude. Verlassen Sie –*'

Met een verstoorde blik op haar gezicht joeg Moeder Blessing een kogel in de luidspreker. 'Wij wíllen het gebouw niet verlaten,' zei ze. 'Daarvoor hebben we het hier te veel naar ons zin.'

De gewonde man lag op zijn zij. Hij gilde het uit en klemde beide armen om zijn been. Moeder Blessing liep naar hem toe en boog zich over hem heen. 'Houd je mond en wees blij dat je nog leeft. Ik houd niet van mensen die alarminstallaties laten afgaan.'

De gewonde man luisterde niet naar haar. Hij gilde om een dokter en begon heen en weer te rollen.

'Ik heb je gevráágd om je mond te houden,' zei Moeder Blessing. 'Dat lijkt me toch een eenvoudig verzoek.'

Ze wachtte nog heel even om te zien of de gewonde man nog van plan was haar te gehoorzamen. Toen hij bleef gillen, schoot ze hem door het hoofd en liep naar het bedieningspaneel. De andere technicus was een slanke man van een jaar of dertig met kort zwart haar en een hoekig gezicht. Hij ademde zo snel dat Hollis dacht dat hij flauw zou vallen.

'En hoe heet jij?' vroeg Moeder Blessing.

'Gunther Lindemann.'

'Goedenavond, meneer Lindemann. Wij zijn op zoek naar een USB-uitgang voor een flash drive.'

'Niet... niet hier,' zei Lindemann. 'Maar in de toren zitten wel drie uitgangen.'

'Oké. Geef ons maar een rondleiding.'

Lindemann bracht hen naar een schuifdeur aan de zijkant van de toren. Hollis zag dat de wanden van de toren vijftien centimeter dik waren. Elk glazen paneel werd op zijn plek gehouden door een stalen frame aan de buitenkant. Aan de wand hing opnieuw een handaderscanner. Lindeman stak zijn hand in het kastje en de deur ging open.

Toen zij de steriele omgeving betraden werden zij onmiddellijk omgeven door koude lucht. Hollis liep snel naar een werkplek met een computer, een toetsenbord en een monitor. Hij deed het gouden kettinkje met de flash drive af en schoof het apparaatje in een toegangspoort.

Meteen rolde er in vier talen een mededeling over het scherm: ONBEKEND VIRUS AANGETROFFEN. RISICO – HOOG. Toen verdween de tekst van het scherm en verscheen er een rood vierkant dat uit negentig kleine vierkantjes bestond. Slechts één van de vierkantjes was helemaal rood gekleurd en flitste aan en uit als één enkele kankercel in een verder gezond lichaam.

Moeder Blessing wendde zich tot Lindemann. 'Hoeveel bewakers zijn er in het gebouw?'

'Alstublieft, ik – '

Ze viel hem in de rede. 'Geef antwoord op mijn vraag.'

'Eén bewaker hiernaast aan de balie en nog twee boven. De bewakers die geen dienst hebben wonen in een flat aan de overkant van de straat. Zij kunnen elk moment hier zijn.'

'Dan kan ik maar beter klaar gaan staan om hen te begroeten.' Ze draaide zich om naar Hollis. 'Laat me even weten wanneer we hier klaar zijn.'

Moeder Blessing nam Lindemann mee naar buiten terwijl Hollis achter de computer bleef zitten. Er begon nog een rood

vierkantje te knipperen en Hollis vroeg zich af wat voor strijd er gaande was in de computer. Tijdens het wachten dacht hij aan Vicki. Wat zou zij zeggen als ze hier naast hem stond? Ze zou de dood van de bewaker en de computertechnicus diep hebben betreurd. *Van zaad tot boompje*. Dat zinnetje had ze altijd gebruikt. Elke handeling die voortkwam uit haat had de potentie om te groeien en het Licht tegen te houden.

Hij keek weer naar de monitor. De twee rode vierkantjes lichtten fel op en nu begon het virus zich elke tien seconden te verdubbelen. Alle andere lichtjes op de computer begonnen te flikkeren en ergens in de toren ging een alarm af. In minder dan een minuut had het virus de machine overwonnen. Het scherm was nu helemaal rood gekleurd en even later werd het zwart.

Hollis rende de toren uit en zag Lindemann plat op zijn buik op de grond liggen. Moeder Blessing stond een paar meter bij de technicus vandaan, met haar halfautomatische geweer op de ingang gericht.

'Het is gebeurd. Kom op.'

Met dezelfde kille blik in haar ogen draaide zij zich om naar Lindemann.

'Laat hem nou maar. Dat is allemaal tijdverspilling,' zei Hollis. 'Kom, wegwezen hier.'

'Zoals je wilt,' zei Moeder Blessing, alsof ze zojuist het leven van een insect had gespaard. 'Dan kan deze de Tabula vertellen dat ik me niet langer schuilhoud op een eiland.'

Ze renden terug naar de kelder. Terwijl zij weer om de elektronische apparatuur heen liepen, klonk er plotseling een explosie van geweervuur om hen heen. Hollis en Moeder Blessing wierpen zich op de grond, achter een noodaggregaat. Van alle kanten drongen kogels in de verwarmingsbuizen boven hun hoofd.

Het schieten hield op. Hollis hoorde het klikken van magazijnen die in geweren werden geschoven. Iemand riep iets in het Duits en alle lampen aan het kelderplafond gingen uit.

Hollis en Moeder Blessing lagen naast elkaar op de betonnen vloer. Het enige licht kwam van de oplichtende rode knopjes van het noodaggregaat. Hollis zag de donkere gestalte van Moeder Blessing overeind komen en de gereedschapstas pakken.

'De trap is hier dertig meter vandaan,' fluisterde Hollis. 'Laten we het erop wagen.'

'Ze hebben de lichten uitgedaan,' zei Moeder Blessing. 'Dat betekent dat ze waarschijnlijk infraroodapparatuur hebben. Wij zijn blind en zij niet.'

'Wat wil je dan doen?' vroeg Hollis. 'Hier blijven en vechten?'

'Maak me koud,' zei de Harlekijn en overhandigde Hollis de zaklantaarn en een klein metalen blikje. Het duurde even totdat tot hem doordrong dat het de vloeibare stikstof was die ze hadden meegebracht om bewegingsdetectors onklaar te maken.

'Wil je dat ik dit over je heen spuit?'

'Niet op mijn huid. Op mijn kleren en mijn haar. Dan ben ik zo koud dat ze me niet kunnen zien.'

Hollis knipte de zaklamp aan en hield hem in zijn hand zodat het licht door de openingen tussen zijn vingers scheen. Moeder Blessing ging op haar buik liggen en Hollis spoot de vloeibare stikstof op haar broek, laarzen en jack. Toen ze zich op haar rug draaide, probeerde hij niet op haar handen en ogen te spuiten. Het busje maakte een zacht sputterend geluid toen het helemaal leeg was.

De Harlekijn ging zitten en hij zag haar lippen trillen. Toen hij haar bovenarm aanraakte voelde hij een brandende kou. 'Wil je het machinepistool?' vroeg hij.

'Nee. Dan zien ze aan de mondingsvlam waar ik zit. Ik neem het zwaard wel mee.'

'Maar hoe ga je ze vinden?'

'Gebruik je zintuigen, Mr. Wilson. Ze zijn bang, dus zullen ze hijgend ademhalen en op schaduwen schieten. Negen van de tien keer verslaat je vijand zichzelf.'

'Wat kan ik doen?'

'Geef me vijf seconden en begin dan naar rechts te schieten.'

Ze verdween linksaf in de schaduwen. Hollis stond op en schoot zijn hele magazijn leeg. De huurlingen schoten terug – vanaf drie punten aan de linkerkant van de ruimte. Eén tel later hoorde hij een man schreeuwen en toen werd er opnieuw geschoten.

Hollis trok het halfautomatische pistool, haalde de slede naar achteren en drukte de nieuwe patronen in de patroonkamer. Hij hoorde hoe iemand een nieuw magazijn in een geweer schoof en rende op het geluid af. Uit een open lift aan het einde van de gang scheen licht en hij vuurde op een donkere gestalte naast een van de machines.

Opnieuw een salvo van schoten. Gevolgd door stilte. Hollis knipte zijn zaklantaarn aan en zag nog geen twee meter vóór zich een dode man op de grond liggen. Behoedzaam liep hij de kelder door en struikelde bijna over een ander lichaam, naast de airconditioning. De rechterarm van de huurling was van zijn schouder gescheiden.

Hollis zwaaide de lichtbundel van de zaklantaarn door de ruimte en zag aan de andere kant van de kamer nog een dode man liggen en vlak bij de lift een vierde. Vlak bij hem lag een ineengezakte gestalte en toen Hollis ernaartoe rende zag hij dat het Moeder Blessing was. De Harlekijn was in de borst geschoten en haar trui was doordrenkt met bloed. Ze klemde haar zwaard vast alsof haar leven ervan afhing.

'Hij had gewoon geluk,' zei ze. 'Een toevalstreffer.' Moeder Blessings stem had niet langer die gebruikelijke harde klank en ze klonk een beetje alsof ze buiten adem was. 'Eigenlijk wel toepasselijk dat de dood uit een willekeurige hoek kwam.'

'Jij gaat niet dood,' zei Hollis. 'Ik haal je hier weg.'

Haar hoofd rolde naar hem toe. 'Doe niet zo idioot. Pak aan.' Moeder Blessing stak haar hand uit en dwong hem het zwaard van haar aan te nemen. 'Zorg dat je de goede Harle-

kijnnaam uitkiest, Mr. Wilson. Mijn moeder heeft mijn naam uitgekozen. Ik heb er altijd een hekel aan gehad.'

Hollis legde het zwaard op de grond en stak zijn armen uit om haar op te tillen. Met haar laatste krachten duwde Moeder Blessing hem weg.

'Ik was een mooi kind. Dat vond iedereen.' Ze begon onduidelijker te praten en er liep een straaltje bloed uit haar mond. 'Een mooi klein meisje...'

Hooke checked on Squib again. The boy was done loading barrels of oil, looked like, and there was no sign of Hardy. He mused on this. *Barrels of oil. Barrels and barrels. Looks like the dragon needs him some fuel.*

Which would mean . . .

*Vern is on empty*, he realised. *There ain't never gonna be a better time.*

'Cast off, Skipper,' he said, walking down the jetty. 'Plans have changed a bit. I hope you're as sneaky as they say because I need to follow that kid upriver without him knowing. Is that a thing we can do?'

DuShane frowned in exasperation, like, *Why do I have to deal with these landlubber idiots all the goddamned time?*

'Just tell me, DuShane,' said Hooke, thinking that maybe the Adebayo attitude might need some adjustment in the near future.

DuShane patted one of the RIB's twin outboards. 'These babies are muffled, Constable, so all's we gotta do is hang back a little and that kid won't hear jack over his own engine. The only way he cottons on is if he decides to row that tug upriver.'

'Well, all right then,' said Hooke, deciding to keep it all congenial for the moment. 'You good, Jiang?'

Jing Jiang was all decked out in camo, including a lightweight balaclava. 'Good to go. I'm gonna set up on the prow, put one in the eye of this so-called dragon. Turns out to be a guy in a suit, then thanks for the easiest hundred grand I ever made.'

'Listen to me, Jiang,' said Hooke slowly. 'First we ground the beast, then we assess. There's no kill shot till I give you the signal. This bastard has Rebel gold and I want him to part with it before he dies.'

Jiang's eyes narrowed in the balaclava's slit. 'I'll try, Hooke, but sometimes the call has gotta be made by the finger on the trigger.'

Hooke pinched the bridge of his nose, like, *I'm holding back my temper here.* 'Jing, girl, we ain't on no official op. This here chain of command only got one link in it. I want you to do what I say, to the letter. Ground him and let me work. Okay?'

But apparently Jing Jiang didn't get to be the world's preeminent female sniper by being easily intimidated. 'I hear you, Hooke. And I understand you got all that testosterone swilling around your lusty balls. But if this Vern guy is a real live dragon, perhaps he won't let you work. Perhaps I'll have to make a split-second decision. You okay with that, Constable?'

Hooke nodded. He knew that a remote kill would be the best outcome all round, but a part of him didn't want it to go down like that, even if there hadn't been loot at stake.

*What we got here is Biblical*, he thought. *Be a shame to finish it long-distance.*

A man only got so many epic nights in his life. Maybe he and the Hardy girl could beat Vern to death with their bare hands.

*Beat a dragon to death. Now that would be something.*

*Also, 'lusty balls'.*

*Nice.*

# CHAPTER 19

Vern had Bodi Irwin help him to the landing, which barely qualified as a landing, overrun as it was with cypress knuckles, multicoloured spores and moss drapes. Vern had never fixed it up because he didn't want any swamp folk getting ideas and tying off there. One of the dragon's favourite tricks was to lie on his back in the shallow waters and punch dents in any hull that came too close, something he'd been doing for a hundred years. He called those punches 'warning shots'.

*Here be treacherous waters, boys: you ain't getting onshore from here without perforations.*

And so the tours knew to give Boar Island a wide berth on account of it wasn't safe to land there. Too many submerged rocks and roots. And if the water predators didn't get you, then the big cats and boars on the island would do the job. It was like the Bermuda Triangle for hillbillies: people went missing on Boar Island and the environs. And so the Honey Island monster legend grew.

Honey Island, which was fake news. Humans couldn't even get the island right.

But the point was, there was hardly a soul who knew the way through.

Waxman had known the path, and now that secret had been passed on to young Squib.

Vern sighed.

*Waxman.*

Damn, the old bastard had been a good friend to him. In less than a hundred years Vern had grown closer to that mogwai than he'd ever been to his own kin. The dragon's long experience of grieving told him that it would be decades before that pain dulled some, and even then, it would never truly leave his system. Especially considering the way his buddy had checked out.

*I been sadder for longer than any creature alive*, thought Vern. *Ain't that a pain in the ass.*

Vern blinked his inner lids half a dozen times to clear off the film of gunk which had been bothering him thanks to the nineteen seventies chemical run-off from Exxon, which had permeated every molecule of water in the state and would take a million years to dissipate. His vision cleared and he saw the *Pearl* motoring down the centre of the river, Squib ploughing up a wake like he didn't care who saw.

'I keep telling him,' said Vern to Bodi, 'low-profile. That's the whole goddamn point.'

'Teenagers,' said Bodi, feeling Vern's weight on his shoulder. 'You give 'em access to an engine and all good sense goes out the window.'

''Cause sound travels like a motherfucker over swamp water,' continued Vern. 'Skips right along like a flat stone. I swear I can hear the music from your joint most nights.'

'You like it?' asked Bodi, hoping for an affirmative answer.

'A bit fiddle-heavy, if you ask me,' said Vern. 'Ain't you got any Linda Ronstadt on that jukebox?'

'I thought about it,' said Bodi. 'A little on the nose, maybe?'

'Or maybe not,' said Vern.

'We'll have her on there Monday,' promised Bodi. '"Blue Bayou" on repeat.'

Squib must've spotted his boss onshore because he made a great show of throttling back on approach.

'Look who just noticed us standing here,' said Vern, sniggering.

'James goddamn Bond himself,' said Bodi.

'Guess how many people he's fooling with his *Look at me, ain't I careful* act?'

'Not a one.'

'Goddamn right. I should dock his pay, I really should. But he is bringing in the goods. And trust me, Green Day, there'll be a reckoning for that oil.'

Bodi wasn't sure he liked the sound of that. '"Reckoning" has different connotations, Vern. You ain't using the term in a negative sense, by any chance?'

Vern laughed and it felt good, but it also hurt his chest some. 'Connotations? Well, fuck me, Bodi, ain't you the linguist? Nah, it ain't that kind of reckoning. I aim to fix up with you, is all.'

'Fix up' didn't sound much better to Bodi, but he reckoned he'd let it go.

Vern watched Squib navigate the final stretch from the river proper into the barely visible tributary which ran into his little dock. The kid had skills, there was no doubt about that, tipping at the throttle with his left and adjust the steering with the heel of his right, and right there Vern realised that something was missing – not from the world in general, but inside his own head, the psychological equivalent of rising hackles. Vern already knew that he liked the kid, but now he realised that he had faith in him.

*This could work out*, he thought. *Kid's young; we could do a half-century.*

'You make enough noise, kid?' he called when the boat nudged against the half-submerged planking. 'Shit, you wakin' up my ancestors.'

Squib grinned. 'Hey, boss. I sure am glad to see you back on your feet. I thought you were toast – and I need this job.'

'He's a cheeky little cuss, ain't he?' Vern said to Bodi. 'I'll show him toast.'

And Vern wasted valuable energy spreading his wings. 'Does this look like I'm toast, boy? I'll outlive all you puny humans.'

And in that second, while he was all pumped up like that, Vern smelled something on the breeze: a scent he'd thought had been scorched from the earth.

*Fucking Hooke*, he thought. *Come the nuclear holocaust, it'll be just him and the cockroaches.*

Then he heard a sound like an old lady coughing across the river and he had two holes in his wings the size of dinner plates. Or maybe the holes came first.

Bodi was saying something about something, but Vern couldn't understand.

The old lady coughed some more and Irwin was gone from

under his arm, snatched away like he'd come to the end of his bungee.

*Humans*, thought Vern. *The angry mob is here.*

He looked to Squib, who was scrambling over the prow of the cruiser, desperate to help his master; then he, too, was snatched away, not by a bullet but by a hand on his ankle which yanked the boy backwards and sent him cartwheeling into the Pearl River. It might have been larks, it looked so funny, but whatever was transpiring here, it wasn't no comedy. In Squib's place came the biggest human Vern had seen up close, swarming onto the landing like an angry bear. Vern had fought bears before and they weren't no pushover, even when he was at the top of his game.

*It's fight-or-flight time*, thought Vern, *and I am plum out of flight.*

Which left *fight*.

On a good day it would have been an audacious creature indeed who would come at Wyvern, Lord Highfire, with nothing more than lead-shot-weighted sap gloves as weapons. But this was not a good day. Wyvern, Lord Highfire, was perforated, concussed and out of juice, so no flame, no altitude and very little balance. Whatever *oomph* he had, he sent to his armour-plating so that he could at least roll with the punches.

And the punches were not long in coming. This human woman moved so fast that Vern wasn't sure he could have tagged her a good one even if he had been tip-top. He made the effort, though, swinging open-clawed so if he did make contact he might clip an artery and that would be the end of the story as far as this assailant went. But the woman went low and Vern only managed to rake one claw along her buzz-cut skull, opening a shallow gash that bled a little but was nowhere near fatal. And of course then Vern had missed his window and the human was inside his guard.

She went to work like a surgeon, battering Vern's midsection with a flurry of hooks and jabs, searching for weak spots. She found one or two and Vern felt his armour-plating groan under the pressure.

*Come on, Highfire*, he told himself. *You ain't no man-hands, right?*

Maybe 'man-hands' was the wrong derogative in this particular situation. This lady's hands were breaking him down like an old chair. He felt his kidney plate collapse and his solar plexus wobble.

*Too soon*, he thought. *Get it together, Vern.*

The woman worked on the kidney area and Vern felt a searing pain shoot from balls to throat.

'Mother—' he swore, and that's when Vern got a momentary breather.

Maybe the woman hadn't realised that it was Vern who had spoken earlier as she hid in the stern, or maybe Hooke hadn't mentioned the dragon's power of speech. Either way, Vern's expletive froze the woman, just for a second, and she came into focus.

Vern completed the popular insult. '—fucker!' he said, driving his fist down on the woman's head. It wasn't much of a blow, but it bought him a few seconds to back up and draw his breath.

The woman went down on one knee and shook the stars from her eyes. 'That's it, Mister Vern? That's all you got in the tank? Shit, I'm gonna mount your head on my wall.'

Vern clicked his jaws, trying to spark up, but there was nothing, not a single drop of fat. If only he could reach the oil barrels.

'What's up with your face, Vern?' said the woman, balling her fists. 'You having some kind of fit? In case you want to know, the name of the gal whupping your ass is Jewell Hardy. Don't forget that name, will you, boy?'

'I ain't whupped yet, Jewell Hardy,' said Vern, 'so let's you and me get to it.'

There was a blink of light from out on the river and then Vern got himself sledgehammered by a slug which pancaked on his chest. It was bad luck for the shooter, as the chest-plate was close to impenetrable. Lack of penetration notwithstanding, Vern's lungs still emptied in a *whoof!* and he was sent ass-over-tail into the brush.

'Go, Jiang,' said Jewell Hardy, whatever the hell that meant, and was all over Vern like a cheap cologne, which was as far as that analogy went because cheap cologne isn't normally in the habit of beating the bejesus out of its wearers. Hardy gave him a couple in the side of the head first to rattle his marbles, then probed his torso with her fingers, looking for a way in.

Vern's eyes rolled and he thought, *I cannot believe this week.*

The swamp mud squelched beneath him and he felt the slick paste of Boar Island seep into his cargo pants.

*New fucking pants, too. Well, newish.*

'Ok-aay,' said Jewell Hardy, which was ominous.

The fist-fighter had found a gap in Vern's ribs and jammed her fingers in, which tickled. But then she drew a knife from behind her back and tried to work it in the space.

*This ain't gonna tickle*, thought Vern.

The tip went in – but the secondary effect of this penetration was not foreseen by either combatant. The first effect was a stab of white-hot pain, which was to be expected, but the second was an involuntary revving up of Vern's neuromuscular system, which initiated a stretch of his muscles and woke up nerve receptors in his tendons, which kicked off an impulse transmission up his spinal cord, where it triggered a reaction to contract the muscle that was just stretched. Of course, Vern didn't know the science of this; all he knew was his knee jackknifed with a force he would have not thought currently in him, which slammed Jewell Hardy in the back, sending her tumbling into the undergrowth with every last cubic inch of air driven from her lungs.

'Shit,' gasped Vern. 'Fucking beast of a human.'

He'd been lucky, but a woman like that wasn't gonna lie down long because of a knee in the back; she wasn't out of the fight yet – you could bet your last dollar on that. And unless she stabbed him in the same spot, he had nothing in the tank.

'Vern,' said a husky voice, and for a moment Vern thought his ancestors were talking to him from heaven where dragons were supposedly transformed into seraphim.

'Is that the angels?'

'No, it ain't no fucking angels, leastways, not yet.'

Vern looked sideways and there was Bodi Irwin not three feet away, the blood on his shoulder glistening like some kid had dumped a bucket of tar on him.

'Bodi,' said Vern.

Bodi tapped his chest weakly.

'I feel the same, buddy,' said Vern, reckoning it cost nothing to be gracious since the human was probably checking out.

'No, fuckwit. Shotgun.'

*Ah*, thought Vern. *Yeah, that makes more sense.*

Bodi had his shotgun strapped to his back.

Vern reached across, snicked the strap with one talon, then wiggled the weapon out from under Bodi.

'Goddamn,' swore Irwin. 'Take it easy.'

'Sorry,' said Vern. 'I saw on Lifetime how a bullet wound ranks about the same pain-wise as childbirth, so suck it up, Green Day.'

As Vern delivered this missal, he pumped a shell into the chamber, so that when two seconds later Jewell Hardy made a grab for the gun, he was able to blow one of her ears clean off the side of her head.

*No more Beats by Dre for you, lady*, thought Vern.

And he would have finished her off, had Bodi's cruiser not exploded.

Squib felt like he'd come out the sphincter end of a water slide all wrong. He hit the river so hard he was certain he would split like an overripe banana, but somehow his skin held onto its integrity, even when he crashed into the riverbed barely three feet below.

No: *not* the riverbed.

The swamp bed didn't creak and buckle.

With remarkable presence of mind, Squib managed to assemble two rational thoughts:

One: *I think my ass is broken.*

And two: *Goddamn, if I ain't after landing on Hooke's sunken boat.*

It was good to know where the cruiser was, for future reference. If there was to be a future for him, which wasn't looking very likely.

Squib found that he could stand on the cruiser's keel and once his lungs had been satisfied, he could take a peek at the situation, or situations, to be more accurate.

Seemed like there were two action zones:

Vern onshore, wrestling with a WWE diva, looked like.

And a boat in the river, with someone taking potshots.

And wasn't much he could do about either.

*I brung them here*, he thought. *Those bastards, they done followed me.*

Squib's first instinct was to stay where he was, just bobbing here in the Pearl River, let this crisis wash over him. Vern could handle it – he'd surely handled worse. But that instinct faded fast and he was ashamed of it.

*Momma is on that island and all because of me.*

So he made his choice based on desperation and a dollop of teenage stupidity.

*I'm gonna swim ashore and give the boss some back-up, at the very least come between that warrior woman and Momma.*

So he made to push himself off the keel – then his foot snagged in something.

*Goddamn gator's got me*, he thought. *Spared by a dragon, only to be killed by a gator. That's some cosmic bullshit there.*

But it wasn't a gator; it was a cord or strap or something, caught tight around his ankle.

Squib took a breath and ducked under. He kept his eyes closed because there wasn't any point trying to see in a swamp at night, even on a clear night like this. He scrabbled at the strap looped around his ankle and wiggled his thumb in between the buckle and his skin, which was as much as he could do on the first breath. On the second, he widened the loop and slipped his foot out, then thought he might as well see if what'd snagged him could be of any use.

Turned out it could.

Hooke found himself watching a dragon getting beat up.

*These are truly the best of times, Regence*, he thought. *Things ain't never gonna be this good again.*

And it was true: if snipers shooting at dragons in a swamp at the dead of night was your thing, then right now Boar Island was the sweet spot of the universe.

Hooke's daddy had once told him, 'You ain't nothing special, boy. All these sinful antics that in your opinion make you different from the rest of the world? You ain't different. There are a million other jerk-offs doing exactly the same thing you are.'

Hooke smiled again. *Wrong again, Daddy.*

He was watching the onshore shenanigans through his monocular. Jewell Hardy was going fine till Vern caught her with the shotgun blast.

'Holy shit,' he said to DuShane. 'Now she's gonna be pissed. Take us in a little.'

DuShane sat on the inflated gunwale. 'Any closer and we're gonna be scraping the bottom,' he said. His tone was weird, kinda hollow, like the pilot was in shock a little. Which could be the case.

Hooke didn't care, so long as he didn't lose control of the boat. 'Fuck it if we scrape the bottom,' he said. 'Ain't my boat, son.'

'That's what I thought,' said DuShane, then he said, 'Heads up.'

*Now ain't that a strange thing to say?* thought Hooke, wondering whose head Adebayo was referring to and why it should be up, but these questions were answered when DuShane plucked something from the sky and held it to his chest.

'I caught her,' he said, and proudly showed Hooke a grenade like it was a golden egg.

'Goddamn,' said Hooke.

Adebayo's face collapsed like he'd been punched by an invisible fist as he realised what he was holding and Hooke knew what was coming next. He'd seen it a hundred times. It wasn't like in the movies when some square-jawed, in-it-for-the-'right'-reasons soldier caught a pineapple neat as a third baseman and pitched it towards the enemy, destroying a tank and saving the village. In the real world, if some fool is unlucky enough to find a grenade in his immediate vicinity, he immediately regresses to his pass-the-parcel days and targets the nearest comrade.

*Not tonight*, thought Hooke. He reached down to grab Adebayo's ankle and with one heave he flipped the sailor out of the boat. He reckoned that he himself had maybe a thirty per cent chance of survival.

As it turned out, Adebayo's body shielded Hooke from most of the blast. The pilot managed a semi-revolution before the grenade exploded, making spaghetti of his Kevlar vest and churning his organs to mush. He was mashed against the keel before sliding down slowly into the murk like a sports sock down a wall.

He was dead before he hit the water: hot lunch for the alligators.

Hooke took a slash on the forearm and would have tinnitus for the rest of his days, but otherwise he was hale and hearty. Jing Jiang was not accustomed to being within one thousand yards of the action. Her reaction to an explosion inside that comfort zone was a convoluted string of swear words, followed by a swift decision.

'I'm making that call, Hooke,' she called over her shoulder and she swapped her .50-calibre for the rocket launcher, on which Hooke had written in Sharpie: 'Last Rezort' –'Rezort' with a *z*, because soldiers surely loved that kind of rebellious misspelling.

The Russian MANPAD was a little clunkier around the midsection than the old drainpipe models and the business end looked more like a paparazzi telephoto lens than a barrel, which made it difficult to aim precisely, and there was no time for digital sights, but Jiang probably figured it would obliterate most of her event horizon, so job done.

'Die, Gojira,' she said.

Hooke was pretty sure that 'Gojira' was a Japanese reference and Jiang was Chinese, but they could discuss that cross-cultural reference later and either way, the latest reboot was undeniably a hell of a movie.

*And Jewell Hardy*, thought Hooke, *she will die, too*. But his arm stung and he had this ringing in his ears, so if Hardy had to go, so be it. It wasn't as if she had two ears any more, anyway.

'Do it,' he said.

'Like I need you to tell me,' said Jiang. The sniper boosted herself to her knees and with only the most cursory of aim-taking, pulled the trigger – at precisely the same moment a cluster of gators thudded into the keel while fighting over the remains of DuShane Adebayo.

It wasn't much of a thud – no one was falling out of the boat – but the prow dipped just enough to send Jing Jiang's rocket squirrelling off course underwater.

'Shit!' said the sniper, watching the blurred taillight fade into the murk. 'I don't even know if that's gonna—'

At which point the *Pearl* leaped into the air like a volcano had just erupted underneath it and the consequences were multifold:

A tiny species of hydrophytic buttercup, indigenous to the swamp, was blasted into extinction. No one ever saw it and no one would ever miss it – apart from the bullfrogs that ate it for its hallucinogenic properties. Cue thousands of cold-turkey bull-frogs croaking their sacs off for what was left of the summer.

Two million gallons of swamp water were violently redistributed by the rocket's release of energy, causing a six-foot wave to rise up from the depths like Poseidon's fist and dozens of stunned alligators to float to the surface, where they bobbed like healthy turds.

Bodi Irwin's cruiser flipped neater than a high-school gymnast, landing square on top of Vern like he was in a Buster Keaton movie.

Squib tried to hold onto the keel of Hooke's sunken boat, but the mini tsunami ripped both him and a section of the *Elodie* free and the boy literally surfed thirty feet onto the deck of Hooke's RIB.

Old Goatbeard, a legendary three-hundred-pound catfish who had been teasing fishermen for years, took a fin from the rocket in the brain.

NOISE.

Lotta coincidence and happenstance – but Wyvern the mythological dragon had brought that kind of thing with him from the early times.

Vern was suddenly in the dark, but leastways that crazy warrior woman was off his back for the moment.

The keel shuddered above him, roaring directly into his face like a giant shell channelling the ocean. Also, he was covered in gunk.

*What is this shit?* Vern wondered, but then his scales instinctively opened to absorb it and he knew.

*Oil.*

*Finally, Lord Highfire gets a break. Now all I need is a minute to convert.*

That much-needed minute was not forthcoming, however, as no sooner had the sonic vibration ceased than someone had hooked their fingers beneath the inverted gunwale and begun to heave.

*Someone*, thought Vern. *Three guesses.*

No normal human would be capable of lifting the boat, but Vern got the feeling that this woman would find the strength somewhere – like it was a tree trunk and he was her baby pinned underneath.

*And the momma was hell-bent on killing the baby.*

So not exactly your normal tree trunk–baby scenario.

Vern could feel the gunk sinking into his pipes.

*Couple more seconds is all I need to be battle-ready.*

Granted, it would be a very short battle – no aerial antics or anything showy, just a quick burst. But it appeared that even a few more seconds were not on the cards, because the boat lifted with the groaning reluctance of a mouth opening for the dentist. Swamp-glow crept into the gap and Vern could see the oil on his scales trickling through the grooves.

*Come on, gunk. Do your job.*

With a final heave and a child-birthing shriek, Jewell Hardy pushed the cruiser past the point of no return, revealing a prostrate Vern slathered with the oil from Bodi's busted barrels.

'Just a second,' said Vern. 'I'll be right with you.'

'Death don't wait in line,' said Jewell Hardy, which had a nice ring to it.

And to be fair to the girl, with half her face hanging off and blood drenching her torso, she did seem like some class of a harbinger and Vern was inclined to believe that this moment really was his last when Hardy was struck from behind with an oar and the blow caused her to momentarily hunch over.

'What now?' she said. 'Just, *what the fuck now?*'

And there was Elodie Moreau come from the shack, trying to help out, putting her own self in harm's way for her son's boss.

'You just leave that old dragon be,' she said. 'Ain't you got no respect for endangered species?'

Which handed Jewell Hardy her comeback on a plate. 'Lady,' she said, shrugging off the blow, 'you are something of an endangered species yourself.'

Elodie went for another blow with the oar, but Hardy caught

# 40

Op haar achttiende was Maya naar Nigeria gestuurd om de inhoud van een safe op te halen bij een bank in het centrum van Lagos. Een dode Britse Harlekijn, Greenman genaamd, had daar een pakketje diamanten achtergelaten, en Thorn had het geld nodig.

Op het vliegveld van Lagos was een stroomstoring gaande en daardoor werkten de transportbanden niet. Toen ze op haar bagage stond te wachten begon het te regenen. Smerig water stroomde door gaten in het plafond. Na iedereen die maar een uniform droeg te hebben omgekocht, liep Maya de grote hal van het vliegveld binnen en werd onmiddellijk omringd door een menigte Nigerianen. Taxichauffeurs vochten om haar koffer, schreeuwden en zwaaiden met hun vuisten. Toen Maya tussen de mensen door naar de uitgang drong, voelde ze iemand aan haar handtas trekken. Een achtjarig diefje probeerde de leren riem door te snijden en ze moest het mes uit zijn hand rukken.

Het was een heel ander soort ervaring om op de internationale luchthaven Bole in Ethiopië te landen. Maya en Lumbroso kwamen ongeveer een uur voor zonsopgang aan. De aankomsthal was schoon en rustig en de douaniers zeiden voortdurend *tenastëllën* – een Amharisch woord dat zoveel wilde zeggen als: 'Dat u gezondheid moge ontvangen.'

'Ethiopië is een conservatief land,' vertelde Simon Lumbroso. 'Verhef nooit je stem en blijf altijd beleefd. Ethiopiërs noemen elkaar over het algemeen bij de voornaam. Voor mannen getuigt het van respect om daar *Ato* aan toe te voegen – wat "meneer" betekent. Aangezien jij niet getrouwd bent zullen ze jou *Weyzerit* Maya noemen.'

'Hoe worden vrouwen behandeld in deze cultuur?'

'Vrouwen stemmen, hebben eigen bedrijven en bezoeken de universiteit in Addis. Jij bent een *faranji* – een buitenlandse – dus val je in een speciale categorie.' Lumbroso keek naar Maya's reiskleding en knikte goedkeurend. Ze droeg een wijde linnen pantalon en een witte blouse met lange mouwen. 'Je bent bescheiden gekleed, en dat is heel belangrijk. Het wordt als ordinair beschouwd als vrouwen blote schouders of knieën laten zien.'

Na de douane liepen ze de ontvangsthal binnen, waar Petros Semo al op hen stond te wachten. De Ethiopiër was een kleine, tenger gebouwde man met donkerbruine ogen. Lumbroso torende hoog boven zijn oude vriend uit. Ze schudden elkaar bijna een volle minuut lang de hand terwijl ze Hebreeuws met elkaar spraken.

'Welkom in mijn land,' zei Petros tegen Maya. 'Ik heb een Land Rover gehuurd voor onze reis naar Aksum.'

'Heb je de kerkelijke functionarissen nog gesproken?' vroeg Lumbroso.

'Natuurlijk, *Ato* Simon. Alle priesters kennen mij heel goed.'

'Wil dat zeggen dat ik de ark mag zien?' vroeg Maya.

'Dat kan ik niet beloven. In Ethiopië zeggen wij: *Egziabher Kale* – als God het wil.'

Ze verlieten de hal en stapten in een witte Land Rover die

nog het embleem droeg van een Noorse hulporganisatie. Maya ging voorin zitten naast Petros, terwijl Lumbroso achterin plaatsnam. Voordat ze uit Rome waren vertrokken, had Maya Gabriels Japanse zwaard naar Addis Abeba gestuurd. Het wapen zat nog in de verpakking en Petros overhandigde de kartonnen doos aan Maya alsof er een bom in zat.

'Neem me niet kwalijk dat ik het vraag, *Weyzerit* Maya. Is dit je wapen?'

'Het is een talismanzwaard dat in de dertiende eeuw in Japan is gesmeed. Er wordt beweerd dat een Reiziger talismanvoorwerpen mee kan nemen naar de verschillende rijken. Ik weet niet of dat ook voor andere mensen geldt.'

'Volgens mij ben je sinds vele jaren de eerste *Tekelakai* die Ethiopië bezoekt. Een *Tekelakai* is de beschermer van een profeet. Vroeger hadden wij veel van zulke mensen in Ethiopië, maar die zijn allemaal vermoord in periodes dat er politieke onrust heerste.'

Om de weg naar het noorden te bereiken moesten ze dwars door Addis Abeba rijden – de grootste stad van Ethiopië. Het was vroeg in de ochtend, maar de straten waren al overvol met blauw-witte taxibusjes, pick-ups en gele stadsbussen bedekt met een dikke laag stof. Addis had een centrum van moderne hotels en overheidsgebouwen, omgeven door duizenden tweekamerwoninkjes met golfijzeren daken.

De hoofdstraten waren net rivieren die werden gevoed door zandwegen en modderige paadjes. Langs de trottoirs hadden de Ethiopiërs bont gekleurde kraampjes neergezet waarin van alles werd verkocht, van rauw vlees tot illegaal gekopieerde Hollywoodfilms. De meeste mannen op straat droegen westerse kleding. Ze droegen een paraplu of een korte wandelstok, een zogenaamde *dula*. De vrouwen droegen sandalen, wijde rokken en witte omslagdoeken die ze strak om hun bovenlichaam wikkelden.

Aan de rand van de stad moest de Land Rover zich een weg banen door grote kuddes geiten die de stad in werden gedreven om te worden geslacht. De geiten vormden nog een voorbode het begin van veel meer ontmoetingen met dieren – loslopende kippen, schapen en traag slenterende groepen Afrikaanse koeien met bulten op hun rug. Overal waar de Land Rover snelheid minderde, konden de kinderen die langs de weg stonden zien dat er twee buitenlanders in de wagen zaten. Dan renden kleine jongetjes met kaalgeschoren hoofden en dunne beentjes soms wel meer dan een kilometer met de auto mee terwijl ze lachten en zwaaiden en heel hard '*You! You!*' riepen in het Engels.

Simon Lumbroso leunde glimlachend naar achteren. 'Ik denk dat we met vrij grote zekerheid kunnen stellen dat we uit de Grote Machine zijn gestapt.'

Na een eind door lage, met eucalyptusbomen begroeide heuvels te zijn gereden, sloegen ze een onverharde weg in die hen door een rotsachtig hooglandlandschap naar het noorden voerde. Het regenseizoen was al een paar maanden achter de rug, maar het gras was nog steeds geelachtig groen, met hier en daar witte en paarse meskelbloemen. Toen ze een kilometer of zeventig van de hoofdstad verwijderd waren, passeerden ze een huis dat omringd was door in het wit geklede vrouwen. Door de open deur kwam een hoog gejammer en Petros legde uit dat de Dood in dat huis was. Drie dorpen verder verscheen de Dood opnieuw: toen de Land Rover een bocht om kwam, reed hij bijna op een begrafenisstoet in. Gehuld in omslagdoeken droegen mannen en vrouwen een zwarte kist met zich mee, die boven hen leek te zweven als een boot op een witte zee.

De Ethiopische priesters in de dorpen droegen *shamma's*, een soort katoenen toga's, en bedekten hun hoofden met grote katoenen mutsen die Maya aan de bontmutsen deden denken die in Moskou veel worden gedragen. Aan het begin van de zigzagweg die door een kloof naar de Blauwe Nijl leidde, stond een priester met een zwarte paraplu met gouden franjes. Petros stopte en gaf de priester wat geld, zodat de oude man voor een veilige reis zou bidden.

Ze daalden af in de kloof, waarbij de wielen van de Land Rover slechts centimeters van de rand van de weg verwijderd waren. Toen Maya uit het raampje keek zag ze alleen maar wolken en lucht. Het voelde alsof ze met twee wielen op de weg reden en met twee wielen in de lucht.

'Hoeveel heb je die priester gegeven?' vroeg Lumbroso.

'Niet veel. Vijftig birr.'

'Geef hem de volgende keer maar honderd,' mompelde Lumbroso, terwijl Petros al zijn aandacht aan de volgende haarspeldbocht schonk.

Ze staken de metalen brug over de Nijl over en reden de kloof uit. Nu werd het landschap gedomineerd door cactussen en andere woestijnvegetatie. Er liepen nog steeds geiten op de weg, maar ze passeerden nu ook een rij kamelen met houten draagframes op hun bulten. Achterin viel Lumbroso in slaap, met zijn gleufhoed platgedrukt tegen het raampje. Hij sliep overal dwars doorheen: door de gaten in de weg en de stenen die tegen de wielen rammelden, de gieren, scherp afgetekend tegen de blauwe lucht, en de stoffige vrachtwagens die kreunend tegen elke nieuwe heuvel op tuften.

Maya draaide haar raampje omlaag om wat frisse lucht te krijgen. 'Ik heb zowel euro's als Amerikaanse dollars bij me,' zei ze tegen Petros. 'Zou het de zaak wat bespoedigen als ik die priesters een kleine schenking geef?'

'Geld kan heel wat problemen overwinnen,' antwoordde hij. 'Maar deze discussie betreft de Ark des Verbonds. De ark is een heel belangrijk voorwerp voor het Ethiopische volk. De priesters zouden hun beslissing nooit laten beïnvloeden door smeergeld.'

'En jij, Petros? Denk jij dat de ark echt is?'

'Hij heeft een bepaalde macht. Meer kan ik er ook niet van zeggen.'

'Denkt de Israëlische overheid dat hij echt is?'

'De meeste Ethiopische joden wonen nu in Israël. De Israëli's hebben er geen enkel voordeel bij om dit land financieel te steunen, en toch blijven ze dat doen.' Petros glimlachte flauwtjes. 'Als je goed nadenkt is dat toch wel eigenaardig.'

'Volgens de legende is de ark naar Afrika gebracht door de zoon van koning Salomo en de koningin van Sheba.'

Petros knikte. 'Een andere theorie is dat hij uit Jeruzalem is weggebracht toen koning Manasseh een heidens afgodsbeeldje in de tempel van Salomo plaatste. Sommige geleerden geloven dat de ark eerst naar de joodse nederzetting op het Olifanteneiland in de Nijl is gebracht. Honderden jaren later, toen de Egyptenaren de nederzetting aanvielen, werd hij naar een eiland midden in het Tanameer overgebracht.'

'En nu staat hij in Aksum?'

'Ja, in een speciaal heiligdom. Slechts één priester mag bij de ark komen en dat doet hij maar één keer per jaar.'

'Waarom zouden ze mij dan toestemming geven om naar binnen te gaan?'

'Zoals ik op de luchthaven al zei, kennen wij een lange traditie van strijders die Reizigers beschermen. De priesters kunnen dat dus begrijpen, maar jij stelt hen wel voor een lastig probleem.'

'Omdat ik een buitenlandse ben?'

Petros keek een beetje verlegen. 'Omdat je een vrouw bent. Er is al meer dan drie- of vierhonderd jaar geen vrouwelijke *Tekelakai* meer geweest.'

Toen ze door de bergen noordelijk Ethiopië binnenreden begon het te regenen. De weg voerde door een somber landschap zonder enige vegetatie, op een paar in terrassen aangelegde velden na en wat eucalyptusbomen die waren geplant als beschutting tegen de wind. De huizen, scholen en politiebureaus waren allemaal opgetrokken uit geel zandsteen. Op de golfijzeren daken lagen de stenen hoog opgestapeld en in de heuvels stonden overal stenen muurtjes in een vruchteloze poging bodemerosie een halt toe te roepen.

Maya hield het zwaard bij zich op schoot en staarde uit het

raampje. In dit gebied was niets interessanters te zien dan andere mensen. In één dorp droegen alle mannen blauwe regenlaarzen. In een ander dorp stond een meisje van een jaar of drie bij een open riool met een ei tussen haar duim en wijsvinger. Het was vrijdag en de boeren waren op weg naar de markt. Paraplu's deinden op en neer als bontgekleurde paddestoelen die de heuvel op liepen.

Het was al avond toen ze de oude stad Aksum bereikten. Het was opgehouden met regenen, maar er hing nog een lichte nevel in de lucht. Petros keek gespannen en bezorgd. Hij bleef maar naar Maya en Lumbroso kijken. 'Zorg dat je klaar bent. De priesters weten dat wij komen.'

'Wat gaat er gebeuren?' vroeg Lumbroso.

'Laat mij eerst maar het woord doen. Maya moet haar zwaard meenemen om te laten zien dat ze een *Tekelakai* is, maar als ze het uit de schede neemt heb je kans dat ze haar doden. Vergeet niet dat deze priesters bereid zijn hun leven te geven om de ark te beschermen. Je kunt je niet met geweld toegang verschaffen tot het heiligdom.'

Het kerkcomplex, dat in het midden van de stad stond, combineerde opzichtige moderne architectuur met de grijze stenen buitenmuren van de kerk van de Heilige Maria van Zion. Petros reed de Land Rover naar een centraal gelegen binnenplaats en iedereen stapte uit. Terwijl de stormwolken boven hun hoofd overdreven, bleven ze in de mist staan wachten op wat er ging gebeuren.

'Daar...' fluisterde Petros. 'Daar is de ark.' Maya keek naar links en zag een kubusvormig betonnen gebouw met een Ethiopisch kruis op het dak. Voor de ramen zaten stalen luiken en ijzeren tralies en de deur was bedekt met een rood plastic zeil.

Opeens kwamen er allemaal Ethiopische priesters uit de verschillende gebouwen. Ze droegen verschillend gekleurde mantels over hun witte gewaden en een brede variëteit aan hoofdbedekkingen. De meeste priesters waren oud en heel erg mager. Maar er waren ook drie jongere mannen bij met geweren, die als de drie punten van een driehoek om de Land Rover op wacht gingen staan.

Toen er een stuk of twaalf priesters naar buiten waren gekomen, ging er een zijdeur open van de Maria-van-Zion-kerk en kwam er een oude man naar buiten in een smetteloos wit gewaad en met een keppeltje op. Met een *dula* met een bewerkte knop in zijn hand geklemd zette hij langzaam de ene voet voor de andere. Zijn sandalen maakten een zacht schuifelend geluid op het pad van flagstones.

'Dat is de *Tebaki,*' legde Petros uit. 'De bewaker van de ark. Hij is de enige die in het heiligdom mag komen.'

Toen de bewaker een meter of zes van de Land Rover verwijderd was, bleef hij staan en gebaarde met zijn hand. Petros liep naar de oude man toe, boog drie keer en stortte zich toen in een hartstochtelijk betoog in het Amharisch. Zo nu en dan wees hij naar Maya, alsof hij een lange lijst van al haar deugden aan het opsommen was. Petros' verhaal duurde ongeveer tien minuten. Toen hij was uitgesproken, liep het zweet over zijn gezicht. De priesters wachtten tot de bewaker iets zou zeggen. Het hoofd van de oude man beefde, alsof hij de zaak aan het overwegen was; toen zei hij iets in het Amharisch.

Petros haastte zich terug naar Maya. 'Niet slecht,' fluisterde hij. 'Het ziet er veelbelovend uit. Een oude monnik aan het Tanameer beweert al een tijdje dat er een machtige *Tekelakai* naar Ethiopië zal komen.'

'Een vrouw of een man?' vroeg Maya.

'Een man – misschien – maar daarover verschilt men van mening. De bewaker is bereid je verzoek in overweging te nemen. Hij wil dat je iets zegt.'

'Zeg maar wat ik moet doen, Petros.'

'Leg uit waarom je vindt dat je in het heiligdom moet worden toegelaten.'

*Wat moet ik in vredesnaam zeggen?* vroeg Maya zich af. *Straks beledig ik hun tradities en schieten ze me dood.* Haar handen bij het zwaard vandaan houdend, deed ze een paar stappen naar voren. Terwijl ze voor de bewaker boog, schoot haar het zinnetje te binnen dat Petros op het vliegveld had gebruikt.

'*Egziabher Kale*,' zei ze in het Amharisch. *Als God het wil.* Toen boog ze opnieuw en keerde terug naar haar plek naast de Land Rover.

Petros' schouders ontspanden zich alsof zij zojuist een ramp had afgewend. Simon Lumbroso stond achter Maya en zij hoorde hem grinniken. '*Brava*,'zei hij zacht.

De bewaker bleef een ogenblik zwijgend staan om over haar woorden na te denken en wendde zich toen tot Petros. Met zijn wandelstok in zijn hand geklemd draaide hij zich om en schuifelde weer terug naar de kerk, op de voet gevolgd door de andere priesters. Alleen de drie jonge mannen met de geweren bleven staan.

'Wat is er nu gebeurd?' vroeg Maya.

'Ze gaan ons niet vermoorden.'

'Nou, dat is al heel wat,' zei Lumbroso.

'Dit is Ethiopië, dus dient er nu langdurig over gesproken te worden,' zei Petros. 'De bewaker zal de uiteindelijke beslissing nemen, maar eerst zal hij ieders mening willen horen.'

'Wat doen we nu, Petros?'

'Laten we maar wat gaan eten en uitrusten. Vanavond laat komen we terug om te horen of je toestemming krijgt om naar binnen te gaan.'

Maya wilde niet in een hotel eten waar ze toeristen tegen zouden kunnen komen, dus reed Petros naar een restaurant buiten de stad. Na het eten begon de zaak drukker te worden en gingen twee muzikanten een klein podium op. De ene man had een trommel bij zich, terwijl zijn vriend een éénsnarig instrument bij zich had, een zogenaamde *masinko*, die net als een viool werd bespeeld met een gebogen strijkstok. Ze brachten enkele nummers ten gehore, maar niemand luisterde er echt naar, tot een klein jongetje een blinde vrouw naar binnen bracht.

De vrouw was zwaargebouwd en had lang haar. Ze droeg een witte jurk met een wijde rok en verschillende koperen en zilveren halskettingen. Ze ging midden op het podium op een stoel zitten en zette haar benen een eindje uit elkaar, alsof ze zich aan de grond wilde verankeren. Toen pakte ze een microfoon en begon te zingen met zo'n krachtig stemgeluid dat ze alle hoeken van het restaurant ermee bereikte.

'Dat is een lofzangeres. Een heel beroemd iemand hier in het noorden,' vertelde Petros. 'Als je haar betaalt, zingt ze iets aardigs over je.'

Op zijn trommel roffelend liep de drummer tussen de tafeltjes door. Af en toe nam hij wat geld aan van een klant, stelde wat vragen aan hem en ging dan weer terug naar het podium, waar hij de informatie in het oor van de blinde vrouw fluisterde. Zonder ook maar een ogenblik te aarzelen begon zij over de eerbiedwaardige man te zingen – teksten waarom de vrienden van de man moesten lachen en met hun handen op de tafel sloegen.

Nadat dit zo een uurtje was doorgegaan, namen de muzikanten een korte pauze en kwam de drummer naar Petros toe. 'Misschien kunnen we iets voor u en uw vrienden zingen.'

'Dat is niet nodig.'

'Nee, wacht even,' zei Maya toen de drummer wilde weglopen. Als Harlekijn had zij een geheim leven geleid onder een hele serie valse namen. Als zij stierf zou er geen monument voor haar worden opgericht. 'Mijn naam is Maya,' zei ze tegen de drummer, en gaf hem een handvol Ethiopisch geld. 'Misschien kan je vriendin een liedje voor mij maken.'

De drummer fluisterde de blinde vrouw iets in en kwam even later terug naar hun tafeltje. 'Het spijt me heel erg. Neemt u mij alstublieft niet kwalijk, maar zij wil u spreken.'

Terwijl andere mensen nog een drankje bestelden en de barmeisjes op zoek gingen naar eenzame mannen, stapte Maya het podium op en ging op een klapstoeltje zitten. De drummer hurkte bij de twee vrouwen neer en vertaalde, terwijl de zangeres haar duim op Maya's pols drukte, als een arts die haar polsslag opnam.

'Ben je getrouwd?' vroeg de zangeres.

'Nee.'

'Waar is je geliefde?'

'Ik ben naar hem op zoek.'

'Is het een moeilijke reis?'

'Ja. Heel erg moeilijk.'

'Dat weet ik. Ik kan het voelen. Je moet de donkere rivier oversteken.' De zangeres raakte Maya's oren, lippen en oogleden aan. 'Mogen de heiligen je beschermen tegen wat je zult moeten horen, proeven en zien.'

Terwijl Maya terugliep naar haar tafeltje, begon de vrouw zonder microfoon te zingen. Verbaasd haastte de *masinko*-speler zich terug naar het podium. Het lied voor Maya was heel anders dan de lofzangen die zij eerder die avond ten beste had gegeven. De woorden klonken traag en droevig en diep. De barmeisjes hielden op met lachen, de drinkers zetten hun biertjes neer. Zelfs de obers bleven midden in de zaak staan, soms met het geld nog in hun handen geklemd.

En toen, net zo plotseling als het was ingezet, was het lied ten einde en was alles weer net als eerst. Er glinsterden tranen in Petros' ogen, maar hij wendde zich af zodat Maya ze niet kon zien. Hij gooide wat geld op tafel en zei op harde toon: 'Kom op. Het is tijd om hier weg te gaan.' Maya vroeg hem niet om een vertaling. Voor het allereerst in haar leven had zij haar eigen lied. Dat was genoeg.

Het was bijna één uur in de ochtend toen ze terugkeerden naar het complex en de auto op de binnenplaats parkeerden. Het grootste deel van het terrein lag in de schaduwen en zij stonden onder de enige verlichting. Simon Lumbroso zag er in zijn zwarte kostuum en stropdas somber uit toen hij naar het heiligdom keek. Petros, de kleinere man, leek nerveus. Hij keek niet naar het heiligdom, maar naar de kerk.

Ditmaal gebeurde alles veel sneller. Eerst verschenen de jonge mannen met hun geweren; toen ging de kerkdeur open en kwam de bewaker naar buiten, gevolgd door de andere priesters. Iedereen keek heel plechtig, en het was onmogelijk de beslissing van de oude man te voorspellen.

De bewaker bleef op het pad staan en keek op toen Petros naar hem toe liep. Maya verwachtte een speciale ceremonie – een soort proclamatie – maar de bewaker tikte alleen maar met zijn wandelstok op de grond en sprak een paar woorden in het Amharisch. Petros boog en haastte zich terug naar de Land Rover.

'De heiligen zijn ons gunstig gezind. Hij heeft beslist dat je de *Tekelakai* bent. Je hebt toestemming om het heiligdom te betreden.'

Maya hing het talismanzwaard om haar schouder en volgde de bewaker naar het heiligdom. Een priester met een petroleumlamp maakte de poort open en ze liepen naar het omheinde gedeelte. Het gezicht van de bewaker was een emotieloos masker, maar het was wel duidelijk dat bewegen hem veel pijn deed. Hij zette zijn voet op de eerste trede naar de ingang van het heiligdom, bleef even staan om zich te vermannen, en zette toen nog een stap.

'Alleen *Weyzerit* Maya en de *Tebaki* gaan het heiligdom binnen,' zei Petros. 'Alle anderen blijven hier.'

'Bedankt voor je hulp, Petros.'

'Het was een eer je te leren kennen, Maya. Veel geluk op je reis.'

Maya wilde Simon Lumbroso een hand geven, maar de Romein stapte naar voren en sloeg zijn armen om haar heen. Dit was het allermoeilijkste moment. Een deel van haar wilde in die omhelzing van warmte en veiligheid blijven.

'Bedankt, Simon.'

'Je bent net zo moedig als je vader. Ik weet zeker dat hij trots op je zou zijn.'

Een priester tilde het rode plastic zeil op en de bewaker

opende de deur naar het heiligdom. De oude man stak de sleutel weer tussen zijn kleren en nam de petroleumlamp aan. Hij bromde een paar woorden in het Amharisch en wenkte Maya hem te volgen.

De deur ging heel langzaam open, tot er een opening was van ruim een halve meter. De bewaker en Maya glipten het gebouw binnen en de deur viel weer achter hen dicht. Ze stonden in een voorvertrek van zo'n vier vierkante meter. Het enige licht in de kamer kwam van de petroleumlamp. Die zwaaide heen en weer toen de bewaker over de betonnen vloer naar een tweede deur schuifelde. Maya keek om zich heen en zag dat de hele geschiedenis van de ark op de muren geschilderd stond. Israëlieten met de huidskleur van Ethiopiërs volgden de ark op zijn lange reis door de Sinaïwoestijn. De ark werd meegevoerd in de strijd tegen de Filistijnen en opgeborgen in de tempel van Salomo.

Inmiddels was ook de tweede deur open en vergezelde zij de bewaker naar een veel grotere ruimte. De ark was in het midden van de kamer geplaatst en was bedekt met een geborduurd kleed. Hij werd omringd door twaalf aardewerk potten, waarvan de deksels verzegeld waren met was. Maya herinnerde zich Petros' verhaal dat dit gewijde water één keer per jaar werd weggehaald en aan vrouwen werd gegeven die onvruchtbaar waren.

De priester bleef maar naar Maya kijken alsof hij verwachtte dat zij elk moment iets gewelddadigs kon doen. Hij zette de lamp op de grond, liep naar de ark en haalde het kleed weg. De ark was een houten kist, volledig bedekt met bladgoud. Hij kwam tot aan haar knieën en was ongeveer één meter twintig lang. Aan beide zijden zaten horizontale draagstokken, op hun plaats gehouden door metalen ringen, en op het deksel knielden twee gouden cherubijnen. Deze engelachtige wezens hadden het lichaam van een mens en de hoofden en vleugels van adelaars. Hun vleugels glansden in het schijnsel van de petroleumlamp.

Maya liep naar de ark en knielde ervoor neer. Ze pakte de twee cherubijnen, verwijderde het deksel en legde dit op het geborduurde dekkleed. *Voorzichtig,* zei ze tegen zichzelf. *Geen reden om je te haasten.* Toen ze zich naar voren boog en in de ark keek, trof ze niets anders aan dan de acaciahouten binnenkant. *Helemaal niks,* dacht ze. *Een pure vervalsing.* Dit was geen poort tot een ander rijk – dit was niets anders dan een oude houten kist, beschermd door een heleboel bijgeloof.

Boos en teleurgesteld draaide zij zich om naar de bewaker. Hij leunde op zijn wandelstok en lachte om haar domheid. Toen ze nog eens in de ark keek, zag ze opeens een zwart plekje aan de onderrand. *Een brandplek?* vroeg ze zich af. *Een onvolmaaktheid in het hout?* Terwijl ze ernaar keek, werd het plekje groter – tot het zo groot was als een munt – en begon het over het oppervlak van het hout te bewegen.

Het plekje leek onmetelijk diep, een stukje onbegrensde donkere ruimte. Toen het zo groot was als een etensbord, stak ze haar hand in de ark en raakte de duisternis aan. Haar vingertoppen verdwenen volledig. Verschrikt trok ze haar hand terug. Ze was nog in deze wereld. Ze leefde nog.

Toen de poort ophield met bewegen, vergat ze de bewaker en de andere priesters, vergat ze alles behalve Gabriel. Als ze nu haar hand uitstak, zou ze hem dan vinden?

Maya zette zich schrap en stak vervolgens haar rechterarm in de duisternis. Deze keer voelde ze iets – een pijnlijke koude die een tintelend gevoel teweegbracht. Ze duwde haar linkerarm er ook in en stond versteld van de pijn. Opeens had ze het gevoel dat ze omver werd geworpen door een reusachtige golf en mee naar zee werd gesleurd door een machtige stroming. Haar lichaam wankelde even en stortte zich toen in het niets. Maya wilde Gabriels naam zeggen, maar dat was onmogelijk. Ze bevond zich nu in duisternis. En er kwam geen enkel geluid van haar lippen.

# 41

Het regende pijpenstelen toen Boone Chippewa Bay aan de Saint Lawrence-rivier bereikte. Toen hij aan de rand van de kade ging staan, kon hij amper het kasteel op Dark Island zien. Boone was nog maar een paar keer eerder op het eiland geweest. Onlangs was er nog de bijeenkomst gehouden waar Nash het Schaduwprogramma aan de raad van bestuur had gepresenteerd. Boone had eigenlijk verwacht nu in Berlijn te zijn, op zoek naar de misdadigers die het computercentrum hadden vernietigd, maar het bestuur had erop aangedrongen dat hij naar het eiland zou gaan. Hoewel hem een onaangenaam karwei te wachten stond, moest hij hun bevelen nu eenmaal opvolgen.

Toen de twee huurlingen eindelijk arriveerden, gaf Boone de kapitein van de veerboot opdracht de rivier over te steken. Binnen in de kajuit probeerde hij de mannen in te schatten die hem gingen helpen iemand te vermoorden. Beide huurlingen waren recente immigranten uit Roemenië die op de een of andere manier aan elkaar verwant waren. Ze hadden lange namen met veel te veel klinkers en het leek Boone niet nodig de juiste uitspraak te leren. Wat hem betreft was de kleinste

Roemeen Abel en de grotere man Baker. De twee mannen zaten aan de linkerkant van de kajuit en zetten zich schrap met hun voeten tegen de vloer van de boot. Abel was de spraakzaamste van de twee en hij babbelde zenuwachtig in het Roemeens, terwijl Baker om de paar seconden knikte ten teken dat hij luisterde.

Uit de rivier rezen hoge golven op, die tegen de boeg klotsten. Regendruppels vielen op het glasvezeldak van de kajuit en maakten een geluid dat Boone deed denken aan vingers die op een tafelblad roffelden. De twee ruitenwissers van de boot tikten heen en weer terwijl het water over het glas stroomde. De Canadese kapitein draaide constant aan zijn radio, terwijl de loodsen van containerschepen hun posities op de vaarroute doorgaven. 'Wij bevinden ons een halve mijl aan stuurboordzijde,' zei een stem steeds opnieuw. 'Kunt u ons zien? Over...'

Boone raakte de voorkant van zijn parka aan en voelde twee harde bobbels verborgen onder de waterdichte stof. Het flesje CS-toxine zat in zijn linker overhemdzakje. In zijn rechterzak zat het zwarte plastic etuitje waarin de injectiespuit zat. Boone had er een hekel aan mensen aan te raken, vooral op het moment dat ze stierven, maar de spuit vergde toch enige mate van lichamelijk contact.

Toen ze bij Dark Island aankwamen, zette de kapitein de motor af en liet de veerboot langzaam tegen de aanlegsteiger drijven. Het hoofd van de eilandbeveiliging, een ex-politieman, Farrington genaamd, kwam hem verwelkomen. Terwijl Boone uitstapte, pakte hij de boeglijn en sloeg die een paar keer om een paal.

'Waar is de rest van het personeel?' vroeg Boone.

'Die zitten te lunchen in de keuken.'

'En Nash en zijn gasten?'

'Generaal Nash, Mr. Corrigan en Mrs. Brewster zitten allemaal boven in de zitkamer.'

'Zorg dat het personeel de komende twintig minuten in de

keuken blijft. Ik moet enkele belangrijke mededelingen doen. We willen niet dat er per ongeluk iemand binnenkomt en toevallig iets van het gesprek opvangt.'

'Ik begrijp het, sir.'

Ze haastten zich door de hellende tunnel die van de waterkant naar de begane grond van het kasteel liep. Boone bracht het doosje met de injectienaald en het gif over van zijn overhemdzakjes naar zijn broekzak en intussen trokken de twee huurlingen hun natte overjassen uit. Beide mannen droegen zwarte pakken en stropdassen, alsof ze thuis in Roemenië een dorpsbegrafenis gingen bijwonen. De zolen van hun leren schoenen maakten een schuifelend geluid op de grote trap.

De eikenhouten deur was dicht en even aarzelde Boone. Hij hoorde de Roemenen ademen en zichzelf krabben. Waarschijnlijk vroegen zij zich af waarom hij bleef staan. Boone streek zijn natte haar glad, rechtte zijn rug en ging hen voor naar binnen.

Generaal Nash, Michael en mevrouw Brewster zaten aan één kant van een lange tafel. Ze hadden net een kom tomatensoep gegeten en Nash had een schaal met sandwiches in zijn hand.

'Wat doe jij hier?' vroeg Nash.

'Ik heb instructies ontvangen van de raad van bestuur.'

'Ik sta aan het hoofd van de raad van bestuur en ik weet hier niets van.'

Mevrouw Brewster nam de schaal van Nash aan en zette hem midden op de tafel. 'Ik heb een tweede televergadering bijeengeroepen, Kennard.'

Nash keek verbaasd. 'Wanneer?'

'Vanmorgen heel vroeg – toen jij nog lag te slapen. De Broeders waren niet blij met je weigering om op te stappen.'

'En waarom zou ik dat doen? Wat gisteren in Berlijn is gebeurd heeft niets met mij te maken. Geef liever de schuld aan de Duitsers, of aan Boone – die heeft de leiding over de beveiliging.'

'Jij staat aan het hoofd van de organisatie, maar accepteert geen enkele verantwoordelijkheid,' zei Michael. 'Vergeet die aanval van een paar maanden geleden niet, toen we de kwantumcomputer zijn kwijtgeraakt.'

'Wat bedoel je: we? Jij bent geen lid van de raad van bestuur.'

'Sinds vandaag wel,' zei mevrouw Brewster.

Generaal Nash wierp een woedende blik op Boone. 'Vergeet niet wie jou heeft aangenomen, Boone. Ik leid deze organisatie en ik geef je een rechtstreeks bevel. Ik wil dat je deze twee mensen naar de kelder brengt en opsluit. Ik zal zo snel mogelijk een vergadering van de Broeders bijeenroepen.'

'Je luistert niet, Kennard.' Mevrouw Brewster klonk als een onderwijzeres die opeens haar geduld verliest met een eigenwijze leerling. 'Het bestuur heeft vanmorgen vergaderd en gestemd. Het is een unaniem besluit. Met ingang van vandaag ben jij niet langer directeur. Hier valt niet over te onderhandelen. Indien je accepteert dat je een directeur in ruste bent, ontvang je gewoon een salaris en krijg je misschien ergens een kantoortje.'

'Weet je eigenlijk wel tegen wie je het hebt?' vroeg Nash. 'Ik kan de president van de Verenigde Staten aan de telefoon krijgen. De president – en drie ministers-presidenten.'

'En dat is nu precies wat wij niet willen,' zei mevrouw Brewster. 'Dit is een interne kwestie. Niet iets om te bespreken met onze verschillende bondgenoten.'

Als Nash was blijven zitten, had Boone hem misschien wel door laten praten. In plaats daarvan schoof de generaal zijn stoel naar achteren alsof hij naar de bibliotheek wilde rennen om het Witte Huis te bellen. Michael keek Boone even aan. Het was tijd om te doen wat hem was opgedragen.

Boone knikte naar de huurlingen. De twee mannen grepen Nash bij zijn armen en drukten hem tegen de tafel.

'Zijn jullie helemaal gek geworden? Laat me los!'

'Laat één ding heel duidelijk zijn,' zei mevrouw Brewster. 'Ik heb je altijd als een vriend beschouwd, Kennard. Maar vergeet niet dat wij allen een hoger doel dienen.'

Boone ging achter Nash' stoel staan, opende het plastic etuitje en haalde de injectienaald eruit. Het gif zat in een glazen buisje ter grootte van een pillenflesje. Hij drukte de naald door de verzegeling en vulde de spuit met de heldere vloeistof. Toen Kennard Nash over zijn schouder keek, zag hij wat er ging gebeuren. Scheldend en vloekend probeerde hij los te komen. Borden en bestek vielen op de grond en een soepkom brak doormidden.

'Rustig aan,' mompelde Boone. 'Een beetje waardigheid zou je niet misstaan.' Hij stak de naald in Nash' nek, net boven zijn ruggengraat, en injecteerde de vloeistof. Nash zakte in elkaar. Zijn hoofd viel op de tafel en er droop een straaltje speeksel uit zijn mond.

Boone keek naar zijn nieuwe werkgevers. 'Het duurt maar een paar seconden. Hij is al dood.'

'Een plotselinge hartaanval,' zei mevrouw Brewster. 'Wat ontzettend spijtig. Generaal Kennard Nash heeft zijn land trouw gediend. Zijn vrienden zullen hem missen.'

De twee Roemenen hielden nog steeds Nash' armen vast, alsof ze verwachtten dat hij weer tot leven zou komen en uit het raam zou springen. 'Ga terug naar de boot en wacht daar op mij,' zei Boone tegen hen. 'Ik heb jullie hier niet meer nodig.'

'Goed, sir.' Abel trok zijn zwarte stropdas recht, boog zijn hoofd en hij en Baker verlieten de kamer.

'Wanneer bel je de politie?' vroeg Michael.

'Over vijf of tien minuten.'

'En hoe lang doen zij erover om naar het eiland te komen?'

'Ongeveer twee uur. Tegen de tijd dat ze hier zijn, zijn alle sporen van het gif uit het lichaam verdwenen.'

'Leg hem op de grond en scheur zijn overhemd open,' zei Michael. 'Dan laten we het eruitzien alsof we hebben geprobeerd hem te reanimeren.'

'In orde, sir.'

'Ik ben aan een slokje whisky toe,' zei mevrouw Brewster. Zij en Michael stonden op en liepen naar de deur die toegang gaf tot de bibliotheek. 'O, Mr. Boone. Nog één ding...'

'Ma'am?'

'Wij hebben bij al onze activiteiten een hoger niveau van efficiency nodig. Generaal Nash begreep dat niet. Ik hoop dat u het wel begrijpt.'

'Ik begrijp het,' zei Boone en toen was hij alleen met de dode man. Hij trok de stoel naar achteren en duwde het lichaam naar rechts, zodat het met een plof op de grond viel. Toen bukte Boone zich en rukte het blauwe overhemd van de generaal open. Een parelmoeren knoopje vloog door de lucht.

Nu ging hij eerst de politie bellen en dan zijn handen wassen. Hij had behoefte aan heet water, sterke zeep en papieren handdoekjes. Boone liep naar het raam en keek over de bomen uit naar de Saint Lawrence Seaway. De regenlucht en de laaghangende bewolking kleurden het water donker zilver. En de golven rezen op en spatten uiteen terwijl de rivier in oostelijke richting naar zee stroomde.

# 42

Maya reisde door een duisternis die zo zwart was dat haar lichaam leek te verdwijnen. De tijd verstreek, maar zij had geen enkel referentiepunt, geen enkele manier om te beoordelen of dit moment een paar minuten of misschien wel een paar jaar duurde. Ze bestond slechts als een vonk van bewustzijn, een opeenvolging van gedachten, verenigd door haar verlangen om Gabriel te vinden.

Toen ze haar mond opendeed zat hij vol met water. Maya had geen idee waar ze was, maar ze werd omgeven door water en er leek geen weg naar de oppervlakte te zijn. Wanhopig sloeg ze met haar armen en haar benen, maar toen wist ze haar paniek onder controle te krijgen. Terwijl haar lichaam om zuurstof schreeuwde, ontspande zij zich en liet ze haar lichaam omhoogtrekken door de luchtbel die zich nog in haar longen bevond. Toen ze zeker wist welke kant ze op moest, sloeg ze hard haar benen uit en dook op uit een hoge golf.

Ze ademde diep in, liet zich op haar rug drijven en keek omhoog naar de geelgrauwe hemel. Het water om haar heen was zwart, met hier en daar wat witte schuimkoppen. Het rook naar accuzuur en haar huid en ogen begonnen te branden. Ze lag in een rivier met een stroming die haar naar de kant duwde. Als ze even van houding veranderde en een beetje op en neer dobberde, kon ze de oever zien. In de verte zag ze gebouwen en oranje lichtpuntjes die eruitzagen als vlammen.

Maya deed haar ogen dicht en begon naar land te zwemmen. De schouderriem van haar zwaardschede hing om haar nek en ze voelde het zwaard zachtjes bewegen. Toen ze even ophield met zwemmen om de riem strakker aan te trekken, realiseerde ze zich dat de oever van de rivier nu nog verder weg was. De stroming was hier veel te sterk. Als een verlaten roeiboot draaide ze doelloos rondjes.

Toen ze in de richting van de stroming keek, zag ze in de verte de omtrekken van een verwoeste brug. In plaats van zich tegen de rivier te verzetten, draaide ze zich om en zwom naar de stenen bogen in het water. Zowel de stroming als haar eigen kracht stuwden haar voort, totdat ze uiteindelijk tegen de ruwe, grijze stenen aan botste. Maya hield zich er even aan vast en zwom toen naar een tweede boog. Hier was de stroming niet zo sterk meer, en ze liep door het ondiepe water naar de kant.

*Ik kan hier niet blijven,* dacht ze. *Nergens beschutting.* Ze klauterde langs de oever omhoog naar een groepje dode bomen. Dorre bladeren knisperden zachtjes onder haar schoenen. Sommige bomen waren al omgevallen, maar andere leunden tegen elkaar aan als zwijgende overlevenden.

Op ongeveer honderd meter van de rivier hurkte zij neer en probeerde zich aan te passen aan haar nieuwe omgeving. Dit donkere bos was geen fantasie of droom. Ze kon de dorre grasstengels voor haar werkelijk aanraken. Ze rook iets branderigs en hoorde in de verte een bulderend geluid. Haar lichaam voelde gevaar, maar – nee, het was meer dan dat. Dit was een wereld die werd gedomineerd door angst en een verlangen om te vernietigen.

Maya stond op en liep behoedzaam tussen de bomen door.

Ze vond een kiezelpad en volgde dat naar een wit marmeren bankje en een parkfontein vol dode bladeren. Deze twee voorwerpen leken zo slecht op hun plaats in het dode bos dat ze zich afvroeg of ze hier speciaal waren neergezet om de persoon die ze vond te plagen. De fontein deed denken aan een goed onderhouden Europees park met oude mannen die kranten zaten te lezen en kindermeisjes die wandelwagentjes voortduwden.

Het pad eindigde bij een bakstenen gebouw waarvan alle ramen waren ingegooid en alle deuren uit hun sponningen hingen. Maya hing haar zwaard zo dat ze klaar was voor de strijd. Ze liep naar binnen, langs allemaal lege kamers, en keek uit het raam. Op de weg die langs het verlaten park liep, zag ze vier mannen lopen. Ze droegen laarzen of schoenen die niet bij elkaar hoorden en een armoedige verzameling kleren. Ze waren allemaal gewapend met zelfgemaakte wapens – messen, knuppels en speren.

Toen de mannen het eind van het park bereikten, verscheen er een tweede groep. Maya verwachtte een vechtpartij, maar de twee groepen begroetten elkaar en liepen gezamenlijk verder – weg van de rivier. Maya besloot hen te volgen. Zonder zich op de straten te begeven liep ze tussen de ruïnes van de stad en bleef hier en daar even staan om door een kapot raam te kijken. De duisternis verborg haar bewegingen en zij hield zich verre van de gasvlammen die aan kapotte leidingen brandden. De meeste vlammen waren klein en flakkerden onrustig, maar een paar grotere waren net zuilen van vuur. De vlammen lieten zwart roet achter op de muren en de stank van verbrand rubber hing in de lucht.

Ze verdwaalde in een half verwoest kantoorgebouw. Toen ze eindelijk in een smal straatje belandde, zag ze dat zich een mensenmenigte aan het vormen was in de buurt van een gasvlam die een eind verder in de straat brandde. Hopend dat niemand haar zou zien, rende ze naar de overkant van de straat, naar een appartementencomplex waar olieachtig water als een rivier door de betonnen gangen stroomde. Maya klom naar de derde verdieping en gluurde door een gat in de muur.

Op de centrale binnenplaats van een U-vormig gebouw hadden zich ongeveer tweehonderd mannen verzameld. In de gevel van het gebouw waren namen aangebracht. PLATO. ARISTOTELES. GALILEÏ. DANTE. SHAKESPEARE. Ze vroeg zich af of het gebouw vroeger een school was geweest, maar het was moeilijk te geloven dat hier ooit kinderen hadden rondgelopen.

Een blanke man met gevlochten haar en een zwarte man in een gescheurde laboratoriumjas stonden op een paar stoelen onder een houten balk die dienstdeed als een soort primitieve galg. Hun handen waren op hun rug gebonden en ze hadden een touw om hun hals. De menigte verdrong zich om deze twee gevangenen, lachte hen uit en prikte hen met messen. Opeens riep iemand een bevel en kwam een aparte groep vanuit de school naar buiten gemarcheerd. Deze groep werd aangevoerd door een man in een blauw pak. Vlak achter hem duwde een lijfwacht een jongeman voort die was vastgebonden aan het frame van een oude rolstoel. Gabriel. Ze had haar Reiziger gevonden.

De man in het blauwe pak klom op het dak van een oude auto. Hij stond met zijn linkerhand in zijn zak, terwijl zijn rechterhand druk gebaarde bij elk woord dat uit zijn mond kwam.

'Als commissaris van de patrouilles heb ik jullie aangevoerd en jullie vrijheden verdedigd. Onder mijn leiderschap hebben we de kakkerlakken opgespoord die branden stichten en ons voedsel stelen. Wanneer deze sector eindelijk verlost zal zijn van deze parasieten, zullen wij de andere sectoren binnentrekken en het Eiland overnemen.'

De menigte juichte en enkele mannen staken hun wapens hoog in de lucht. Maya staarde naar Gabriel en probeerde te zien of hij nog bij bewustzijn was. Een streepje geronnen bloed liep van zijn neus naar zijn nek. Hij had zijn ogen dicht.

'Zoals jullie weten, hebben we deze bezoeker uit de buitenwereld gevangengenomen. Door middel van keiharde ondervragingen heb ik mijn kennis van onze situatie vergroot. Mijn doel is een manier voor ons allen te vinden om dit eiland samen te verlaten. Helaas hebben spionnen en verraders mijn plannen gesaboteerd. Deze twee gevangenen hadden een geheim pact met de bezoeker gesloten. Zij hebben jullie verraden en geprobeerd voor zichzelf een manier te vinden om te ontsnappen. Moeten wij dit toestaan? Moeten we het goedvinden dat zij er vandoor gaan terwijl wij gevangen blijven in deze stad?'

'Nee!' schreeuwde de menigte.

'Als commissaris van de patrouilles heb ik deze verraders veroordeeld tot de – '

'Dood!'

De commissaris bewoog zijn vingers alsof er een vlieg op zijn hand zat. Een van zijn mensen trapte de stoelen omver, en de twee gevangenen werden gewurgd door hun strop en bungelden stuiptrekkend aan de touwen terwijl de rest hen bespotte. Toen de gevangenen eindelijk ophielden met bewegen, hief de leider zijn handen op en werd de menigte weer rustig.

'Wees op je hoede, mijn wolven. Houd iedereen om je heen goed in de gaten. We hebben nog niet alle verraders ontdekt – en vernietigd.'

Hoewel de man in het blauwe pak de wolven onder de duim behoorde te hebben, bleef hij links en rechts om zich heen kijken, alsof hij verwachtte te worden aangevallen. Toen hij van de auto was geklommen, haastte hij zich samen met zijn lijfwachten en Gabriel weer de school in.

Maya bleef in haar schuilplaats terwijl de menigte zich in verschillende richtingen verspreidde. Op het moment van de executie waren de patrouilles een eenheid geweest, maar nu keek iedereen elkaar met een bepaalde mate van behoedzaamheid aan. De twee gevangenen bleven aan hun touwen bungelen en de laatste patrouille bleef lang genoeg treuzelen om de schoenen van de dode mannen te stelen.

Toen iedereen eindelijk weg was, stak Maya de lege straat over naar het gebouw naast de school. Daar leek het wel alsof er een bom was ontploft. De trap was gereduceerd tot een metalen skelet met slechts enkele dwarsbalken. Op handen en voeten bereikte Maya de bovenste verdieping en sprong daar over de negentig centimeter brede tussenruimte naar het dak van de school.

Toen zij de gang op de derde verdieping binnenliep, zag ze een magere man met een baard die aan een radiator was vastgeketend. Hij droeg een groen zijden stropdas om zijn nek, maar de knoop was zo strak aangetrokken dat het wel een strop leek.

De man leek bewusteloos, maar Maya hurkte toch bij hem neer en prikte hem met het gevest van haar zwaard in zijn borst. Hij deed zijn ogen open en glimlachte. 'Ben jij een vrouw? Je lijkt op een vrouw. Ik ben Pickering, de dameskleermaker.'

'Ik zoek de man in de rolstoel. Waar hebben ze – '

'Dat is Gabriel. Iedereen wil de bezoeker spreken.'

'Waar kan ik hem vinden?'

'Beneden – in de oude aula.'

'Hoeveel bewakers?'

'Twaalf of meer in het gebouw, maar in de aula maar een paar. De commissaris van de patrouilles vertrouwt zijn eigen wolven niet.'

'Kun je me ernaartoe brengen?'

Pickering schudde zijn hoofd. 'Het spijt me. Mijn benen doen het niet meer.'

Maya knikte en begon weg te lopen. 'Onthoud mijn naam,' zei de man. 'Ik ben Mr. Pickering. Gabriels *vriend*.'

Boven aan de trap haalde ze diep adem en bereidde zich voor op een lang, ononderbroken gevecht. Zowel haar vader als Moeder Blessing hadden altijd onderscheid gemaakt tussen het observeren en het waarnemen van een vijand. De meeste burgers deden hun hele leven niets anders dan het passief observeren van de dingen om hen heen. In een gevecht moest je al je zintuigen gebruiken, je concentreren op je tegenstander en hun volgende zet proberen voor te zijn.

Maya liep langzaam de eerste trap af, als een leerling die geen zin heeft om terug te gaan naar de klas. Opeens hoorde ze beneden iets bewegen en ze begon sneller te lopen, met twee treden tegelijk. Een van de lijfwachten van de commissaris kwam naar boven gestommeld en zij wist hem te verrassen en dreef de punt van haar zwaard tussen zijn ribben. Een paar tellen later bereikte ze de gang op de begane grond en rende op twee andere wolven af. De eerste bewaker sneed ze de hals door, waarna ze een klap van een knuppel ontweek en de tweede wolf in zijn buik stak.

Met haar zwaard stevig in haar handen geklemd, stormde ze de aula binnen. Een van de wolven stond voor in de zaal. Ze stak hem neer en sprong op het podium. De commissaris van de patrouilles stond op van zijn stoel en reikte naar zijn revolver. Voordat hij kon richten, zwaaide Maya het zwaard omlaag en hakte zijn hand af. De commissaris gilde het uit, maar toen bracht ze het zwaard opnieuw omlaag en legde hem voorgoed het zwijgen op.

Ze draaide zich om. En daar was Gabriel in de rolstoel. Toen zij de touwen van zijn armen sneed, deed hij zijn ogen open. 'Gaat het?' vroeg ze. 'Kun je staan?'

Toen Gabriel zijn mond opendeed om iets te zeggen, klonk er vanachter uit de aula een krakend geluid. Vier gewapende mannen waren de zaal binnengekomen en even later volgden er nog meer. Er stonden zes wolven voor haar. Zeven. Acht. Negen.

# 43

Gabriel stond op uit de rolstoel en zette een paar wankele stappen in de richting van de mannen. 'Wat dachten jullie van al dat eten?'vroeg hij. 'Nu de commissaris dood is, kunnen jullie alles eten wat je wilt. De opslagruimte is aan de andere kant van de binnenplaats.'

De wolven keken elkaar aan. Maya dacht nog even dat ze gingen aanvallen, maar toen glipte de man die het dichtst bij de uitgang stond de aula uit. Een voor een lieten ze hun wapens zakken en haastten zich achter hem aan.

Gabriel pakte Maya's arm en glimlachte alsof ze weer terug waren in het appartement in Chinatown. 'Ben jij het werkelijk, Maya? Of heb ik misschien weer zo'n droom...'

'Het is geen droom. Ik ben hier. Ik heb je gevonden.'

Maya stak haar zwaard weer in de schede en omhelsde hem. Ze voelde dat hij was afgevallen. Zijn lichaam was vermagerd en zwak.

'We kunnen hier niet blijven,' zei Gabriel. 'Zodra ze het voedsel hebben verdeeld, zullen ze ons komen zoeken.'

'Dus ze lijken op menselijke wezens in onze wereld? Ze hebben gewoon honger en dorst?'

'En ze kunnen sterven.'

Maya knikte. 'Ik heb de terechtstelling voor het gebouw gezien.'

'Deze mensen kunnen zich niets van hun verleden herinneren,' zei Gabriel. 'Ze hebben geen herinneringen aan liefde of hoop of enige andere vorm van geluk.'

Gabriel sloeg een arm om haar schouder en Maya hielp hem de aula uit. Op de gang strompelden ze langs de twee mannen die zij had gedood.

'Hoe ben je hier terechtgekomen? Jij bent geen Reiziger.'

'Ik heb een poort gebruikt.'

'Wat houdt dat in?'

Maya vertelde hem van de zonnewijzer van keizer Augustus en haar reis naar Ethiopië met Simon Lumbroso. Ze besloot maar niet te vertellen dat de Tabula Vine House hadden aangevallen en bijna zijn vrienden de freerunners hadden vermoord. Dat zou ze hem allemaal nog wel eens vertellen, maar niet nu – nu moesten ze ontsnappen.

Gabriel opende de deur van een kamer vol groene dossierkasten. Een schimmelige geur deed Maya aan oude boeken denken die stonden weg te rotten in een kelder. Het enige licht was afkomstig van twee gasvlammen uit leidingen die uit de muren waren gerukt.

'Dit ziet er niet veilig uit,' zei Maya. 'We moeten uit dit gebouw weg zien te komen.'

'Je kunt je nergens verborgen houden op dit eiland. We moeten de doorgang vinden die ons terugbrengt naar onze wereld.'

'Maar die kan overal zijn.'

'De commissaris van de patrouilles beweerde dat de legendes over Reizigers altijd iets te maken hadden met deze kamer. De doorgang is hier ergens. Ik voel het gewoon.'

Gabriel pakte een metalen tafel en schoof hem tegen de deur. Terwijl hij dozen en stoelen verzamelde en op de tafel zette leek hij alleen maar aan kracht te winnen. Wekenlang had Maya gefantaseerd over dit moment – wanneer zij en Gabriel samen zouden zijn in deze vreemde wereld. Maar hoe moest het nu verder? Toen Simon Lumbroso haar voor het eerst over de toegangspunten had verteld, had hij er nadrukkelijk op gewezen dat ze op dezelfde manier moest terugkeren als ze gekomen was. Maya had nooit rekening gehouden met de mogelijkheid dat haar enige weg terug verloren zou gaan in die donkere rivier. Kon ze met Gabriel mee terug, of zou ze hier voor altijd gevangen blijven?

Toen Gabriel klaar was met het blokkeren van de deur, haastte hij zich langs de kasten naar een werktafel die midden in de kamer stond. Opeens bleef hij staan en staarde naar een boekenkast die tegen de muur geschoven was.

'Zie je die zwarte streep? Dat zou wel eens iets kunnen zijn.'

Hij greep een arm vol grootboeken en gooide ze op de tafel. Toen duwde hij de kast opzij, zodat er een muur zichtbaar werd. De Reiziger glimlachte naar Maya als een wiskundestudent die zojuist een ingewikkelde vergelijking heeft opgelost.

'Onze uitweg...'

'Wat bedoel je, Gabriel?'

'Hier. Dit is de doorgang.' Hij volgde de vorm met zijn wijsvinger. 'Zie je wel?'

Maya boog zich naar voren en zag niets anders dan gescheurd pleisterwerk. Op dat moment wist ze – wist ze zonder woorden – dat ze hem kwijt zou raken. Snel ging ze in de schaduwen staan, zodat hij haar gezicht niet kon zien. 'Ja,' loog ze. 'Ik zie iets.'

Vanaf de ingang van de archiefruimte klonk een bonkend geluid. De wolven hadden de deur een paar centimeter open weten te krijgen en nu gooiden ze hun lichamen ertegenaan – zodat de barricade langzaam terug werd geschoven.

De Reiziger greep haar hand en hield hem stevig vast. 'Niet bang zijn, Maya. We gaan het samen doen.'

'Er kan iets misgaan. We zouden elkaar kwijt kunnen raken.'

‘Wij zullen altijd bij elkaar zijn,’ zei Gabriel. ‘Dat beloof ik je. Wat er ook gebeurt, wij zullen samen zijn.’

Hij zette een paar stappen naar voren en toen zag ze zijn lichaam door het pleisterwerk verdwijnen alsof het een waterval was waar een grot achter verborgen ging. Hij trok haar mee: *Kom met me mee, liefste.* Maar haar hand sloeg tegen de harde muur en Gabriels vingers gleden weg.

Met een laatste inspanning duwden de wolven de deur helemaal open. Gabriels barricade kiepte om en alles viel op de grond. Maya rende weg van de tafel en ging tussen twee rijen dossierkasten staan. Ze hoorde zwaar ademhalen en fluisterende stemmen. Een echte strijder zou een vertrouwd strijdperk hebben uitgekozen, maar deze mannen hadden hun keuzes laten beïnvloeden door hun razernij.

Ze wachtte vijf tellen en liep toen een zijpad in. Een meter of zes voor haar stond een man met een ijzeren stang in zijn hand waaraan hij een mes had gebonden. Toen er een tweede man met een speer de hoek om kwam, keerde Maya terug naar haar oorspronkelijke plek tussen de kasten.

Haar handen bewogen zonder dat ze erbij hoefde na te denken. Ze rende naar voren, richtte de punt van haar zwaard op de ogen van de man, maakte toen een snelle beweging met haar pols en sloeg de speer naar de grond. Ze stapte op het mes en stak haar zwaard omhoog, haar tegenstander in de borst stekend.

De dode man viel achterover, maar in haar gedachten was hij er allang niet meer. Ze trok twee laden open en gebruikte ze als treden om boven op de kast te klimmen. Maya zat in een negentig centimeter hoge ruimte tussen de kast en het plafond en keek hoe de eerste aanvaller behoedzaam door het gangpad liep. De tijd vertraagde. Ze had het gevoel alles door twee kijkgaatjes in een masker te observeren.

Toen de man met de speer naast zijn metgezel stond, sprong ze achter hem op de grond en haalde zijn rug over de gehele lengte open. Nu lag het ene lichaam boven op het andere en was het doodstil in de kamer.

Maya verliet de school en liep de straat uit naar een verwrongen verkeerslicht. Honderd meter verderop trilde een enorme gasvlam als een kaarsvlam bij een open raam. Ze draaide zich langzaam om en overzag haar nieuwe wereld. Het maakte niet meer uit of ze links- of rechtsaf ging. De wolven zwierven over het hele eiland. Af en toe zou ze misschien een schuilplaats vinden, maar dat zou dan slechts een korte onderbreking zijn in een eindeloze strijd.

Aan het eind van de straat verschenen twee mannen met knuppels en messen. 'Hier!' riepen ze. 'Hier is ze! We hebben haar gevonden!' Een paar tellen later voegden zich nog drie mannen bij hen. Ze liepen om de gasvlam heen en gingen voor het licht staan.

Nu ze hier stond, helemaal alleen, begreep Maya pas de volle betekenis van haar keuze. Zij zou in dit rijk van woede en haat moeten blijven totdat ze haar vernietigd hadden. *Verdoemd door het vlees.* Ja, dat was waar. Maar was ze ook verlost?

Maya herinnerde zich wat Gabriel haar over deze mannen had verteld – ze hadden geen herinneringen aan het verleden. Maar zij kon zich haar leven in het Vierde Rijk heel goed herinneren. Het was een wereld van grote schoonheid, maar ook een wereld vol blinkende verleidingen en valse goden. Wat was echt? Wat gaf het leven betekenis? Op het moment van de dood ging alles verloren, behalve de liefde. Liefde kon je sterk maken, genezen, weer heel maken.

De vijf mannen stonden met elkaar te praten en een aanvalsplan te organiseren. Maya trok haar zwaard en zwaaide ermee in het rond, zodat het licht van de vlam weerkaatste in de kling. 'Kom maar op!' riep ze. 'Ik ben er klaar voor! Kom dan!'

Toen de mannen zich niet verroerden, rechtte ze haar rug, greep haar zwaard met beide handen vast en concentreerde al haar kracht in haar onderbenen. *Verlost door het bloed,* dacht Maya.

Ze haalde een keer diep adem en terwijl haar schaduw over het gehavende oppervlak van de straat gleed, stormde ze op de wolven af.